Le comte de Monte-Cristo

Alexandre Dumas

Né en 1802 à Villers-Cotterêts, et orphelin de son père à quatre ans, Alexandre Dumas doit très tôt gagner sa vie. À vingt ans, il part à Paris et, en autodidacte, il publie très rapidement poèmes et nouvelles. L'immense succès de son drame *Henri III et sa cour* en 1829 en fait l'un des chefs de file du mouvement romantique. Ses romans paraissent souvent en feuilletons et connaissent aussi un grand succès populaire. Mais d'énormes investissements théâtraux ou journalistiques disperseront sa fortune. C'est presque dans la misère que meurt Alexandre Dumas, en 1870.

Du même auteur :

- Le comte de Monte-Cristo - Tome 1 (texte abrégé)
- Le comte de Monte-Cristo - Tome 2 (texte abrégé)
- Le roman du masque de fer
- Les trois mousquetaires

Alexandre Dumas

Le comte
de Monte-Cristo

Texte abrégé

Certaines œuvres littéraires peuvent, par leur ampleur, sembler difficile-
ment accessibles à de jeunes lecteurs. Ni adaptation, ni résumé, ce livre
propose une version abrégée du texte original : les coupures y sont effec-
tuées de manière à laisser intacts le ton et le style de l'auteur...

1

Marseille – L'arrivée

Le 24 février 1815, la vigie de Notre-Dame-de-la-Garde signala le trois-mâts le *Pharaon*, venant de Smyrne, Trieste et Naples. Aussitôt, la plate-forme du fort Saint-Jean s'était couverte de curieux ; car c'est toujours une grande affaire à Marseille que l'arrivée d'un bâtiment.

Cependant ce bâtiment s'avançait si lentement et d'une allure si triste, que les curieux se demandaient quel accident pouvait être arrivé à bord. Néanmoins il s'avançait dans toutes les conditions d'un navire parfaitement gouverné ; près du pilote, qui s'apprêtait à diriger le *Pharaon* par l'étroite entrée du port de Marseille, était un jeune homme qui surveillait chaque mouvement du navire et répétait chaque ordre du pilote.

La vague inquiétude qui planait sur la foule avait particulièrement atteint un des spectateurs de l'esplanade de Saint-Jean ; il sauta dans une petite barque et ordonna de ramer au-devant du *Pharaon*.

En voyant venir cet homme, le jeune marin quitta son poste à côté du pilote, et vint, le chapeau à la main, s'appuyer à la muraille du bâtiment.

— Ah ! c'est vous, Dantès ! cria l'homme à la barque ; qu'est-il donc arrivé, et pourquoi cet air de tristesse répandu sur tout votre bord ?

— Un grand malheur, monsieur Morrel ! répondit le jeune homme, un grand malheur, pour moi surtout : à la hauteur de Civita-Vecchia nous avons perdu ce brave capitaine Leclère.

— Et comment ce malheur est-il donc arrivé ?

— Mon Dieu, monsieur, de la façon la plus imprévue : le capitaine Leclère quitta Naples fort agité ; au bout de vingt-quatre heures la fièvre le prit, trois jours après il était mort... Pauvre capitaine !

Puis, comme on venait de dépasser la tour ronde :

— Et maintenant si vous voulez monter, monsieur Morrel, dit Dantès voyant l'impatience de l'armateur, voici votre comptable, M. Danglars, qui vous donnera tous les renseignements que vous pouvez désirer. Quant à moi, il faut que je veille au mouillage et que je mette le navire en deuil.

L'armateur ne se le fit pas dire deux fois. Il saisit un câble que lui jeta Dantès et il gravit les échelons cloués sur le flanc rebondi du bâtiment, tandis que celui-ci, retournant à son poste de second, cédait la conversation à celui qu'il avait annoncé sous le nom de Danglars, et qui s'avançait effectivement au-devant de l'armateur.

— Eh bien, monsieur Morrel, dit Danglars, vous savez déjà le malheur, n'est-ce pas ?

— Oui, oui. Pauvre capitaine Leclère ! C'était un brave et honnête homme !

— Et un excellent marin surtout, vieilli entre le ciel et l'eau, comme il convient à un homme chargé des intérêts d'une maison aussi importante que la maison Morrel & Fils, répondit Danglars.

— Mais, dit l'armateur, suivant des yeux Dantès, qui cherchait son mouillage... mais il me semble qu'il n'y a pas besoin d'être si vieux marin que vous le dites, Danglars, pour connaître son métier, et voici notre ami Edmond qui fait le sien, ce me semble, en homme qui n'a besoin de demander conseil à personne.

— Oui, dit Danglars en jetant sur Dantès un regard oblique où brilla un éclair de haine, oui, c'est jeune, et cela ne doute de rien. À peine le capitaine a-t-il été mort qu'il a pris le commandement sans consulter personne, et qu'il nous a fait perdre un jour et demi à l'île d'Elbe au lieu de revenir directement à Marseille.

— Dantès, dit l'armateur se retournant vers le jeune homme, venez donc ici.

— Pardon, monsieur, dit Dantès, je suis à vous dans un instant.

Un nuage passa sur le front de Danglars.

— Pardon, monsieur Morrel, dit Dantès en s'approchant ; maintenant que le navire est mouillé, me voilà tout à vous : vous m'avez appelé, je crois ?

— Je voulais vous demander pourquoi vous vous étiez arrêté à l'île d'Elbe ?

— Je l'ignore, monsieur. C'était pour accomplir un dernier ordre du capitaine Leclère, qui, en mourant, m'avait remis un paquet pour le maréchal Bertrand.

Morrel regarda autour de lui, et tira Dantès à part.

— Vous avez vu l'Empereur aussi ?

— Il est entré chez le maréchal pendant que j'y étais.

— Et vous lui avez parlé ?

— C'est-à-dire que c'est lui qui m'a parlé, monsieur, dit Dantès en souriant.

— Et que vous a-t-il dit ?

— Il m'a fait des questions sur le bâtiment, sur la route qu'il avait suivie et sur la cargaison qu'il portait. Je lui ai dit que le bâtiment appartenait à la maison Morrel & Fils.

« Ah ! ah ! a-t-il dit, je la connais. Les Morrel sont armateurs de père en fils, et il y avait un Morrel qui servait dans le même régiment que moi lorsque j'étais en garnison à Valence. »

— C'est, pardieu, vrai ! s'écria l'armateur tout joyeux ; c'était Policar Morrel, mon oncle, qui est devenu capitaine. Allons, allons, continua l'armateur en frappant amicalement sur l'épaule du jeune homme, vous avez bien fait, Dantès, quoique, si l'on savait que vous avez remis un paquet au maréchal et causé avec l'Empereur, cela pourrait vous compromettre.

— En quoi voulez-vous, monsieur, que cela me compromette ? dit Dantès ; je ne savais même pas ce que je portais, et l'Empereur ne m'a fait que les questions qu'il eût faites au premier venu. Mais, pardon, reprit Dantès, voici la santé et la douane qui nous arrivent : vous permettez, n'est-ce pas ?

— Faites, faites, mon cher Dantès.

Le jeune homme s'éloigna, et à mesure qu'il s'éloignait, Danglars se rapprochait.

— Eh bien ! demanda-t-il, il paraît qu'il vous a donné de bonnes raisons de son mouillage à Porto-Ferrajo ?

— D'excellentes, mon cher monsieur Danglars. C'était le capitaine Leclère qui lui avait ordonné cette relâche.

— À propos du capitaine Leclère, ne vous a-t-il pas remis une lettre de lui ?

— À moi, non ! En avait-il donc une ?

— Je croyais qu'outre le paquet, le capitaine Leclère lui avait confié une lettre.

— Il ne m'en a point parlé, dit l'armateur ; mais s'il a cette lettre, il me la remettra.

Danglars réfléchit un instant.

— Alors, monsieur Morrel, je vous prie, dit-il, ne parlez point de cela à Dantès. Je me serai trompé.

En ce moment le jeune homme revenait, Danglars s'éloigna.

— Eh bien ! mon cher Dantès, êtes-vous libre ? demanda l'armateur.

— Oui, monsieur.

— Vous pouvez donc alors venir dîner avec nous ?

— Excusez-moi, monsieur Morrel, mais je dois ma première visite à mon père. Je n'en suis pas moins bien reconnaissant de l'honneur que vous me faites.

— Eh bien ! après cette première visite, nous comptons sur vous.

— Excusez-moi encore, monsieur Morrel ; mais après cette première visite, j'en ai une seconde qui ne me tient pas moins au cœur.

— Ah ! c'est vrai, Dantès, j'oubliais qu'il y a aux Catalans quelqu'un qui doit vous attendre avec non moins d'impatience que votre père : c'est la belle Mercédès.

Dantès rougit.

— Alors vous permettez ? dit le jeune homme en saluant.

— Oui, si vous n'avez rien de plus à me dire.

— Non.

— Le capitaine Leclère ne vous a pas, en mourant, donné une lettre pour moi ?

— Il lui eût été impossible d'écrire, monsieur ; mais cela me rappelle que j'aurai un congé de quelques jours à vous demander.

— Bon, bon ! vous prendrez le temps que vous voudrez, Dantès ; le temps de décharger le bâtiment nous prendra bien six semaines, et nous ne nous remettrons guère en mer avant trois mois ; seulement, dans trois mois, il faudra que vous soyez là. Le *Pharaon*, continua l'armateur, en frappant sur l'épaule du jeune marin, ne pourrait pas repartir sans son capitaine.

— Sans son capitaine ! s'écria Dantès les yeux brillants de joie. Votre intention serait-elle de me nommer capitaine du *Pharaon* ?

— Si j'étais seul, je vous tendrais la main, mon cher Dantès, et je vous dirais : « C'est fait » ; mais j'ai un associé, et vous savez le proverbe italien : « *Che a compagne a padrone.* » Mais la moitié de la besogne est faite au moins, puisque sur deux voix vous en avez déjà une.

— Oh ! monsieur Morrel, s'écria le jeune marin saisissant les mains de l'armateur, monsieur Morrel, je vous remercie au nom de mon père et de Mercédès.

— C'est bien, c'est bien, Edmond, il y a un Dieu au ciel pour les braves gens, que diable ! Allez voir votre père, allez voir Mercédès, et revenez me voir après.

— Vous ne voulez pas que je vous ramène à terre ?

— Non, merci ; je reste à régler mes comptes avec Danglars. Avez-vous été content de lui pendant le voyage ?

— C'est selon le sens que vous attachez à cette question, monsieur : si c'est comme bon camarade, non ; car je crois qu'il ne m'aime pas depuis le jour où j'ai eu la bêtise, à la suite d'une petite querelle que nous avions eue ensemble, de lui proposer de nous arrêter dix minutes à l'île de Monte-Cristo pour vider cette querelle ; proposition que j'avais eu tort de lui faire, et qu'il avait eu, lui, raison de refuser. Si c'est comme comptable que vous me faites cette question, je crois qu'il n'y a rien à dire et que vous serez content de la façon dont sa besogne est faite.

— Mais, demanda l'armateur, voyons, Dantès, si vous étiez capitaine du *Pharaon*, garderiez-vous Danglars avec plaisir ?

— Capitaine ou second, monsieur Morrel, répondit Dantès, j'aurai toujours les plus grands égards pour ceux qui posséderont la confiance de mes armateurs.

— Allons, allons, Dantès, je vois qu'en tout point vous êtes un brave garçon ; que je ne vous retienne plus ; allez, car je vois que vous êtes sur des charbons.

— Au revoir, monsieur Morrel, et mille fois merci.

— Au revoir, mon cher Edmond, bonne chance !

Le jeune marin sauta dans le canot, alla s'asseoir à la poupe et donna l'ordre d'aborder à la Canebière.

En se retournant, l'armateur vit derrière lui Danglars, qui, en apparence, semblait attendre ses ordres, mais qui, en réalité, suivait comme lui le jeune marin du regard.

Seulement il y avait une grande différence dans l'expression de ce double regard qui suivait le même homme.

2

Le père et le fils

Laissons Danglars, aux prises avec le génie de la Haine, essayer de souffler contre son camarade quelque maligne supposition à l'oreille de l'armateur, et suivons Dantès, qui, après avoir parcouru la Canebière dans toute sa longueur, prend la rue de Noailles, entre dans une petite maison située du côté gauche des allées de Meillan, monte vivement les quatre étages d'un escalier obscur, et s'arrête devant une porte entrebâillée, qui laisse voir jusqu'au fond d'une petite chambre.

Cette chambre était celle qu'habitait le père de Dantès.

— Mon père, mon bon père !

Le vieillard jeta un cri et se retourna ; puis, voyant son fils, il se laissa aller dans ses bras, tout tremblant et tout pâle.

— Qu'as-tu donc, père ? s'écria le jeune homme inquiet, serais-tu malade ?

— Non, non, mon cher Edmond, mon fils, mon enfant ! non ; mais je ne t'attendais pas, et la joie, le saisissement de te revoir ainsi à l'improviste... Ah ! mon Dieu ! il me semble que je vais mourir !

— Voyons, voyons ! dit le jeune homme, un verre de vin, mon père, cela vous ranimera ; où mettez-vous votre vin ?

— Non, merci ! ne cherche pas ; je n'ai pas besoin, dit le vieillard essayant de retenir son fils.

— Si fait, si fait, père, indiquez-moi l'endroit...

Et il ouvrit deux ou trois armoires.

— Inutile..., dit le vieillard, il n'y a plus de vin.

— Cependant, balbutia Dantès, je vous avais laissé deux cents francs, il y a trois mois, en partant.

— Oui, oui, Edmond, c'est vrai ; mais tu avais oublié en partant une petite dette chez le voisin Caderousse : il me l'a rappelée, alors, tu comprends...

— Mais, s'écria Dantès, c'était cent quarante francs, que je devais à Caderousse !

— Oui, balbutia le vieillard.

— Et vous les avez donnés sur les deux cents francs que je vous avais laissés ?

Le vieillard fit un signe de tête.

— De sorte que vous avez vécu trois mois avec soixante francs ! Oh ! mon Dieu ! pardonnez-moi, s'écria Edmond en se jetant à genoux devant le bonhomme.

— Bah ! te voilà, dit le vieillard en souriant, maintenant tout est oublié, car tout est bien.

— Oui, me voilà, dit le jeune homme, me voilà avec un bel avenir et un peu d'argent ; tenez, père, dit-il, prenez, prenez, et envoyez chercher tout de suite quelque chose.

Et il vida sur la table ses poches, qui contenaient une vingtaine de pièces d'or, cinq ou six écus de cinq francs et de la menue monnaie.

— Doucement, doucement, dit le vieillard en souriant, avec ta permission j'userai modérément de ta bourse ; on croirait, si l'on me voyait acheter trop de choses à la fois, que j'ai été obligé d'attendre ton retour pour les acheter.

— Fais comme tu voudras ; mais avant toutes choses, prends une servante, père. Je ne veux plus que tu restes seul. Mais chut ! voici quelqu'un.

— C'est Caderousse qui aura appris ton arrivée, et qui vient sans doute te faire son compliment de bon retour.

En effet, on vit apparaître, encadrée par la porte du palier, la tête noire et barbue de Caderousse : il tenait à la main un morceau de drap qu'en sa qualité de tailleur il s'apprêtait à changer en un revers d'habit.

— Hé ! te voilà donc revenu, Edmond ? dit-il avec un accent marseillais des plus prononcés.

— Comme vous voyez, voisin Caderousse, et prêt à vous être agréable en quelque chose que ce soit, répondit Dantès en dissimulant mal sa froideur sous cette offre de service.

— Merci, merci ; heureusement je n'ai besoin de rien, et ce sont même quelquefois les autres qui ont besoin de moi. Je ne dis pas cela pour toi, garçon. Je t'ai prêté de l'argent, tu me l'as rendu ; cela se fait entre bons voisins, et nous sommes quittes.

— On n'est jamais quitte envers ceux qui nous ont obligé, dit Dantès, car lorsqu'on ne leur doit plus l'argent on leur doit la reconnaissance.

— À quoi bon parler de cela ! Ce qui est passé est passé. Parlons de ton heureux retour, garçon. J'étais donc allé comme cela sur le port pour rassortir du drap marron, lorsque je rencontre l'ami Danglars :

« "Toi, à Marseille ?

« — Eh oui !

« — Et Edmond, où est-il donc, le petit ?

« — Mais chez son père, sans doute", répondit Danglars ; et alors je suis venu, continua Caderousse, pour avoir le plaisir de serrer la main à un ami !

— Ce bon Caderousse, dit le vieillard, il nous aime tant !

— Certainement que je vous aime, et que je vous estime encore, attendu que les honnêtes gens sont rares ! Mais il paraît que tu reviens riche, garçon ? continua le tailleur en jetant un regard oblique sur la poignée d'or et d'argent que Dantès avait déposée sur la table.

Le jeune homme remarqua l'éclair de convoitise qui illumina les yeux noirs de son voisin.

— Hé, mon Dieu ! dit-il négligemment, cet argent n'est point à moi ; je manifestais au père la crainte qu'il n'eût manqué de quelque chose en mon absence, et, pour me rassurer, il a vidé sa bourse sur la table. Allons, père, continua Dantès, remettez cet argent dans votre tirelire ; à moins que le voisin Caderousse n'en ait besoin à son tour, auquel cas il est bien à son service.

— Non pas, garçon, dit Caderousse, je n'ai besoin de rien, et, Dieu merci, l'état nourrit son homme ; garde ton argent, garde : on n'en a jamais de trop ; ce qui n'empêche pas que je ne te sois obligé de ton offre comme si j'en profitais.

— C'était de bon cœur, dit Dantès.

— Je n'en doute pas. Eh bien ! te voilà donc au mieux avec M. Morrel, câlin que tu es ?

— M. Morrel a toujours eu beaucoup de bonté pour moi, répondit Dantès.

— En ce cas, tu as tort de refuser son dîner. Cela l'aura contrarié, ce bon M. Morrel ; et quand on vise à être capitaine, c'est un tort que de contrarier son armateur.

— Je lui ai expliqué la cause de mon refus, reprit Dantès, et il l'a comprise, je crois.

— Ah ! c'est que pour être capitaine il faut un peu flatter ses patrons.

— J'espère être capitaine sans cela, répondit Dantès.

— Tant mieux, tant mieux ! cela fera plaisir à tous les anciens amis, et je sais quelqu'un là-bas, derrière la citadelle de Saint-Nicolas, qui n'en sera pas fâché.

— Mercédès ? dit le vieillard.

— Oui, mon père, reprit Dantès, et, avec votre permission, maintenant que je vous ai vu, maintenant que je sais que vous vous portez bien et que vous avez tout ce qu'il vous faut, je vous demanderai la permission d'aller faire visite aux Catalans.

— Va, mon enfant, va, dit le vieux Dantès, et Dieu te bénisse dans ta femme comme il m'a béni dans mon fils !

Et il embrassa son père, salua Caderousse d'un signe de tête et sortit.

Caderousse resta un instant encore ; puis, prenant congé du vieux Dantès, il descendit à son tour et alla rejoindre Danglars, qui l'attendait au coin de la rue Senac.

— Eh bien, dit Danglars, l'as-tu vu ?

— Je le quitte, dit Caderousse.

— Et a-t-il parlé de son espérance d'être capitaine ?

— Il en parle comme s'il l'était déjà.

— Bah ! dit Danglars, il ne l'est pas encore.

— Ma foi, ce serait bien fait qu'il ne le fût pas, dit Caderousse, ou sans cela il n'y aura plus moyen de lui parler.

— Et il est toujours amoureux de la Catalane ?

— Amoureux fou ; il y est allé : mais ou je me trompe fort, ou il aura du désagrément de ce côté-là.

— Explique-toi.

— Eh bien, j'ai vu que, toutes les fois que Mercédès vient en ville, elle y vient accompagnée d'un grand gaillard de Catalan à l'œil noir, à la peau rouge, très brun, très ardent, et qu'elle appelle « mon cousin ».

— Ah, vraiment ? et crois-tu que ce cousin lui fasse la cour ?

— Je le suppose ; que diable peut faire un grand garçon de vingt et un ans à une belle fille de dix-sept ?

— Et tu dis que Dantès est allé aux Catalans ?

— Il est parti devant moi.

— Si nous allions du même côté ; nous nous arrêterions à la Réserve ; et, tout en buvant un verre de vin de La Malgue, nous attendrions des nouvelles.

— Allons, dit Caderousse, mais c'est toi qui paies ?

— Certainement, répondit Danglars.

3

Les Catalans

À cent pas de l'endroit où Danglars et Caderousse sablaient le vin pétillant de La Malgue, s'élevait, derrière une butte nue et rongée par le soleil et le mistral, le petit village des Catalans.

Il faut que nos lecteurs nous suivent à travers l'unique rue de ce petit village, et entrent avec nous dans une de ces maisons auxquelles le soleil a donné au-dehors une belle couleur de feuille morte, et au-dedans une couche de badigeon, cette teinte blanche qui forme le seul ornement des posadas espagnoles.

Une belle jeune fille aux cheveux noirs comme le jais, aux yeux veloutés comme ceux de la gazelle, se tenait debout adossée à une cloison. À trois pas d'elle, assis sur une chaise qu'il balançait d'un mouvement saccadé, un grand garçon la regardait d'un air où se combattaient l'inquiétude et le dépit ; ses yeux interrogeaient, mais le regard ferme et fixe de la jeune fille dominait son interlocuteur.

— Voyons, Mercédès, disait le jeune homme, voici Pâques qui va revenir, c'est le moment de faire une noce, répondez-moi !

— Je vous ai répondu cent fois, Fernand, et il faut en vérité que vous soyez bien ennemi de vous-même pour m'interroger de nouveau !

— Mercédès ! cria une voix joyeuse au-dehors de la maison, Mercédès !

— Ah ! s'écria la jeune fille en rugissant de joie et en bondissant d'amour.

Et elle s'élança vers la porte, qu'elle ouvrit en s'écriant :

— À moi, Edmond ! me voici.

Edmond et Mercédès étaient dans les bras l'un de l'autre. D'abord ils ne virent rien de ce qui les entourait. Un immense bonheur les isolait du monde, et ils ne parlaient que par ces mots entrecoupés qui sont les élans d'une joie si vive qu'ils semblent l'expression de la douleur.

Tout à coup Edmond aperçut la figure sombre de Fernand, qui se dessinait dans l'ombre, pâle et menaçante.

— Ah ! pardon, dit Dantès en fronçant le sourcil à son tour, je n'avais pas remarqué que nous étions trois.

Puis se tournant vers Mercédès :

— Qui est monsieur ? demanda-t-il.

— Monsieur sera votre meilleur ami, Dantès ; car c'est mon ami à moi, c'est mon cousin, c'est mon frère, c'est Fernand, c'est-à-dire l'homme qu'après vous, Edmond, j'aime le plus au monde ; ne le reconnaissez-vous pas ?

Et à ces mots la jeune fille fixa son regard impérieux sur le Catalan, qui, comme s'il eût été fasciné par ce regard, s'approcha lentement d'Edmond et lui tendit la main.

Sa haine, pareille à une vague impuissante, quoique furieuse, venait se briser contre l'ascendant que cette femme exerçait sur lui.

Mais à peine eut-il touché la main d'Edmond qu'il sentit qu'il avait fait tout ce qu'il pouvait faire, et qu'il s'élança hors de la maison.

— Oh ! s'écria-t-il en courant comme un insensé, oh ! qui me délivrera donc de cet homme ? Malheur à moi !

— Hé ! le Catalan ! hé ! Fernand ! où cours-tu ? dit une voix.

Le jeune homme s'arrêta tout court, regarda autour de lui et aperçut Caderousse attablé avec Danglars sous un berceau de feuillage.

Et il tomba plutôt qu'il ne s'assit sur un des sièges qui entouraient la table.

— Je t'ai appelé parce que tu courais comme un fou et que j'ai eu peur que tu n'allasses te jeter à la mer, dit en riant Caderousse.

Fernand poussa un gémissement qui ressemblait à un sanglot.

— Eh bien ! veux-tu que je te dise, Fernand ? tu as l'air d'un amant déconfit !

Et il accompagna cette plaisanterie d'un gros rire.

— Danglars, voici la chose : Fernand, que tu vois, et qui est un bon et brave Catalan, un des meilleurs pêcheurs de Marseille, est amoureux d'une belle fille qu'on appelle Mercédès ; mais malheureusement, il paraît que la belle fille de son côté est amoureuse du second du *Pharaon* ; et comme le *Pharaon* est entré aujourd'hui même dans le port, tu comprends ?

Danglars enveloppa d'un regard perçant le jeune homme.

— Et à quand la noce ? demanda-t-il.

— Oh ! elle n'est pas encore faite ! murmura Fernand.

— Non, mais elle se fera, dit Caderousse, aussi vrai que Dantès sera capitaine du *Pharaon*, n'est-ce pas, Danglars ?

Danglars tressaillit à cette atteinte inattendue et se retourna vers Caderousse dont, à son tour, il étudia le visage pour voir si le coup était prémédité ; mais il ne lut rien que l'envie sur ce visage déjà presque hébété par l'ivresse.

— Eh bien ! dit-il en remplissant les verres, buvons donc au capitaine Edmond Dantès, mari de la belle Catalane !

Caderousse porta son verre à sa bouche d'une main alourdie, et l'avala d'un trait. Fernand prit le sien et le brisa contre terre.

— Hé, hé, hé ! dit Caderousse, qu'aperçois-je donc là-bas, du haut de la butte, dans la direction des Catalans ? Regarde donc, Fernand, tu as meilleure vue que moi ; je crois que je commence à voir trouble ; on dirait deux amants qui marchent côte à côte et la main dans la main. Dieu me pardonne ! ils ne se doutent pas que nous les voyons, et les voilà qui s'embrassent !

Danglars ne perdait pas une des angoisses de Fernand, dont le visage se décomposait à vue d'œil.

— Les connaissez-vous, monsieur Fernand ? dit-il.

— Oui, répondit celui-ci d'une voix sourde, c'est M. Edmond et Mlle Mercédès.

— Ah ! voyez-vous ! dit Caderousse, et moi qui ne les reconnaissais pas ! Ohé, Dantès ! ohé ! la belle fille ! venez par ici un peu, et dites-nous à quand la noce !

— Veux-tu te taire ! dit Danglars affectant de retenir Caderousse, qui, avec la ténacité des ivrognes, se penchait hors du berceau.

— Holà ! continuait de crier Caderousse à moitié levé et les poings sur la table, holà, Edmond ! tu ne vois donc pas les amis, ou est-ce que tu es déjà trop fier pour leur parler ?

— Non, mon cher Caderousse, répondit Dantès, je ne suis pas fier ; mais je suis heureux, et le bonheur aveugle, je crois, encore plus que la fierté.

— À la bonne heure, voilà une explication ! dit Caderousse.

— Ainsi, la noce va avoir lieu incessamment, monsieur Dantès ? dit Danglars en saluant les deux jeunes gens.

— Le plus tôt possible, monsieur Danglars ; aujourd'hui tous les accords chez le papa Dantès, et demain ou après-demain, au plus tard, le dîner des fiançailles, ici, à la Réserve. Les amis y seront, je l'espère : c'est vous dire que vous êtes invité, monsieur Danglars ; c'est te dire que tu en es, Caderousse.

— Et Fernand, dit Caderousse en riant d'un rire pâteux, Fernand en est-il aussi ?

— Le frère de ma femme est mon frère, dit Edmond, et nous le verrions avec un profond regret, Mercédès et moi, s'écarter de nous dans un pareil moment.

Fernand ouvrit la bouche pour répondre ; mais la voix expira dans sa gorge, et il ne put articuler un seul mot.

4

Complot

Danglars suivit Edmond et Mercédès des yeux jusqu'à ce que les deux amants eussent disparu à l'un des angles du fort Saint-Nicolas ; puis, se retournant alors, il aperçut Fernand, qui était retombé pâle et frémissant sur sa chaise, tandis que Caderousse balbutiait les paroles d'une chanson à boire.

— Ah çà ! mon cher monsieur, dit Danglars à Fernand, voilà un mariage qui ne me paraît pas faire le bonheur de tout le monde !

— Il me désespère, dit Fernand.

— Voyons, dit Danglars, vous me paraissez un gentil garçon, et je voudrais, le Diable m'emporte, vous tirer de peine... Supposez qu'il y ait entre Edmond et Mercédès les murailles d'une prison, ils seront séparés ni plus ni moins que s'il y avait la pierre d'une tombe. Eh bien, comprenez-vous qu'il n'y aurait pas besoin de le tuer ?

— Non certes, si on avait le moyen de faire arrêter Dantès. Mais ce moyen, l'avez-vous ?

Caderousse, qui avait laissé tomber sa tête sur la table, releva le front, et regardant Fernand et Danglars avec des yeux lourds et hébétés :

— Tuer Dantès ! dit-il, qui parle de tuer Dantès ? Je ne veux pas qu'on le tue, moi, c'est mon ami, il a offert ce matin de partager son argent avec moi, comme j'ai partagé le mien avec lui. Je ne veux pas qu'on tue Dantès.

— Et qui te parle de le tuer, imbécile ? reprit Danglars ; il s'agit d'une simple plaisanterie : bois à sa santé, ajouta-t-il en remplissant le verre de Caderousse, et laisse-nous tranquilles.

— Oui, oui, à la santé de Dantès ! dit Caderousse en vidant son verre, à sa santé !... à sa santé... là !

— Mais le moyen... le moyen ? dit Fernand.

— Garçon, dit Danglars, une plume, de l'encre et du papier !

Le garçon prit le papier, l'encre et la plume, et les déposa sur la table.

— Eh bien ! je disais donc, par exemple, reprit Danglars, que, si, après un voyage comme celui que vient de faire Dantès, et dans lequel il a touché à Naples et à l'île d'Elbe, quelqu'un le dénonçait au procureur du roi comme agent bonapartiste...

Et Danglars, joignant l'exemple au précepte, écrivit de la main gauche et d'une écriture renversée, qui n'avait aucune analogie avec son écriture habituelle, les lignes suivantes, qu'il passa à Fernand, et que Fernand lut à demi-voix :

M. le procureur du roi est prévenu, par un ami du trône et de la religion, que le nommé Edmond Dantès, second du navire le Pharaon, *arrivé ce matin de Smyrne après avoir touché à Naples et à Porto-Ferrajo, a été chargé, par Murat, d'une lettre pour l'usurpateur, et, par l'usurpateur, d'une lettre pour le comité bonapartiste de Paris.*

« *On aura la preuve de son crime en l'arrêtant ; car on trouvera cette lettre ou sur lui, ou chez son père, ou dans sa cabine à bord du* Pharaon.

— À la bonne heure ! continua Danglars ; ainsi votre vengeance aurait le sens commun, car, d'aucune façon alors, elle ne pourrait retomber sur vous, et la chose irait toute seule ; il n'y aurait plus qu'à plier cette lettre, comme je le fais, et à écrire dessus : « *À M. le procureur du roi.* » Tout serait dit.

Et Danglars écrivit l'adresse en se jouant.

— Oui, tout serait dit, s'écria Caderousse, qui, par un dernier effort d'intelligence, avait suivi la lecture, et qui comprenait d'instinct tout ce qu'une pareille dénonciation pourrait entraîner de malheur ; oui, tout serait dit : seulement ce serait une infamie.

Et il allongea le bras pour prendre la lettre.

— Aussi, dit Danglars en la poussant hors de la portée de sa main, aussi, ce que je dis et ce que je fais, c'est en plaisantant, et, le premier, je serais bien fâché qu'il arrivât quelque chose à Dantès, ce bon Dantès ! Aussi, tiens...

Il prit la lettre, la froissa dans ses mains et la jeta dans un coin de la tonnelle.

— À la bonne heure ! dit Caderousse, Dantès est mon ami, et je ne veux pas qu'on lui fasse du mal. Rentrons. Viens-tu, Fernand ? rentres-tu avec nous à Marseille ?

— Non, dit Fernand, je retourne aux Catalans.

— Viens, Danglars, et laissons monsieur rentrer aux Catalans, puisqu'il le veut.

Lorsqu'il eut fait une vingtaine de pas, Danglars se retourna et vit Fernand se précipiter sur le papier qu'il mit dans sa poche ; puis aussitôt, s'élançant hors de la tonnelle, le jeune homme tourna du côté du Pillon.

5

Le repas des fiançailles

Le lendemain fut un beau jour. Le repas avait été préparé au premier étage de la Réserve.

Déjà couraient autour de la table les saucissons d'Arles à la chair brune et au fumet accentué, les langoustes à la cuirasse éblouissante, les praires à la coquille rosée, les oursins qui semblent des châtaignes entourées de leur enveloppe piquante, les clovisses qui ont la prétention de remplacer avec supériorité, pour les gourmets du Midi, les huîtres du Nord ; enfin, tous ces hors-d'œuvre délicats que la vague roule sur sa rive sablonneuse, et que les pêcheurs reconnaissants désignent sous le nom générique de fruits de mer.

— Un beau silence ! dit le père de Dantès savourant un verre de vin jaune. Dirait-on qu'il y a ici trente personnes qui ne demandent qu'à rire ?

— Hé ! un mari n'est pas toujours gai, dit Caderousse.

— Le fait est, dit Dantès, que je suis trop heureux en ce moment pour être gai. Si c'est comme cela que vous l'entendez, voisin, vous avez raison ! La joie fait quelquefois un effet étrange, elle oppresse comme la douleur.

Danglars observa Fernand, dont la nature impressionnable absorbait et renvoyait chaque émotion.

— Allons donc, dit-il, est-ce que vous craindriez quelque chose ? il me semble au contraire que tout va selon vos désirs ?

— Et c'est justement cela qui m'épouvante, dit Dantès, il me semble que l'homme n'est pas fait pour être si facilement heureux ! Le bonheur est comme ces palais des îles enchantées dont les dragons gardent les portes. Il faut combattre pour le conquérir ; et moi, en vérité, je ne sais en quoi j'ai mérité le bonheur d'être le mari de Mercédès.

— Le mari, le mari, dit Caderousse en riant ; pas encore, mon capitaine ; essaye un peu de faire le mari, et tu verras comme tu seras reçu !

Mercédès rougit.

— Ma foi, dit Dantès, voisin Caderousse, ce n'est point la peine de me démentir pour si peu. Mercédès n'est point encore ma femme, c'est vrai... Mais dans une heure et demie elle le sera !

Chacun poussa un cri de surprise, à l'exception du père Dantès, dont le large rire montra les dents encore belles. Mercédès sourit et ne rougit plus. Fernand saisit convulsivement le manche de son couteau.

— Dans une heure ! dit Danglars pâlissant lui-même ; et comment cela ?

— Oui, mes amis, répondit Dantès, grâce au crédit de M. Morrel, toutes les difficultés sont aplanies. Nous avons acheté les bans, et à deux heures et demie le maire de Marseille nous attend à l'hôtel de ville.

Fernand ferma les yeux : un nuage de feu brûla ses paupières ; il s'appuya à la table pour ne pas défaillir, et, malgré tous ses efforts, ne put retenir un gémissement sourd qui se perdit dans le bruit des rires et des félicitations de l'assemblée.

— Ainsi, ce que nous prenions pour un repas de fiançailles, dit Danglars, est tout bonnement un repas de noces.

Au même instant, un bruit sourd retentit dans l'escalier ; le retentissement d'un pas pesant, une rumeur confuse de voix mêlées à un cliquetis d'armes couvrirent les exclamations des convives, si bruyantes qu'elles fussent, et attirèrent l'attention générale qui se manifesta à l'instant même par un silence inquiet.

Le bruit s'approcha ; trois coups retentirent dans le panneau de la porte ; chacun regarda son voisin d'un air étonné.

— Au nom de la loi ! cria une voix vibrante, à laquelle aucune voix ne répondit.

Aussitôt la porte s'ouvrit, et un commissaire, ceint de son écharpe, entra dans la salle, suivi de quatre soldats armés, conduits par un caporal.

— Edmond Dantès, reprit le commissaire, au nom de la loi, je vous arrête.

— Vous m'arrêtez ! dit Edmond avec une légère pâleur, mais pourquoi m'arrêtez-vous ?

— Je l'ignore, monsieur, mais votre premier interrogatoire vous l'apprendra.

— Ah çà ! qu'est-ce que cela signifie ? demanda en fronçant le sourcil Caderousse à Danglars qui jouait la surprise.

— Le sais-je, moi ? dit Danglars ; je suis comme toi : je vois ce qui se passe, je n'y comprends rien, et je reste confondu.

Caderousse chercha des yeux Fernand : il avait disparu.

Toute la scène de la veille se représenta alors à son esprit avec une effrayante lucidité : on eût dit que la catastrophe venait de tirer le voile que l'ivresse de la veille avait jeté entre lui et sa mémoire.

6

L'interrogatoire

Gérard de Villefort était en ce moment aussi heureux qu'il est donné à un homme de le devenir : déjà riche par lui-même, il occupait à vingt-sept ans une place dans la magistrature, il épousait une jeune et belle personne qu'il aimait non passionnément, mais avec raison, comme un substitut du procureur du roi peut aimer ; et outre sa beauté, qui était remarquable, Mlle de Saint-Méran, sa fiancée, appartenait à une des familles les mieux en cour de l'époque, et outre l'influence de son père et de sa mère, qui, n'ayant point d'autre enfant, pouvaient la consacrer tout entière à leur gendre, elle apportait encore à son mari une dot de cinquante mille écus, qui, grâce aux espérances, pouvait s'augmenter un jour d'un héritage d'un demi-million ; tous ces éléments réunis composaient donc pour Villefort un total de félicité éblouissant.

Comme il était arrivé à la porte de sa maison adossée au palais de justice, il entra majestueusement.

L'antichambre était pleine de gendarmes et d'agents de police ; au milieu d'eux, gardé à vue, enveloppé de regards flamboyants de haine, se tenait debout, calme et immobile, le prisonnier.

Villefort traversa l'antichambre, jeta un regard oblique sur Dantès, et après avoir pris une liasse que lui remit un agent, disparut en disant :

— Qu'on amène le prisonnier.

Un instant après lui, Dantès entra.

Le jeune homme était pâle, mais calme et souriant ; il salua son juge avec une politesse aisée, puis chercha des yeux un siège, comme s'il eût été dans le salon de l'armateur Morrel.

— Qui êtes-vous et comment vous nommez-vous ?

— Je m'appelle Edmond Dantès, monsieur, répondit le jeune homme d'une voix calme et sonore ; je suis second à bord du navire le *Pharaon*, qui appartient à MM. Morrel et fils.

— Votre âge ? continua Villefort.

— Dix-neuf ans, répondit Dantès.

— Que faisiez-vous au moment où vous avez été arrêté ?

— J'assistais au repas de mes propres fiançailles, monsieur, dit Dantès d'une voix légèrement émue.

— Vous assistiez au repas de vos fiançailles ?

— Oui, monsieur, je suis sur le point d'épouser une femme que j'aime depuis trois ans.

— Continuez, monsieur, dit-il.

— Que voulez-vous que je vous continue ?

— D'éclairer la justice.

— Que la justice me dise sur quel point elle veut être éclairée, et je lui dirai tout ce que je sais ; seulement, ajouta-t-il à son tour avec un sourire, je la préviens que je ne sais pas grand-chose.

— Avez-vous servi sous l'usurpateur ?

— J'allais être incorporé dans la marine militaire lorsqu'il est tombé.

— On dit vos opinions politiques exagérées, dit Villefort, à qui l'on n'avait pas soufflé un mot de cela, mais qui n'était pas fâché de poser la demande comme on pose une accusation.

— Mes opinions politiques, à moi, monsieur ? hélas ! toutes mes opinions, je ne dirai pas politiques, mais privées, se bornent à ces trois sentiments : j'aime mon père, je respecte M. Morrel et j'adore Mercédès.

À mesure que Dantès parlait, Villefort regardait son visage à la fois si doux et si ouvert, et se sentait revenir à la mémoire les paroles de Renée de Saint-Méran, qui, sans le connaître, lui avait demandé son indulgence pour le prévenu. Avec l'habitude qu'avait déjà le substitut du crime et des criminels, il voyait, à chaque parole de Dantès, surgir la preuve de son innocence.

« Pardieu, se dit Villefort, voici un charmant garçon, et je n'aurai pas grand-peine, je l'espère, à me faire bien voir de Renée en accomplissant la recommandation qu'elle m'a faite ; ça me vaudra un bon serrement de main devant tout le monde et un charmant baiser dans un coin. »

— Monsieur, dit Villefort, vous connaissez-vous quelques ennemis ?

— Des ennemis à moi ! dit Dantès ; j'ai le bonheur d'être trop peu de chose pour que ma position m'en ait fait.

— Mais, à défaut d'ennemis, peut-être avez-vous des jaloux : vous allez être nommé capitaine à dix-neuf ans, ce qui est un poste élevé dans votre état ; vous allez épouser une jolie femme qui vous aime, ce qui est un bonheur rare dans tous les États de la Terre : ces deux préférences du destin ont pu vous faire des envieux.

— Oui, vous avez raison. Vous devez mieux connaître les hommes que moi, et c'est possible ; mais si ces envieux devaient être parmi mes amis, je vous avoue que j'aime mieux ne pas les connaître, pour ne point être forcé de les haïr.

— Vous avez tort, monsieur. Il faut toujours autant que possible voir clair autour de soi ; et, en vérité, vous me paraissez un si digne jeune homme, que je vais m'écarter pour vous des règles ordinaires de la justice et vous aider à faire jaillir la lumière en vous communiquant la dénonciation qui vous amène devant moi : voici le papier accusateur ; reconnaissez-vous l'écriture ?

Et Villefort tira la lettre de sa poche et la présenta à Dantès. Dantès regarda et lut. Un nuage passa sur son front, et il dit :

— Non, monsieur, je ne connais pas cette écriture ; elle est déguisée, et cependant elle est d'une forme assez franche. En tout cas, c'est une main habile qui l'a tracée.

— Et maintenant, voyons, dit le substitut, répondez-moi franchement, monsieur : qu'y a-t-il de vrai dans cette accusation anonyme ?

Et Villefort jeta avec dégoût sur le bureau la lettre que Dantès venait de lui rendre.

— Eh bien ! en quittant Naples, le capitaine Leclère tomba malade d'une fièvre cérébrale : sa maladie empira si vite, que vers la fin du troisième jour, sentant qu'il allait mourir, il m'appela près de lui.

« "Mon cher Dantès, me dit-il, jurez-moi sur votre honneur de faire ce que je vais vous dire ; il y va des plus hauts intérêts.

« — Je vous le jure, capitaine, lui répondis-je.

« — Eh bien ! comme après ma mort le commandement du navire vous appartient en qualité de second, vous prendrez ce commandement, vous mettrez le cap sur l'île d'Elbe, vous débarquerez à Porto-Ferrajo, vous demanderez le grand maréchal, vous lui remettrez cette lettre ; peut-être alors vous remettra-t-on une autre lettre et vous chargera-t-on de quelque mission. Cette mission qui m'était réservée,

Dantès, vous l'accomplirez à ma place et tout l'honneur en sera pour vous.

« — Je le ferai, capitaine, mais peut-être n'arrive-t-on pas si facilement que vous le pensez près du grand maréchal.

« — Voici une bague que vous lui ferez parvenir, dit le capitaine, et qui lèvera toutes les difficultés."

« Et à ces mots il me remit une bague.

« Il était temps : deux heures après le délire le prit ; le lendemain il était mort.

— Et que fîtes-vous alors ?

— Ce que je devais faire, monsieur, ce que tout autre eût fait à ma place : en tout cas, les prières d'un mourant sont sacrées ; mais chez les marins, les prières d'un supérieur sont des ordres que l'on doit accomplir.

— Oui, oui, murmura Villefort, tout cela me paraît être la vérité, et, si vous êtes coupable, c'est d'imprudence ; encore cette imprudence était-elle légitimée par les ordres de votre capitaine. Rendez-nous cette lettre qu'on vous a remise à l'île d'Elbe, donnez-moi votre parole de vous représenter à la première réquisition, et allez rejoindre vos amis.

— Ainsi je suis libre, monsieur ? s'écria Dantès au comble de la joie.

— Oui, seulement donnez-moi cette lettre.

— Elle doit être devant vous, monsieur ; car on me l'a prise avec mes autres papiers, et j'en reconnais quelques-uns dans cette liasse.

— Attendez, dit le substitut à Dantès qui prenait ses gants et son chapeau, attendez ; à qui est-elle adressée ?

— *À M. Noirtier, rue Coq-Héron, à Paris.*

La foudre tombée sur Villefort ne l'eût point frappé d'un coup plus rapide et plus imprévu ; il retomba sur son fauteuil, d'où il s'était levé à demi pour atteindre la liasse de papiers saisis sur Dantès, et la feuilletant précipitamment, il en tira la lettre fatale, sur laquelle il jeta un regard empreint d'une indicible terreur.

— *M. Noirtier, rue Coq-Héron, n° 13*, murmura-t-il en pâlissant de plus en plus. Et vous n'avez montré cette lettre à personne ?

— À personne, monsieur, sur l'honneur !

Après cette lettre, Villefort laissa tomber sa tête dans ses mains, et demeura un instant accablé.

« Oh ! s'il sait ce que contient cette lettre, murmura-t-il, et qu'il apprenne jamais que Noirtier est le père de Villefort, je suis perdu, perdu à jamais ! »

Villefort fit sur lui-même un effort violent, et d'un ton qu'il voulait rendre assuré :

— Monsieur, dit-il, les charges les plus graves résultent de votre interrogatoire, je ne suis donc pas le maître, comme je l'avais espéré d'abord, de vous rendre à l'instant même la liberté ; je dois, avant de prendre une pareille mesure, consulter le juge d'instruction. En attendant, vous avez vu de quelle façon j'en ai agi envers vous.

— Oh ! oui, monsieur, s'écria Dantès, et je vous remercie, car vous avez été pour moi bien plutôt un ami qu'un juge.

— Eh bien ! monsieur, je vais vous retenir quelque temps encore prisonnier, le moins longtemps que je pourrai ; la principale charge qui existe contre vous, c'est cette lettre, et vous voyez...

Villefort s'approcha de la cheminée, la jeta dans le feu et demeura jusqu'à ce qu'elle fût réduite en cendres.

— Et vous voyez, continua-t-il, je l'anéantis.

— Oh ! s'écria Dantès, monsieur, vous êtes plus que la justice, vous êtes la bonté !

— Je vais vous garder jusqu'au soir ici, au palais de justice ; peut-être qu'un autre que moi viendra vous interroger : dites tout ce que vous m'avez dit, mais pas un mot de cette lettre.

— Je vous le promets, monsieur.

Villefort sonna.

Le commissaire de police entra.

Villefort s'approcha de l'officier public et lui dit quelques mots à l'oreille ; le commissaire répondit par un simple signe de tête.

— Suivez monsieur, dit Villefort à Dantès.

Dantès s'inclina, jeta un dernier regard de reconnaissance à Villefort et sortit.

7

Le château d'If

En traversant l'antichambre, le commissaire de police fit signe à deux gendarmes, lesquels se placèrent l'un à droite, l'autre à gauche de Dantès ; on ouvrit une porte qui communiquait de l'appartement du procureur du roi au palais de justice, on suivit quelque temps un de ces grands corridors sombres qui font frissonner ceux-là qui y passent, quand même ils n'ont aucun motif de frissonner.

De même que l'appartement de Villefort communiquait au palais de justice, le palais de justice communiquait à la prison, sombre monument accolé au palais.

Après nombre de détours dans le corridor qu'il suivait, Dantès vit s'ouvrir une porte avec un guichet de fer ; les deux gendarmes poussèrent légèrement leur prisonnier qui hésitait encore. Dantès franchit le seuil redoutable et la porte se referma bruyamment derrière lui.

Il respirait un autre air, un air méphitique et lourd : il était en prison.

On le conduisit dans une chambre assez propre, mais grillée et verrouillée ; il en résulta que l'aspect de sa demeure ne lui donna point trop de crainte : d'ailleurs, les paroles du substitut du procureur du roi, prononcées avec une voix qui avait paru à Dantès si pleine d'intérêt, résonnaient à son oreille comme une douce promesse d'espérance.

Il était déjà quatre heures lorsque Dantès avait été conduit dans sa chambre. On était au 1er mars ; le prisonnier se trouva donc bientôt dans la nuit.

Enfin, vers les dix heures du soir, des pas retentirent dans le corridor et s'arrêtèrent devant sa porte, une clef tourna dans la serrure, les verrous grincèrent, et la massive barrière de chêne s'ouvrit, laissant voir tout à coup dans la chambre sombre l'éblouissante lumière de deux torches.

À la lueur de ces deux torches, Dantès vit briller les sabres et les mousquetons de quatre gendarmes.

Il avait fait deux pas en avant, il demeura immobile à sa place en voyant ce surcroît de force.

— Vous venez me chercher ? demanda Dantès.

— Oui, répondit un des gendarmes.

— De la part de M. le substitut du procureur du roi ?

— Mais je le pense.

— Bien, dit Dantès, je suis prêt à vous suivre.

Une voiture attendait à la porte de la rue, le cocher était sur son siège, un exempt était assis près du cocher.

Dantès voulut faire quelques observations, mais la portière s'ouvrit, il sentit qu'on le poussait ; il n'avait ni la possibilité, ni même l'intention de faire résistance : il se trouva en un instant assis au fond de la voiture, entre deux gendarmes ; les deux autres s'assirent sur la banquette de devant, et la pesante machine se mit à rouler avec un bruit sinistre.

Bientôt il vit à travers ses barreaux, à lui, et les barreaux du monument près duquel il se trouvait, briller les lumières de la Consigne.

La voiture s'arrêta, l'exempt descendit, s'approcha du corps de garde ; une douzaine de soldats en sortirent et se mirent en haie ; Dantès voyait, à la lueur des réverbères du quai, reluire leurs fusils.

Les deux gendarmes qui étaient assis sur la banquette de devant descendirent les premiers, puis on le fit descendre à son tour, puis ceux qui se tenaient à ses côtés le suivirent. On marcha vers un canot qu'un marinier de la douane maintenait près du quai par une chaîne. En un instant il fut installé à la poupe du bateau, toujours entre ses quatre gendarmes, tandis que l'exempt se tenait à la proue. À un cri poussé de la barque, la chaîne qui ferme le port s'abaissa, et Dantès se trouva dans ce qu'on appelle le Frioul, c'est-à-dire hors du port.

— Mais où donc me menez-vous ? demanda-t-il à l'un des gendarmes.

— Vous le saurez tout à l'heure.

— Mais encore...

— Regardez autour de vous.

Dantès se leva, jeta naturellement les yeux sur le point où paraissait se diriger le bateau, et à cent toises devant lui il vit s'élever la roche noire et ardue sur laquelle monte comme une superfétation du silex le sombre château d'If.

Cette forme étrange, cette prison autour de laquelle règne une si profonde terreur, cette forteresse qui fait vivre depuis trois cents ans Marseille de ses lugubres traditions, apparaissant ainsi tout à coup à Dantès, qui ne songeait point à elle, lui fit l'effet que fait au condamné à mort l'aspect de l'échafaud.

— Ah ! mon Dieu ! s'écria-t-il, le château d'If ! Et qu'allons-nous faire là ?

Le gendarme sourit.

— Mais on ne me mène pas là pour être emprisonné ? continua Dantès. Le château d'If est une prison d'État, destinée seulement aux grands coupables politiques. Je n'ai

41

commis aucun crime. Est-ce qu'il y a des juges d'instruction, des magistrats quelconques au château d'If ?

— Il n'y a, je suppose, dit le gendarme, qu'un gouverneur, des geôliers, une garnison et de bons murs.

Dantès serra la main du gendarme à la lui briser.

— Vous prétendez donc, dit-il, que l'on me conduit au château d'If pour m'y emprisonner ?

— C'est probable, dit le gendarme ; mais en tout cas, camarade, il est inutile de me serrer si fort.

— Sans autre information, sans autre formalité ? demanda le jeune homme.

— Les formalités sont remplies, l'information est faite.

— Ainsi, malgré la promesse de M. de Villefort...

— Eh bien ! que faites-vous donc ? Holà ! camarades, à moi !

Par un mouvement prompt comme l'éclair, qui cependant avait été prévu par l'œil exercé du gendarme, Dantès avait voulu s'élancer à la mer ; mais quatre poignets vigoureux le retinrent au moment où ses pieds quittaient le plancher du bateau.

Il retomba au fond de la barque en hurlant de rage.

Presque au même instant un choc violent ébranla le canot. Un des bateliers sauta sur le roc que la proue de la petite barque venait de toucher, une corde grinça en se déroulant autour d'une poulie, et Dantès comprit qu'on était arrivé et qu'on amarrait l'esquif.

En effet, ses gardiens, qui le tenaient à la fois par les bras et par le collet de son habit, le forcèrent de se relever, le contraignirent à descendre à terre, et le traînèrent vers les degrés qui montent à la porte de la citadelle, tandis que l'exempt, armé d'un mousqueton à baïonnette, le suivait par-derrière.

Il y eut une halte d'un moment pendant laquelle il essaya de recueillir ses esprits. Il regarda autour de lui : il était dans une cour carrée formée par quatre hautes murailles ; on entendait le pas lent et régulier des sentinelles, et chaque fois qu'elles passaient devant deux ou trois reflets que projetait sur les murailles la lueur de deux ou trois lumières qui brillaient dans l'intérieur du château, on voyait scintiller le canon de leurs fusils.

— Où est le prisonnier ? demanda une voix.

— Le voici, répondirent les gendarmes.

— Qu'il me suive, je vais le conduire à son logement.

— Allez, dirent les gendarmes en poussant Dantès.

Le prisonnier suivit son conducteur, qui le conduisit dans une salle presque souterraine, dont les murailles nues et suantes semblaient imprégnées d'une vapeur de larmes.

— Voici votre chambre pour cette nuit, dit-il ; il est tard, et M. le gouverneur est couché. Demain, peut-être vous changera-t-il de domicile ; en attendant, voici du pain, il y a de l'eau dans cette cruche, de la paille là-bas dans un coin, c'est tout ce qu'un prisonnier peut désirer. Bonsoir.

Alors il se trouva seul dans les ténèbres et dans le silence, aussi muet et aussi sombre que ces voûtes dont il sentait le froid glacial s'abaisser sur son front brûlant.

Quand les premiers rayons du jour eurent ramené un peu de clarté dans cet antre, le geôlier revint avec ordre de laisser le prisonnier où il était. Dantès n'avait point changé de place. Il était immobile et regardait la terre.

Il avait ainsi passé toute la nuit debout et sans dormir un seul instant.

Le geôlier s'approcha de lui, tourna autour de lui, mais Dantès ne parut pas le voir.

— Voulez-vous quelque chose ?

— Je voudrais voir le gouverneur.

Le geôlier haussa les épaules et sortit.

La journée se passa ainsi. À peine s'il mangea quelques bouchées de pain et but quelques gouttes d'eau. Tantôt il restait assis et absorbé dans ses pensées, tantôt il tournait tout autour de sa prison comme fait un animal sauvage enfermé dans une cage de fer.

Le lendemain, à la même heure, le geôlier rentra.

— Eh bien ! lui demanda le geôlier, êtes-vous plus raisonnable aujourd'hui qu'hier ?

— Je désire parler au gouverneur.

— Hé ! dit le geôlier avec impatience, c'est impossible.

— Pourquoi cela, impossible ?

— Parce que, par les règlements de la prison, il n'est point permis à un prisonnier de le demander. Ne vous absorbez pas dans un seul désir impossible, ou avant quinze jours vous serez fou.

— Ah ! tu crois ? dit Dantès.

— Oui, fou ; c'est toujours ainsi que commence la folie, nous en avons un exemple ici : c'est en offrant sans cesse un million au gouverneur, si on voulait le mettre en liberté, que le cerveau de l'abbé qui habitait cette chambre avant vous s'est détraqué.

Dantès prit l'escabeau et le fit tournoyer autour de sa tête.

— C'est bien, c'est bien ! dit le geôlier ; eh bien, puisque vous le voulez absolument, on va prévenir le gouverneur.

— À la bonne heure ! dit Dantès en reposant son escabeau sur le sol et en s'asseyant dessus, la tête basse et les yeux hagards, comme s'il devenait réellement insensé.

Le geôlier sortit, et un instant après rentra avec quatre soldats et un caporal.

— Par ordre du gouverneur, dit-il, descendez le prisonnier un étage au-dessous de celui-ci.

— Au cachot alors, dit le caporal.

— Au cachot : il faut mettre les fous avec les fous.

Les quatre soldats s'emparèrent de Dantès, qui tomba dans une espèce d'atonie et les suivit sans résistance.

On lui fit descendre quinze marches, et on ouvrit la porte d'un cachot dans lequel il entra en murmurant :

« Il a raison, il faut mettre les fous avec les fous. »

La porte se referma, et Dantès alla devant lui, les mains étendues jusqu'à ce qu'il sentît le mur ; alors il s'assit dans un angle et resta immobile.

Le geôlier avait raison, il s'en fallait bien peu que Dantès ne fût fou.

8

Le numéro 34 et le numéro 27

Dantès passa par tous les degrés du malheur que subissent les prisonniers oubliés dans une prison.

Il supplia un jour le geôlier de demander pour lui un compagnon, quel qu'il fût, ce compagnon dût-il être cet abbé fou dont il avait entendu parler. Sous l'écorce du geôlier, si rude qu'elle soit, il reste toujours un peu de l'homme. Celui-ci avait souvent, au fond du cœur, et quoique son visage n'en eût rien dit, plaint ce malheureux jeune homme, à qui la captivité était si dure ; il transmit la demande du n° 34 au gouverneur ; mais celui-ci, prudent comme s'il eût été un homme politique, se figura que Dantès voulait ameuter les prisonniers, tramer quelque complot, s'aider d'un ami dans quelque tentative d'évasion, et il refusa.

Dantès avait épuisé le cercle des ressources humaines. Aucune distraction ne pouvait donc lui venir en aide. Il se cramponnait à une seule idée, à celle de son bonheur, détruit sans cause apparente et par une fatalité inouïe.

Alors cette lettre dénonciatrice qu'il avait vue, que lui avait montrée Villefort, qu'il avait touchée, lui revenait à l'esprit ; chaque ligne flamboyait sur la muraille comme le *Mané, Thécel, Pharès* de Balthazar. Il se disait que c'était la haine des hommes qui l'avait plongé dans l'abîme où il était ; il vouait ces hommes inconnus à tous les supplices dont son ardente imagination lui fournissait l'idée, et il trouvait encore que les plus terribles étaient trop doux et surtout trop courts pour eux ; car après le supplice venait la mort, et dans la mort était, sinon le repos, du moins l'insensibilité qui lui ressemble.

À force de se dire à lui-même, à propos de ses ennemis, que le calme était dans la mort, il tomba dans l'immobilité morne des idées de suicide.

Dès que cette pensée eut germé dans l'esprit du jeune homme, il devint plus doux, plus souriant, il s'arrangea mieux de son lit dur et de son pain noir, mangea moins, ne dormit plus, et trouva à peu près supportable ce reste d'existence qu'il était sûr de laisser là quand il voudrait, comme on laisse un vêtement usé.

Il y avait deux moyens de mourir : l'un était simple, il s'agissait d'attacher son mouchoir à un barreau de la fenêtre et de se pendre ; l'autre consistait à faire semblant de manger et à se laisser mourir de faim. Le premier répugna fort à Dantès. Il avait été élevé dans l'horreur des pirates, gens que l'on pend aux vergues des bâtiments ; la pendaison était donc pour lui une espèce de supplice infamant qu'il ne voulait pas s'appliquer à lui-même ; il adopta donc le deuxième, et en commença l'exécution aussitôt.

Deux fois le jour, par la petite ouverture grillée qui ne lui laissait apercevoir que le ciel, il jetait ses vivres, d'abord gaiement, puis avec réflexion, puis avec regret ; mais alors le souvenir de son serment lui revenait à l'esprit, et cette généreuse nature avait trop peur de se mépriser elle-même pour manquer à son serment. Il usa donc, rigoureux et impitoyable, le peu d'existence qui lui restait, et un jour vint où il n'eut plus la force de se lever pour jeter par la lucarne le souper qu'on lui apportait.

Le lendemain il ne voyait plus, il entendait à peine. Le geôlier croyait à une maladie grave ; Edmond espérait dans une mort prochaine.

Tout à coup le soir, vers neuf heures, il entendit un bruit sourd à la paroi du mur contre lequel il était couché.

Mais non, sans doute Edmond se trompait, et c'était un de ces rêves qui flottent à la porte de la mort.

Cependant Edmond écoutait toujours ce bruit. Ce bruit dura trois heures à peu près, puis Edmond entendit une sorte de croulement, après quoi le bruit cessa.

Quelques heures après, il reprit plus fort et plus rapproché.

« Plus de doute, se dit-il en lui-même, puisque ce bruit continue, malgré le jour, c'est quelque malheureux prisonnier comme moi qui travaille à sa délivrance. Oh ! si j'étais près de lui, comme je l'aiderais ! »

Aussitôt Edmond se leva. Ses jambes ne vacillaient plus et ses yeux étaient sans éblouissements. Il alla vers un angle de sa prison, détacha une pierre minée par l'humidité, et revint frapper le mur à l'endroit même où le retentissement était le plus sensible.

Il frappa trois coups.

Dès le premier, le bruit avait cessé comme par enchantement.

Edmond écouta de toute son âme. Une heure s'écoula, deux heures s'écoulèrent, aucun bruit nouveau ne se fit entendre ; Edmond avait fait naître de l'autre côté de la muraille un silence absolu.

Plein d'espoir, Edmond mangea quelques bouchées de son pain, avala quelques gorgées d'eau, et, grâce à la constitution puissante dont la nature l'avait doué, se retrouva à peu près comme auparavant.

La journée s'écoula, le silence durait toujours.

La nuit vint sans que le bruit eût recommencé.

« C'est un prisonnier », se dit Edmond avec une indicible joie.

Dès lors sa tête s'embrasa, la vie lui revint violente à force d'être active.

Trois jours s'écoulèrent, soixante-douze mortelles heures comptées minute par minute !

Enfin un soir, comme le geôlier venait de faire sa dernière visite, comme pour la centième fois Dantès collait son oreille à la muraille, il lui sembla qu'un ébranlement imperceptible répondait sourdement dans sa tête, mise en rapport avec les pierres silencieuses.

Enhardi par cette découverte, Edmond résolut de venir en aide à l'infatigable travailleur. Il commença par déplacer son lit, derrière lequel il lui semblait que l'œuvre de délivrance s'accomplissait, et chercha des yeux un objet avec lequel il pût entamer la muraille, faire tomber le ciment humide, desceller une pierre enfin.

Rien ne se présenta à sa vue ; il n'avait ni couteau ni instrument tranchant ; du fer à ses barreaux seulement, et il s'était assuré si souvent que ses barreaux étaient bien scellés, que ce n'était plus même la peine d'essayer de les ébranler.

Alors une idée lui passa par l'esprit. Le geôlier versait le contenu de cette casserole dans l'assiette de Dantès. Après avoir mangé sa soupe avec une cuiller de bois, Dantès lavait cette assiette, qui servait ainsi chaque jour.

Le soir, Dantès posa son assiette à terre, à mi-chemin de la porte à la table ; le geôlier, en entrant, mit le pied sur l'assiette et la brisa en mille morceaux.

Il n'y avait rien à dire contre Dantès : il avait eu le tort de laisser son assiette à terre, c'est vrai, mais le geôlier avait eu celui de ne pas regarder à ses pieds.

Le geôlier se contenta donc de grommeler.

Puis il regarda autour de lui dans quoi il pouvait verser la soupe. Le mobilier de Dantès se bornait à cette seule assiette, il n'y avait pas de choix.

— Laissez la casserole, dit Dantès, vous la reprendrez en m'apportant demain mon déjeuner.

Ce conseil flattait la paresse du geôlier, qui n'avait pas besoin ainsi de remonter, de redescendre et de remonter encore.

Il laissa la casserole.

Dantès frémit de joie.

Cette fois il mangea vivement la soupe et la viande. Puis, après avoir attendu une heure, pour être certain que le geôlier ne se raviserait point, il dérangea son lit, prit sa casserole, introduisit le bout du manche entre la pierre de taille et les moellons voisins, et commença de faire le levier.

Une légère oscillation prouva à Dantès que la besogne venait à bien.

En effet, au bout d'une heure, la pierre était tirée du mur, où elle laissait une excavation de plus d'un pied et demi de diamètre.

Puis, voulant mettre à profit cette nuit, il continua de creuser avec acharnement.

À l'aube du jour il replaça la pierre dans son trou, repoussa son lit contre la muraille, et se coucha.

Le déjeuner consistait en un morceau de pain. Le geôlier entra et posa ce morceau de pain sur la table.

— Eh bien ! vous ne m'apportez pas une autre assiette ? demanda Dantès.

— Non, dit le porte-clefs, vous êtes cause que j'ai cassé votre assiette. Si tous les prisonniers faisaient autant de dégât, le gouvernement n'y pourrait pas tenir. On vous laisse la casserole ; on vous versera votre soupe dedans ; de cette façon vous ne casserez pas votre ménage, peut-être.

Dantès leva les yeux au ciel, et joignit ses mains sous sa couverture.

Toute la journée il travailla sans relâche ; le soir, il avait, grâce à son nouvel instrument, tiré à la muraille plus de dix poignées de débris de moellons, de plâtre et de ciment. Il continua de travailler toute la nuit ; mais, après deux ou trois heures de labeur, il rencontra un obstacle.

Le fer ne mordait plus et glissait sur une surface plane.

Dantès toucha l'obstacle avec ses mains et reconnut qu'il avait atteint une poutre.

Cette poutre traversait ou plutôt barrait entièrement le trou qu'avait commencé Dantès.

Maintenant il fallait creuser dessus ou dessous.

Le malheureux jeune homme n'avait point songé à cet obstacle.

— Oh ! mon Dieu, mon Dieu ! s'écria-t-il, je Vous avais cependant tant prié, que j'espérais que Vous m'aviez entendu.

— Qui parle de Dieu ? articula une voix qui semblait venir de dessous terre et qui, assourdie par l'opacité, parvenait au jeune homme avec un accent sépulcral.

Edmond sentit se dresser ses cheveux sur sa tête, et il recula sur les genoux.

— Au nom du Ciel ! s'écria Dantès, vous qui avez parlé, parlez encore, quoique votre voix m'ait épouvanté ; qui êtes-vous ?

— Qui êtes-vous vous-même ? demanda la voix.

— Un malheureux prisonnier, reprit Dantès, qui ne faisait, lui, aucune difficulté de répondre.

— De quel pays ?

— Français.

— Votre nom ?

— Edmond Dantès.

— Votre profession ?

— Marin.

— Depuis combien de temps êtes-vous ici ?

— Depuis le 28 février 1815.

— Votre crime ?

— Je suis innocent.

— Mais de quoi vous accuse-t-on ?

— D'avoir conspiré pour le retour de l'Empereur.

— Comment ! pour le retour de l'Empereur ! l'Empereur n'est donc plus sur le trône ?

— Il a abdiqué à Fontainebleau en 1814, et a été relégué à l'île d'Elbe. Mais vous-même, depuis quel temps êtes-vous donc ici, que vous ignorez tout cela ?

— Depuis 1811.

Dantès frissonna ; cet homme avait quatre ans de prison de plus que lui.

— C'est bien, ne creusez plus, dit la voix en parlant fort vite ; seulement dites-moi à quelle hauteur se trouve l'excavation que vous avez faite.

— Au ras de la terre.

— Comment est-elle cachée ?

— Derrière mon lit.

— Sur quoi donne votre chambre ?

— Sur un corridor.

— Et le corridor ?

— Aboutit à la cour.

— Hélas ! murmura la voix.

— Oh ! mon Dieu ! qu'y a-t-il donc ? s'écria Dantès.

— Il y a que je me suis trompé, et que j'ai pris le mur que vous creusez pour celui de la citadelle !

— Et si vous aviez réussi ?

— Je me jetais à la nage, je gagnais une des îles qui environnent le château d'If, soit l'île de Daume, soit l'île de Tiboulen, et alors j'étais sauvé. Mais maintenant tout est perdu.

— Tout ?

— Oui. Rebouchez votre trou avec précaution, ne travaillez plus, ne vous occupez de rien, et attendez de mes nouvelles.

— Qui êtes-vous au moins ?... dites-moi qui vous êtes !

— Je suis... je suis le n° 27.

— Vous défiez-vous donc de moi ? demanda Dantès.

— Quel âge avez-vous ? votre voix semble être celle d'un jeune homme.

— Je ne sais pas mon âge, car je n'ai pas mesuré le temps depuis que je suis ici. Ce que je sais, c'est que j'allais avoir dix-neuf ans lorsque j'ai été arrêté le 28 février 1815.

— Pas tout à fait vingt-six ans, murmura la voix. Allons, à cet âge on n'est pas encore un traître.

— Oh ! non ! non ! je vous le jure, répéta Dantès.

— Vous avez bien fait de me parler, je vous rejoindrai, attendez-moi.

Ce peu de paroles furent dites avec un accent qui convainquit Dantès ; il n'en demanda pas davantage, se releva, prit les mêmes précautions pour les débris tirés du mur qu'il avait déjà prises, et repoussa son lit contre la muraille.

Le lendemain, après la visite du matin et comme il venait d'écarter son lit de la muraille, il entendit frapper trois coups à intervalles égaux ; il se précipita à genoux.

— Est-ce vous ? dit-il ; me voilà !

— Votre geôlier est-il parti ? demanda la voix.

— Oui, répondit Dantès, il ne reviendra que ce soir ; nous avons douze heures de liberté.

— Je puis donc agir ? dit la voix.

— Oh ! oui, oui, sans retard, à l'instant même, je vous en supplie !

Aussitôt la portion de terre sur laquelle Dantès, à moitié perdu dans l'ouverture, appuyait ses deux mains sembla céder sous lui ; il se rejeta en arrière, tandis qu'une masse de terre et de pierres détachées se précipitait dans un trou qui venait de s'ouvrir au-dessous de l'ouverture que lui-même avait faite ; alors, au fond de ce trou sombre et dont il ne pouvait mesurer la profondeur, il vit paraître une tête, des épaules, et enfin un homme tout entier qui sortit avec assez d'agilité de l'excavation pratiquée.

9

Un savant italien

Dantès prit dans ses bras ce nouvel ami, si longtemps et si impatiemment attendu, et l'attira vers sa fenêtre, afin que le peu de jour qui pénétrait dans le cachot l'éclairât tout entier.

C'était un personnage de petite taille, aux cheveux blanchis par la peine plutôt que par l'âge, à l'œil pénétrant, caché sous d'épais sourcils qui grisonnaient, à la barbe encore noire et descendant jusque sur sa poitrine ; la maigreur de son visage creusé par des rides profondes, la ligne hardie de ses traits caractéristiques révélaient un homme plus habitué à exercer ses facultés morales que ses forces physiques.

— Voyons d'abord, dit-il, s'il y a moyen de faire disparaître aux yeux de vos geôliers les traces de mon passage. Toute notre tranquillité à venir est dans leur ignorance de ce qui s'est passé.

Alors il se pencha vers l'ouverture, prit la pierre, qu'il souleva facilement malgré son poids, et la fit entrer dans le trou.

Puis le nouveau venu traîna la table au-dessous de la fenêtre.

— Montez sur cette table, dit-il à Dantès.

Dantès obéit, monta sur la table, et, devinant les intentions de son compagnon, appuya le dos au mur et lui présenta les deux mains.

Celui dont Dantès ignorait encore le véritable nom monta alors plus lestement que n'eût pu le faire présager son âge, sur la table d'abord, puis de la table sur les mains de Dantès, puis de ses mains sur ses épaules ; ainsi courbé en deux, il glissa sa tête entre le premier rang de barreaux.

Un instant après il retira vivement la tête.

— Oh ! oh, dit-il, je m'en étais douté.

Et il se laissa glisser le long du corps de Dantès sur la table, et de la table sauta à terre.

— De quoi vous étiez-vous douté ? demanda le jeune homme anxieux, en sautant à son tour auprès de lui.

Le vieux prisonnier méditait.

— Oui, c'est cela ; votre cachot donne sur une galerie extérieure, espèce de chemin de ronde où passent les patrouilles et où veillent les sentinelles.

— Eh bien ? dit Dantès.

— Vous voyez qu'il est impossible de fuir par votre cachot.

— Alors ? continua le jeune homme avec son accent interrogateur.

— Alors, dit le vieux prisonnier, que la volonté de Dieu soit faite !

Et une teinte de profonde résignation s'étendit sur les traits du vieillard.

Dantès regarda cet homme qui renonçait ainsi et avec tant de philosophie à une espérance nourrie depuis si long-temps, avec un étonnement mêlé d'admiration.

— Maintenant voulez-vous me dire qui vous êtes ? demanda Dantès.

— Je suis l'abbé Faria, dit-il, prisonnier depuis 1811, comme vous le savez, au château d'If ; mais j'étais depuis trois ans renfermé dans la forteresse de Fenestrelles. En 1811, on m'a transféré du Piémont en France. J'étais loin de me douter alors de ce que vous m'avez dit tout à l'heure : c'est que, quatre ans plus tard, le colosse serait renversé. Qui règne donc en France ? est-ce Napoléon II ?

— Non, c'est Louis XVIII.

— Louis XVIII, le frère de Louis XVI ! les décrets du ciel sont étranges et mystérieux. Quelle a donc été l'intention de la Providence en abaissant l'homme qu'elle avait élevé, et en élevant celui qu'elle avait abaissé ?

Dantès suivait des yeux cet homme qui oubliait un instant sa propre destinée pour se préoccuper ainsi des destinées du monde.

— Mais pourquoi êtes-vous enfermé, vous ?

— Moi ? parce que, comme Machiavel, au milieu de tous ces principicules qui faisaient de l'Italie un nid de petits royaumes tyranniques et faibles, j'ai voulu un grand et seul empire, compact et fort ; parce que j'ai cru trouver mon César Borgia dans un niais couronné qui a fait semblant de me comprendre pour me mieux trahir. C'était le projet d'Alexandre VI et de Clément VII ; il échouera toujours, puisqu'ils l'ont entrepris inutilement et que Napoléon n'a pu l'achever ; décidément l'Italie est maudite !

Et le vieillard baissa la tête.

— N'êtes-vous pas, dit Dantès, le prêtre que l'on croit... malade ?

— Que l'on croit fou, vous voulez dire, n'est-ce pas ?

— Je n'osais, dit Dantès en souriant.

— Oui, oui, continua Faria avec un rire amer, oui, c'est moi qui passe pour fou, c'est moi qui divertis depuis si longtemps les hôtes de cette prison.

Dantès demeura un instant immobile et muet.

— Ainsi, vous renoncez à fuir ? lui dit-il.

— Je vois la fuite impossible ; c'est se révolter contre Dieu que de tenter ce que Dieu ne veut pas qui s'accomplisse.

— Pourquoi vous décourager ? ce serait trop demander aussi à la Providence que de vouloir réussir du premier coup. Ne pouvez-vous pas recommencer dans un autre sens ce que vous avez fait dans celui-ci ?

Le jeune homme réfléchit un instant.

— Attendons une occasion, croyez-moi, et si cette occasion se présente, profitons-en.

— Vous avez pu attendre, vous, dit Dantès en soupirant ; ce long travail vous faisait une occupation de tous les instants, et quand vous n'aviez pas votre travail pour vous distraire, vous aviez vos espérances pour vous consoler.

— Puis, dit l'abbé, je ne m'occupais point qu'à cela.

— Que faisiez-vous donc ?

— J'écrivais ou j'étudiais.

— On vous donne donc du papier, des plumes et de l'encre ?

— Non, dit l'abbé, mais je m'en fais.

— Vous vous faites du papier, des plumes et de l'encre ! s'écria Dantès.

— Oui.

Dantès regarda cet homme avec admiration ; seulement il avait encore peine à croire à ce qu'il disait. Faria s'aperçut de ce léger doute.

— Quand vous viendrez chez moi, lui dit-il, je vous montrerai un ouvrage entier, résultat des pensées, des recherches et des réflexions de toute ma vie. C'est un *Traité sur la possibilité d'une monarchie générale en Italie.* Cela fera un grand volume in-quarto.

— Mais, pour un pareil ouvrage, il vous a fallu faire des recherches historiques. Vous avez donc des livres ?

— À Rome, j'avais à peu près cinq mille volumes dans ma bibliothèque. À force de les lire et de les relire, j'ai découvert qu'avec cent cinquante ouvrages bien choisis, on a sinon le résumé complet des connaissances humaines, du moins tout ce qu'il est utile à un homme de savoir. J'ai consacré trois années de ma vie à lire et à relire ces cent cinquante volumes, de sorte que je les savais à peu près par cœur lorsque j'ai été arrêté. Dans ma prison, avec un léger effort de mémoire, je me les suis rappelés tout à fait.

— Mais vous savez donc plusieurs langues ?

— Je parle cinq langues vivantes : l'allemand, le français, l'italien, l'anglais et l'espagnol.

De plus en plus émerveillé, Edmond commençait à croire presque surnaturelles les facultés de cet homme étrange. Il voulut le trouver en défaut sur un point quelconque, et continua :

— Mais si l'on ne vous a pas donné de plumes, dit-il, avec quoi avez-vous pu écrire ce traité volumineux !

— Je m'en suis fait d'excellentes avec les cartilages des têtes de ces énormes merlans que l'on nous sert quelquefois pendant les jours maigres.

— Mais de l'encre ! dit Dantès ; avec quoi vous êtes-vous fait de l'encre ?

— Il y avait autrefois une cheminée dans mon cachot, dit Faria ; cette cheminée a été bouchée quelque temps avant mon arrivée sans doute, mais pendant de longues années on y avait fait du feu ; tout l'intérieur en est donc tapissé de suie. Je fais dissoudre cette suie dans une portion du vin qu'on me donne tous les dimanches, cela me fournit de l'encre excellente. Pour les notes particulières et qui ont besoin d'attirer les yeux, je me pique les doigts et j'écris avec mon sang.

— Et quand pourrai-je voir tout cela ? demanda Dantès.

— Quand vous voudrez, répondit Faria.

— Oh ! tout de suite ! s'écria le jeune homme.

— Suivez-moi donc, dit l'abbé.

Et il rentra dans le corridor souterrain, où il disparut. Dantès le suivit.

10

La chambre de l'abbé

Après avoir passé en se courbant, mais cependant avec assez de facilité, par le passage souterrain, Dantès arriva à l'extrémité opposée du corridor qui donnait dans la chambre de l'abbé.

À peine entré et debout, le jeune homme examina cette chambre mystérieuse avec la plus grande attention. Au premier aspect, elle ne présentait rien de particulier.

— Voyons, dit-il à l'abbé, j'ai hâte d'examiner vos trésors.

L'abbé alla vers la cheminée, déplaça avec le ciseau qu'il tenait toujours à la main la pierre qui formait autrefois l'âtre et qui cachait une cavité assez profonde ; c'est dans cette cavité qu'étaient renfermés tous les objets dont il avait parlé à Dantès.

— À quoi songez-vous ? demanda l'abbé en souriant, et prenant l'absorption de Dantès pour une admiration portée au plus haut degré.

— Je pense que vous m'avez raconté votre vie, et que vous ne connaissez pas la mienne.

— Votre vie, jeune homme, est bien courte pour renfermer des événements de quelque importance.

— Elle renferme un immense malheur, dit Dantès, un malheur que je n'ai pas mérité.

— Alors, vous vous prétendez innocent du fait qu'on vous impute.

— Complètement innocent, sur la tête des deux seules personnes qui me sont chères, sur la tête de mon père et de Mercédès !

— Voyons, dit l'abbé en refermant sa cachette et en repoussant son lit à sa place, racontez-moi donc votre histoire.

Le récit achevé, l'abbé réfléchit profondément.

— Il y a, dit-il au bout d'un instant, un axiome de droit d'une grande profondeur. Si vous voulez découvrir le coupable, cherchez d'abord celui à qui le crime commis peut être utile. À qui votre disparition pouvait-elle être utile ?

— À personne, mon Dieu ! j'étais si peu de chose.

— Ne répondez pas ainsi, car la réponse manque à la fois de logique et de philosophie ; tout est relatif, mon cher ami. Vous alliez être nommé capitaine du *Pharaon* ?

— Oui.

— Vous alliez épouser une belle jeune fille ?

— Oui.

— Quelqu'un avait-il intérêt à ce que vous ne devinssiez pas capitaine du *Pharaon* ?

— Non ; j'étais fort aimé à bord. Un seul homme avait quelque motif de m'en vouloir, j'avais eu quelque temps auparavant une querelle avec lui, et je lui avais proposé un duel qu'il avait refusé.

— Allons donc ! Cet homme, comment se nommait-il ?

— Danglars.

— Qu'était-il à bord ?

— Agent comptable.

— Si vous fussiez devenu capitaine, l'eussiez-vous conservé dans son poste ?

— Non, si la chose eût dépendu de moi, car j'avais cru remarquer quelques infidélités dans ses comptes.

— Bien. Maintenant, quelqu'un a-t-il assisté à votre dernier entretien avec le capitaine Leclère ?

— Non, nous étions seuls.

— Quelqu'un a-t-il pu entendre votre conversation ?

— Oui, car la porte était ouverte ; et même... attendez... oui, oui, Danglars est passé juste au moment où le capitaine Leclère me remettait le paquet destiné au grand maréchal.

— Bon, fit l'abbé, nous sommes sur la voie. Avez-vous amené quelqu'un avec vous à terre quand vous avez relâché à l'île d'Elbe ?

— Personne.

— On vous a remis une lettre ?

— Oui, le grand maréchal.

— Cette lettre, qu'en avez-vous fait ?

— Je l'ai mise dans mon portefeuille.

— Vous aviez donc votre portefeuille sur vous. Comment un portefeuille devant contenir une lettre officielle pouvait-il tenir dans la poche d'un marin ?

— Vous avez raison, mon portefeuille était à bord.

— De Porto-Ferrajo à bord qu'avez-vous fait de cette lettre ?

— Je l'ai tenue à la main.

— Quand vous êtes remonté sur le *Pharaon*, chacun a donc pu voir que vous teniez une lettre ?

— Oui.

— Maintenant, écoutez bien ; réunissez tous vos souvenirs : vous rappelez-vous dans quels termes était rédigée la dénonciation ?

— Oh ! oui ; je l'ai relue trois fois, et chaque parole en est restée dans ma mémoire.

— Répétez-la-moi.

Dantès se recueillit un instant.

— La voici, dit-il, textuellement :

« M. le procureur du roi est prévenu par un ami du trône et de la religion que le nommé Edmond Dantès, second du navire le Pharaon, *arrivé ce matin de Smyrne, après avoir touché à Naples et à Porto-Ferrajo, a été chargé par Murat d'un paquet pour l'usurpateur, et par l'usurpateur d'une lettre pour le comité bonapartiste de Paris.*

« On aura la preuve de son crime en l'arrêtant, car on trouvera cette lettre ou sur lui, ou chez son père, ou dans sa cabine à bord du Pharaon.

L'abbé haussa les épaules.

— C'est clair comme le jour, dit-il, et il faut que vous ayez eu le cœur bien naïf et bien bon pour n'avoir pas deviné la chose tout d'abord.

— Vous croyez ? s'écria Dantès. Ah ! ce serait bien infâme !

— Continuons. Quelqu'un avait-il intérêt à ce que vous n'épousassiez pas Mercédès ?

— Oui ! un jeune homme qui l'aimait.

— Son nom ?

— Fernand.

— C'est un nom espagnol.

— Il était catalan.

— Croyez-vous que celui-ci était capable d'écrire la lettre ?

— Non ! celui-ci m'eût donné un coup de couteau, voilà tout. D'ailleurs, continua Dantès, il ignorait tous les détails consignés dans la dénonciation.

— Attendez... Danglars connaissait-il Fernand ?

— Non... Si... Je me rappelle...

— Quoi ?

— La surveille de mon mariage, je les ai vus attablés ensemble sous la tonnelle du père Pamphile. Danglars était amical et railleur, Fernand était pâle et troublé.

— Ils étaient seuls ?

— Non, ils avaient avec eux un troisième compagnon, bien connu de moi, qui sans doute leur avait fait faire connaissance, un tailleur nommé Caderousse ; mais celui-ci était déjà ivre ; attendez... attendez... Comment ne me suis-je pas rappelé cela ? Près de la table où ils buvaient étaient un encrier, du papier, des plumes.

Dantès porta la main à son front.

— Oh ! c'est là, c'est là que la lettre aura été écrite. Oh ! les infâmes ! les infâmes !

— Voulez-vous encore savoir autre chose ? dit l'abbé en riant.

— Oui, oui, puisque vous approfondissez tout, puisque vous voyez clair en toutes choses. Je veux savoir pourquoi je n'ai été interrogé qu'une fois, pourquoi on ne m'a pas donné de juges, et comment je suis condamné sans arrêt.

— Qui vous a interrogé ? est-ce le procureur du roi, le substitut, le juge d'instruction ?

— C'était le substitut.

— Lui avez-vous tout raconté ?

— Tout.

— Et ses manières ont-elles changé dans le courant de l'interrogatoire ?

— Un instant elles ont été altérées lorsqu'il eut lu la lettre qui me compromettait ; il parut comme accablé de mon malheur.

— Et vous êtes bien sûr que c'était votre malheur qu'il plaignait ?

— Il m'a donné une grande preuve de sa sympathie, du moins.

— Laquelle ?

— Il a brûlé la seule pièce qui pouvait me compromettre.

— Laquelle ? la dénonciation ?

— Non, la lettre.

— Il a brûlé la lettre, dites-vous ?

— Oui, en me disant : « Vous voyez, il n'existe que cette preuve-là contre vous, et je l'anéantis. »

— Cette conduite est trop sublime pour être naturelle.

— Vous croyez ?

— J'en suis sûr. À qui cette lettre était-elle adressée ?

— À M. Noirtier, rue Coq-Héron, n° 13, à Paris.

— Noirtier ? répéta l'abbé... Noirtier ? j'ai connu un Noirtier, un Noirtier qui avait été girondin dans la Révolution. Comment s'appelait votre substitut, à vous ?

— De Villefort.

L'abbé éclata de rire. Dantès le regarda avec stupéfaction.

— Qu'avez-vous ? dit-il.

— Ce Noirtier, pauvre aveugle que vous êtes, savez-vous ce que c'était que ce Noirtier ?... Ce Noirtier, c'était son père !

La foudre, tombée aux pieds de Dantès et lui creusant un abîme au fond duquel s'ouvrirait l'enfer, lui eût produit un effet moins prompt, moins électrique, moins écrasant, que ces paroles inattendues ; il se levait, saisissant sa tête à deux mains comme pour l'empêcher d'éclater.

— Son père ! son père ! s'écria-t-il.

— Oui, son père, qui s'appelle Noirtier de Villefort, reprit l'abbé.

Alors une lumière fulgurante traversa le cerveau du prisonnier ; tout ce qui lui était demeuré obscur fut à l'instant même éclairé d'un jour éclatant. Ces tergiversations de Villefort pendant l'interrogatoire, cette lettre détruite, ce serment exigé, tout lui revint à la mémoire ; il jeta un cri, chancela un instant comme un homme ivre, puis, s'élançant par l'ouverture qui conduisait de la cellule de l'abbé à la sienne :

— Oh ! dit-il, il faut que je sois seul pour penser à tout cela.

Et, en arrivant dans son cachot, il tomba sur son lit, où le porte-clefs le retrouva le soir, assis, les yeux fixes, les traits contractés, mais immobile et muet comme une statue.

Pendant ces heures de méditation qui s'étaient écoulées comme des secondes, il avait pris une terrible résolution et fait un formidable serment.

Une voix tira Dantès de cette rêverie, c'était celle de l'abbé Faria, qui, ayant reçu à son tour la visite de son geôlier, venait inviter Dantès à souper avec lui.

Dantès le suivit. Toutes les lignes de son visage s'étaient remises et avaient repris leur place accoutumée, mais avec une roideur et une fermeté, si l'on peut le dire, qui accusaient une résolution prise. L'abbé le regarda fixement.

— Je suis fâché de vous avoir aidé dans vos recherches, et de vous avoir dit ce que je vous ai dit, fit-il.

— Pourquoi cela ? demanda Dantès.

— Parce que je vous ai infiltré dans le cœur un sentiment qui n'y était point, la vengeance.

Dantès sourit.

— Parlons d'autre chose, dit-il.

L'abbé le regarda encore un instant et hocha tristement la tête ; puis, comme l'en avait prié Dantès, il parla d'autre chose.

Le vieux prisonnier était un de ces hommes dont la conversation, comme celle des gens qui ont beaucoup souffert, contient des enseignements nombreux et renferme un intérêt soutenu. Dantès comprit le bonheur qu'il y aurait pour une organisation intelligente à suivre cet esprit élevé sur les hauteurs morales, philosophiques ou sociales sur lesquelles il avait l'habitude de se jouer.

— Vous devriez m'apprendre un peu de ce que vous savez, dit Dantès, ne fût-ce que pour ne pas vous ennuyer avec moi. Il me semble maintenant que vous devez préférer la solitude à un compagnon sans éducation et sans portée comme moi.

L'abbé sourit.

— Hélas ! mon enfant, dit-il, la science humaine est bien bornée, et quand je vous aurai appris les mathématiques, la physique, l'histoire et les trois ou quatre langues vivantes que je parle, vous saurez ce que je sais ; or, toute cette science, je serai deux ans à peine à la verser de mon esprit dans le vôtre.

— Deux ans ! dit Dantès : vous croyez que je pourrais apprendre toutes ces choses en deux ans ?

— Dans leur application, non ; dans leurs principes, oui. Apprendre n'est point savoir ; il y a les sachants et les savants : c'est la mémoire qui fait les uns, c'est la philosophie qui fait les autres.

— Voyons, dit Dantès, que m'apprendrez-vous d'abord ? J'ai hâte de commencer ; j'ai soif de science.

— Tout ! dit l'abbé.

En effet, dès le soir, les deux prisonniers arrêtèrent un plan d'éducation qui commença de s'exécuter le lendemain. Dantès avait une mémoire prodigieuse, une facilité de conception extrême. Au bout d'un an, c'était un autre homme.

Quant à l'abbé Faria, Dantès remarquait que, malgré la distraction que sa présence avait apportée à sa captivité, il s'assombrissait tous les jours.

Un jour il s'arrêta tout à coup au milieu d'un de ces cercles cent fois répétés qu'il décrivait, et s'écria :

— Je suis perdu ! dit l'abbé. Écoutez-moi. Un mal terrible, mortel peut-être, va me saisir. À ce mal il n'est qu'un remède, je vais vous le dire : courez vite chez moi ; levez le pied du lit ; ce pied est creux ; vous y trouverez un petit flacon de cristal à moitié plein d'une liqueur rouge ; apportez-le, ou plutôt, non, je pourrais être surpris ici ; aidez-moi à rentrer chez moi pendant que j'ai encore quelques forces. Qui sait ce qui va arriver, et le temps que durera l'accès ?

Dantès, sans perdre la tête, bien que le malheur qui le frappait fût immense, descendit dans le corridor, traînant son malheureux compagnon après lui, et se retrouva dans la chambre de l'abbé, qu'il déposa sur son lit.

— Merci, dit l'abbé, frissonnant de tous ses membres comme s'il sortait d'une eau glacée. Voici le mal qui vient, je vais tomber en catalepsie. Quand vous me verrez immobile, froid et mort, pour ainsi dire, seulement à cet instant, entendez-vous bien, desserrez-moi les dents avec le couteau, faites couler dans ma bouche huit à dix gouttes de cette liqueur, et peut-être reviendrai-je.

— Peut-être ? soupira douloureusement Dantès.

— À moi ! à moi ! s'écria l'abbé, je me... je me m...

L'accès fut si subit et si violent, que le malheureux prisonnier ne put même achever le mot commencé ; un nuage passa sur son front, rapide et sombre comme les tempêtes de la mer ; la crise dilata ses yeux, tordit sa bouche, empourpra ses joues ; il s'agita, écuma, rugit ; mais Dantès étouffa ses cris sous sa couverture. Cela dura deux heures. Alors, plus inerte qu'une masse, plus pâle et plus froid que le marbre, plus brisé qu'un roseau foulé aux pieds, il tomba, se roidit encore dans une dernière convulsion, et devint livide.

Edmond attendit que cette mort apparente eût envahi le corps et glacé jusqu'au cœur ; alors il prit le couteau, introduisit la lame entre les dents, desserra avec une peine infinie les mâchoires crispées, compta l'une après l'autre dix gouttes de la liqueur rouge, et attendit.

Une heure s'écoula sans que le vieillard fit le moindre mouvement. Dantès craignait d'avoir attendu trop tard, et le regardait les mains enfoncées dans ses cheveux. Enfin une légère coloration parut sur ses joues ; ses yeux, constamment restés ouverts et atones, reprirent leur regard ; un faible soupir s'échappa de sa bouche ; il fit un mouvement.

— Sauvé ! sauvé ! s'écria Dantès.

— La dernière fois, dit l'abbé, l'accès dura une demi-heure, après quoi j'eus faim et me relevai seul ; aujourd'hui, je ne puis remuer ni ma jambe ni mon bras droit ; ma tête est embarrassée, ce qui prouve un épanchement au cerveau. La troisième fois, j'en resterai paralysé entièrement ou je mourrai sur le coup.

Le jeune homme souleva le bras, qui retomba insensible. Il poussa un soupir.

— Vous êtes convaincu maintenant, n'est-ce pas, Edmond ? dit Faria. C'est un héritage de famille ; mon père est mort à la troisième crise, mon aïeul aussi. Le médecin qui m'a composé cette liqueur, et qui n'est autre que le fameux Cabanis, m'a prédit le même sort. Quant à vous, fuyez, partez !

— Par le sang du Christ, je jure de ne vous quitter qu'à votre mort !

Faria considéra ce jeune homme si noble, si simple, si élevé, et lut sur ses traits, animés par l'expression du dévouement le plus pur, la sincérité de son affection et la loyauté de son serment.

11

Le trésor

Lorsque Dantès rentra le lendemain matin dans la chambre de son compagnon de captivité, il trouva Faria assis, le visage calme. Sous le rayon qui glissait à travers l'étroite fenêtre de sa cellule, il tenait ouvert dans sa main gauche, la seule dont l'usage lui fût resté, un morceau de papier auquel l'habitude d'être roulé en un mince volume avait imprimé la forme d'un cylindre rebelle à s'étendre.

— Ce papier, mon ami, dit Faria, est, je puis tout vous avouer maintenant, ce papier, c'est mon trésor, dont à compter d'aujourd'hui la moitié vous appartient.

— Votre trésor ? balbutia Dantès.

Et prenant le papier, il lut :
Cejourd'hui 25 avril 1498, ayant été invité à dîner par Sa Sainteté Alexandre VI, et craignant que, non content de m'avoir fait payer le chapeau, il ne veuille hériter de

moi et ne me réserve le sort des cardinaux Caprara et Bentivoglio, morts empoisonnés... je déclare à mon neveu Guido Spada, mon légataire universel, que j'ai enfoui dans un endroit qu'il connaît pour l'avoir visité avec moi, c'est-à-dire dans les grottes de la petite île de Monte-Cristo, tout ce que je possédais de lingots, d'or monnayé, pierreries, diamants, bijoux ; que seul je connais l'existence de ce trésor, qui peut monter à peu près à deux millions d'écus romains, et qu'il trouvera ayant levé la vingtième roche à partir de la petite crique de l'Est en droite ligne. Deux ouvertures ont été pratiquées dans ces grottes : le trésor est dans l'angle le plus éloigné de la deuxième ; lequel trésor je lui lègue et cède en toute propriété, comme à mon seul héritier.

25 avril 1498.

Cesare † Spada.

— Et vous dites que ce trésor renferme...

— Deux millions d'écus romains, treize millions à peu près de notre monnaie.

— Impossible ! dit Dantès, effrayé par l'énormité de la somme.

— Impossible ! et pourquoi ? reprit le vieillard. La famille Spada était une des plus vieilles et des plus puissantes familles du XVe siècle.

Edmond croyait rêver : il flottait entre l'incrédulité et la joie.

— Je n'ai gardé si longtemps le secret avec vous, continua Faria, d'abord que pour vous éprouver, et ensuite pour vous surprendre. Eh bien, Dantès ! vous ne me remerciez pas ?

— Ce trésor vous appartient, mon ami, dit Dantès, il appartient à vous seul, et je n'y ai aucun droit ; je ne suis point votre parent.

— Vous êtes mon fils, Dantès, s'écria le vieillard, vous êtes l'enfant de ma captivité ; mon état me condamnait au célibat : Dieu vous a envoyé à moi pour consoler à la fois l'homme qui ne pouvait être père, et le prisonnier qui ne pouvait être libre.

Et Faria tendit le bras qui lui restait au jeune homme, qui se jeta à son cou en pleurant.

12

Le troisième accès

L'abbé ne connaissait pas l'île de Monte-Cristo, mais Dantès la connaissait ; il avait souvent passé devant cette île, située à vingt-cinq milles de la Pianosa, entre la Corse et l'île d'Elbe, et une fois même il y avait relâché.

Dantès faisait le plan de l'île à Faria, et Faria donnait des plans à Dantès sur les moyens à employer pour retrouver le trésor.

Mais Dantès était loin d'être aussi enthousiaste et surtout aussi confiant que le vieillard. Certes, il était bien certain maintenant que Faria n'était pas fou, mais il ne pouvait croire que ce dépôt existât encore, et quand il ne regardait pas le trésor comme chimérique, il le regardait du moins comme absent.

Une nuit, Edmond se réveilla en sursaut, croyant s'être entendu appeler.

Il ouvrit les yeux et essaya de percer les épaisseurs de l'obscurité.

Son nom, ou plutôt une voix plaintive qui essayait d'articuler son nom, arriva jusqu'à lui.

Il se leva sur son lit, la sueur de l'angoisse au front, et écouta. Plus de doute, la plainte venait du cachot de son compagnon.

— Grand Dieu ! murmura Dantès, serait-ce... ?

Et il déplaça son lit, tira la pierre, se lança dans le corridor, et parvint à l'extrémité opposée ; la dalle était levée. Edmond vit le vieillard pâle, debout encore, et se cramponnant au bois de son lit.

— Eh bien ! mon ami, dit Faria résigné, vous comprenez, n'est-ce pas, et je n'ai besoin de rien vous apprendre ?

Edmond poussa un cri douloureux. Puis, reprenant sa force un instant ébranlée par ce coup imprévu :

— Oh ! dit-il, je vous ai déjà sauvé une fois, je vous sauverai bien une seconde !

Et il souleva le pied du lit, et en tira le flacon encore au tiers plein de la liqueur rouge.

— Eh bien, essayez donc ! Vous ferez comme la première fois, seulement vous n'attendrez pas si longtemps. Si, après m'avoir versé douze gouttes dans la bouche au lieu de dix, vous voyez que je ne reviens pas, alors vous verserez le reste. Maintenant portez-moi sur mon lit, car je ne puis plus me tenir debout.

Edmond prit le vieillard dans ses bras, et le déposa sur le lit.

— Maintenant, ami, dit Faria, vous que le Ciel m'a donné un peu tard, mais enfin qu'il m'a donné, présent inappréciable et dont je le remercie, au moment de me séparer de vous pour jamais, je vous souhaite tout le bonheur, toute la prospérité que vous méritez : mon fils, je vous bénis !

Une secousse violente interrompit le vieillard. Dantès vit les yeux qui s'injectaient de rouge ; on eût dit qu'une vague de sang venait de monter de sa poitrine à son front.

— Adieu ! adieu ! murmura le vieillard en pressant convulsivement la main du jeune homme, adieu !...

Et, se relevant par un dernier effort dans lequel il rassembla toutes ses facultés :

— Monte-Cristo ! dit-il, n'oubliez pas Monte-Cristo !

Et il retomba sur son lit.

La crise fut terrible : des membres tordus, des paupières gonflées, une écume sanglante, un corps sans mouvement, voilà ce qui resta sur ce lit de douleur à la place de l'être intelligent qui s'y était couché un instant auparavant.

Lorsque Dantès crut le moment arrivé, il prit le couteau, desserra les dents, compta l'une après l'autre douze gouttes, et attendit.

Il attendit dix minutes, un quart d'heure, une demi-heure, rien ne bougea. Alors il approcha la fiole des lèvres violettes de Faria, et, sans avoir besoin de desserrer les mâchoires restées ouvertes, il versa toute la liqueur qu'elle contenait.

Le remède produisit un effet galvanique ; un violent tremblement secoua les membres du vieillard, ses yeux se rouvrirent, effrayants à voir, il poussa un soupir qui ressemblait à un cri, puis tout ce corps frissonnant rentra peu à peu dans son immobilité.

Les yeux seuls restèrent ouverts.

Une demi-heure, une heure, une heure et demie s'écoulèrent. Pendant cette heure et demie d'angoisse, Edmond, penché sur son ami, la main appliquée à son cœur, sentit successivement ce corps se refroidir, et ce cœur éteindre son battement de plus en plus sourd et profond. Enfin rien ne survécut, le dernier frémissement de son cœur cessa, la face devint livide, les yeux restèrent ouverts, mais le regard se ternit.

Il était six heures du matin, le jour commençait à paraître, et son rayon blafard, envahissant le cachot, faisait pâlir la lumière mourante de la lampe. Tant que dura cette lutte du jour et de la nuit, Dantès put douter encore ; mais dès que le jour eut vaincu, il comprit qu'il était seul avec un cadavre.

Alors une terreur profonde et invincible s'empara de lui ; il n'osa plus arrêter ses yeux sur ces yeux fixes et blancs qu'il essaya plusieurs fois mais inutilement de fermer, et qui se rouvraient toujours. Il éteignit la lampe, la cacha soigneusement et s'enfuit, replaçant de son mieux la dalle au-dessus de sa tête.

D'ailleurs il était temps, le geôlier allait venir.

Cette fois, il commença sa visite par Dantès : en sortant de son cachot, il allait passer dans celui de Faria, auquel il portait à déjeuner et du linge.

Dantès fut alors pris d'une indicible impatience de savoir ce qui allait se passer dans le cachot de son malheureux ami ; il rentra donc dans la galerie souterraine, et arriva à temps pour entendre les exclamations du porte-clefs, qui appelait à l'aide.

Bientôt les autres porte-clefs arrivèrent ; puis on entendit ce pas lourd et régulier habituel aux soldats, même hors de leur service. Derrière les soldats arriva le gouverneur.

Edmond entendit le bruit du lit, sur lequel on agitait le cadavre ; il entendit la voix du gouverneur qui ordonnait de lui jeter de l'eau au visage, et qui, voyant que malgré cette immersion le prisonnier ne revenait pas, envoya chercher le médecin.

Des allées et venues se firent entendre. Un instant après, un bruit de toile froissée parvint aux oreilles de Dantès, le lit cria sur ses ressorts, un pas alourdi comme celui d'un homme qui soulève un fardeau s'appesantit sur la dalle, puis le lit cria de nouveau sous le poids qu'on lui rendait.

Alors les pas s'éloignèrent, les voix allèrent s'affaiblissant, le bruit de la porte avec sa serrure criarde et ses verrous grinçants se fit entendre, un silence plus morne que celui de la solitude, le silence de la mort, envahit tout, jusqu'à l'âme glacée du jeune homme.

Alors il souleva lentement la dalle avec sa tête, et jeta un regard investigateur dans la chambre.

La chambre était vide : Dantès sortit de la galerie.

Sur le lit, couché dans le sens de la longueur, et faiblement éclairé par un jour brumeux qui pénétrait à travers la fenêtre, on voyait un sac de toile grossière, sous les larges plis duquel se dessinait confusément une forme longue et raide : c'était le dernier linceul de Faria. Ainsi, tout était fini : une séparation matérielle existait déjà entre Dantès et son vieil ami.

L'idée du suicide, chassée par son ami, écartée par sa présence, revint alors se dresser comme un fantôme près du cadavre de Faria.

Mais Dantès recula à l'idée de cette mort infamante, et passa précipitamment de ce désespoir à une soif ardente de vie et de liberté.

Et, comme pour ne pas donner à la pensée le temps de détruire cette résolution désespérée, il se pencha vers le sac hideux, l'ouvrit avec le couteau que Faria avait fait, retira le cadavre du sac, l'emporta chez lui, le coucha dans son lit, le coiffa du lambeau de linge dont il avait l'habitude de se coiffer lui-même, le couvrit de sa couverture, baisa une dernière fois ce front glacé, tourna la tête le long du mur, afin que le geôlier, en apportant son repas du soir, crût qu'il était couché comme c'était souvent son habitude, rentra dans la galerie, tira le lit contre la muraille, rentra dans l'autre chambre, prit dans l'armoire l'aiguille, le fil, jeta ses haillons pour qu'on sentît bien sous la toile les chairs nues, se glissa dans le sac éventré, se plaça dans la situation où était le cadavre, et referma la couture en dedans.

On aurait pu entendre battre son cœur, si par malheur on fût entré en ce moment.

Lorsque sept heures du soir s'approchèrent, les angoisses de Dantès commencèrent. Sa main, appuyée sur son cœur, essayait d'en comprimer les battements, tandis que de l'autre il essuyait la sueur de son front qui ruisselait le long de ses tempes. Enfin, des pas se firent entendre dans l'escalier. Edmond comprit que le moment était venu, rappela tout son courage, retenant son haleine ; heureux s'il eût pu retenir en même temps et comme elle les pulsations précipitées de ses artères.

On s'arrêta à la porte, le pas était double. Dantès devina que c'étaient les deux fossoyeurs qui le venaient chercher. Ce soupçon se changea en certitude quand il entendit le bruit qu'ils faisaient en déposant la civière.

La porte s'ouvrit, une lumière voilée parvint aux yeux de Dantès. Au travers de la toile qui le couvrait, il vit deux ombres s'approcher de son lit. Une troisième restait à la porte, tenant un falot à la main. Chacun des deux hommes qui s'étaient approchés du lit saisit le sac par une de ses extrémités.

— C'est qu'il est encore lourd, pour un vieillard si maigre ! dit l'un d'eux en le soulevant par la tête.

— On dit que chaque année ajoute une demi-livre au poids des os, dit l'autre en le prenant par les pieds.

On transporta le prétendu mort du lit sur la civière. Edmond se raidissait pour mieux jouer son rôle de trépassé. On le posa sur la civière, et le cortège, éclairé par l'homme au falot qui marchait devant, monta l'escalier.

Tout à coup l'air frais et âpre de la nuit l'inonda. Dantès reconnut le mistral. Ce fut une sensation subite, pleine à la fois de délices et d'angoisses.

Les porteurs firent une vingtaine de pas, puis s'arrêtèrent et déposèrent la civière sur le sol.

Un des porteurs s'éloigna, et Dantès entendit ses souliers retentir sur les dalles.

— Éclaire-moi donc, animal, dit celui des deux porteurs qui s'était éloigné, ou je ne trouverai jamais ce que je cherche.

L'homme au falot obéit à l'injonction.

Une exclamation de satisfaction indiqua que le fossoyeur avait trouvé ce qu'il cherchait.

— Enfin, dit l'autre, ce n'est pas sans peine.

À ces mots il se rapprocha d'Edmond, qui entendit déposer près de lui un corps lourd et retentissant. Au même moment, une corde entoura ses pieds d'une vive et douloureuse pression.

— Eh bien ! le nœud est-il fait ? demanda celui des fossoyeurs qui était resté inactif.

— Et bien fait, dit l'autre, je t'en réponds.

— En ce cas, en route.

Et la civière soulevée reprit son chemin.

On fit cinquante pas à peu près, puis on s'arrêta pour ouvrir une porte ; puis on se remit en route. Le bruit des flots se brisant contre les rochers, sur lesquels est bâti le château, arrivait plus distinctement à l'oreille de Dantès à mesure que l'on avançait.

— Mauvais temps ! dit un des porteurs. Il ne fera pas bon d'être en mer cette nuit.

— Oui, l'abbé court grand risque d'être mouillé, dit l'autre ; et ils éclatèrent de rire.

On fit encore quatre ou cinq pas en montant toujours, puis Dantès sentit qu'on le prenait par la tête et par les pieds, et qu'on le balançait.

— Une, dirent les fossoyeurs.

— Deux.

— Trois !

En même temps Dantès se sentit lancé en effet dans un vide énorme, traversant les airs comme un oiseau blessé, tombant, tombant toujours avec une épouvante qui lui glaçait le cœur. Quoique tiré en bas par quelque chose de pesant qui précipitait son vol rapide, il lui sembla que cette chute durait un siècle. Enfin, avec un bruit épouvantable, il entra comme une flèche dans une eau glacée, qui lui fit pousser un cri étouffé à l'instant même par l'immersion.

Dantès avait été lancé dans la mer, au fond de laquelle l'entraînait un boulet de trente-six attaché à ses pieds.

La mer est le cimetière du château d'If.

13

L'île de Tiboulen

Dantès, étourdi, presque suffoqué, eut cependant la présence d'esprit de retenir son haleine, et, comme sa main droite tenait son couteau tout ouvert, il éventra rapidement le sac, sortit le bras, puis la tête ; mais, alors, malgré ses mouvements pour soulever le boulet, il continua de se sentir entraîné. Alors il se cambra, cherchant la corde qui liait ses jambes, et, par un effort suprême, il la trancha précisément au moment où il suffoquait. Alors, donnant un vigoureux coup de pied, il remonta libre à la surface de la mer, tandis que le boulet entraînait dans ses profondeurs inconnues le tissu grossier qui avait failli devenir son linceul.

Dantès ne prit que le temps de respirer, et replongea une seconde fois ; car la première précaution qu'il devait prendre était d'éviter les regards.

Lorsqu'il reparut pour la seconde fois, il était déjà à cinquante pas au moins du lieu de sa chute. Il fallait s'orienter. De toutes les îles qui entourent le château d'If, l'île la plus sûre était celle de Tiboulen.

En ce moment, il vit briller comme une étoile le phare de Planier.

En se dirigeant droit sur ce phare, il laissait l'île de Tiboulen un peu à gauche ; en appuyant un peu à gauche, il devait donc rencontrer cette île sur son chemin.

Mais il y avait une lieue, au moins, du château d'If à cette île.

Une heure s'écoula, pendant laquelle Dantès, exalté par le sentiment de la liberté qui avait envahi toute sa personne, continua de fendre les flots dans la direction qu'il s'était faite.

À vingt pas de lui s'élevait une masse de rochers aux formes bizarres, qu'on prendrait pour un foyer immense pétrifié au moment de sa plus ardente combustion : c'était l'île de Tiboulen.

« Dans deux ou trois heures, se dit Edmond, le porte-clefs va rentrer dans ma chambre, trouvera le cadavre de mon pauvre ami, le reconnaîtra, me cherchera vainement, et donnera l'alarme. Oh ! mon Dieu ! mon Dieu ! voyez si j'ai assez souffert, et si Vous pouvez faire pour moi plus que je ne puis faire moi-même. »

Au moment où Edmond, dans une espèce de délire occasionné par l'épuisement de sa force et le vide de son cerveau, prononçait anxieusement cette prière ardente, il vit apparaître à la pointe de l'île de Pomègue, dessinant sa voile latine à l'horizon, un petit bâtiment que l'œil d'un marin pouvait seul reconnaître pour une tartane génoise sur la ligne encore à demi éclose de la mer.

Alors il s'avança à sa rencontre ; mais avant qu'ils se fussent joints, le bâtiment commença de virer de bord.

Aussitôt Dantès, par un effort suprême, se leva presque debout sur l'eau, jetant un de ces cris lamentables comme en poussent les marins en détresse, et qui semblent la plainte de quelque génie de la mer.

Cette fois on le vit et on l'entendit. La tartane interrompit sa manœuvre et tourna le cap de son côté. En même temps il vit qu'on se préparait à mettre une chaloupe à la mer.

Un instant après, la chaloupe, montée par deux hommes, se dirigea de son côté, battant la mer de son double aviron. Dantès alors nagea vigoureusement pour épargner la moitié du chemin à ceux qui venaient à lui.

Cependant le nageur avait compté sur des forces presque absentes. Ses bras commençaient à se raidir, ses jambes avaient perdu leur flexibilité, ses mouvements devenaient durs et saccadés, sa poitrine était haletante.

Il poussa un second cri, les deux rameurs redoublèrent d'énergie, et l'un d'eux lui cria en italien :

— Courage !

Le mot lui arriva au moment où une vague, qu'il n'avait plus la force de surmonter, passait au-dessus de sa tête et le couvrait d'écume.

Un violent effort le ramena à la surface de la mer.

Il lui sembla alors qu'on le saisissait par les cheveux, puis il ne vit plus rien, il n'entendit plus rien, il était évanoui.

Lorsqu'il rouvrit les yeux, Dantès se trouva sur le pont de la tartane, qui continuait son chemin ; son premier regard fut pour voir quelle direction elle suivait : on continuait de s'éloigner du château d'If.

14

Les contrebandiers

Dantès n'avait point encore passé un jour à bord, qu'il avait déjà reconnu à qui il avait affaire : sans avoir été à l'école de l'abbé Faria, le digne patron de la *Jeune-Amélie* – c'était le nom de la tartane génoise – savait à peu près toutes les langues qui se parlent autour de ce grand lac qu'on appelle la Méditerranée, depuis l'arabe jusqu'au provençal : on devine que Dantès était à bord d'un bâtiment contrebandier.

Edmond eut donc l'avantage de savoir ce qu'était son patron sans que son patron pût savoir ce qu'il était ; de quelque côté que l'attaquassent le vieux marin ou ses camarades, il tint bon, et ne fit aucun aveu. Ce fut donc le Génois, tout subtil qu'il était, qui se laissa duper par Edmond.

Et puis, peut-être le Génois était-il comme ces gens d'esprit qui ne savent jamais que ce qu'ils doivent savoir, et qui ne croient que ce qu'ils ont intérêt à croire.

Ce fut dans cette situation réciproque que l'on arriva à Livourne.

Edmond devait tenter là une première épreuve ; c'était de savoir s'il se reconnaîtrait lui-même, depuis quatorze ans qu'il ne s'était vu : il connaissait un barbier rue Saint-Ferdinand, il entra chez lui pour se faire couper la barbe et les cheveux.

Lorsque l'opération fut terminée, Edmond demanda un miroir et se regarda.

Il avait alors trente-trois ans, et ses quatorze ans de prison avaient apporté un grand changement moral dans sa figure.

Dantès était entré au château d'If avec ce visage rond, riant et épanoui du jeune homme heureux, à qui les premiers pas dans la vie ont été faciles : tout cela était bien changé.

Edmond sourit en se voyant : il était impossible que son meilleur ami, si toutefois il lui restait un ami, le reconnût : il ne se reconnaissait pas lui-même.

Le patron de la *Jeune-Amélie* lui avait proposé quelques avances sur sa part de bénéfices futurs, et Edmond avait accepté ; son premier soin, en sortant de chez le barbier, fut donc d'entrer dans un magasin, et d'acheter un vêtement complet de matelot.

C'est sous ce costume qu'Edmond reparut devant le patron de la *Jeune-Amélie*. Le patron ne voulait pas reconnaître dans ce matelot coquet et élégant l'homme à la barbe épaisse, aux cheveux mêlés d'algues et au corps trempé d'eau de mer, qu'il avait accueilli nu et mourant sur le pont de son navire.

Entraîné par sa bonne mine, il renouvela à Dantès ses propositions d'engagement ; mais Dantès, qui avait ses projets, ne les voulut accepter que pour trois mois.

Au reste, c'était un équipage fort actif que celui de la *Jeune-Amélie*. À peine était-il depuis huit jours à Livourne, que les flancs rebondis du navire étaient remplis de mousselines peintes, de cotons prohibés, de poudre anglaise et de tabac. Il s'agissait de débarquer tout cela sur le rivage de la Corse, d'où certains spéculateurs se chargeaient de faire passer la cargaison en France.

Deux mois et demi s'écoulèrent dans ces courses successives. Edmond était devenu aussi habile caboteur qu'il était autrefois hardi marin ; il avait lié connaissance avec tous les contrebandiers de la côte ; il avait appris tous les signes maçonniques à l'aide desquels ces demi-pirates se connaissent entre eux.

Il avait passé et repassé vingt fois son île de Monte-Cristo, mais dans tout cela il n'avait pas une seule fois trouvé l'occasion d'y débarquer. Il avait beau chercher dans son imagination, si féconde qu'elle fût, il ne trouvait pas d'autres moyens d'arriver à l'île tant souhaitée, que de s'y faire conduire.

Dantès flottait dans cette hésitation, lorsque le patron, qui avait mis une grande confiance en lui, le prit un soir par le bras et l'emmena dans une taverne de la via del Oglio, dans laquelle avait l'habitude de se réunir ce qu'il y a de mieux en contrebandiers à Livourne.

Cette fois, il était question d'une grande affaire : il s'agissait d'un bâtiment chargé de tapis turcs, d'étoffes du Levant et de cachemires ; il fallait trouver un terrain neutre où l'échange pût se faire, puis tenter de jeter ces objets sur les côtes de France.

La prime était énorme si l'on réussissait ; il s'agissait de cinquante à soixante piastres par homme.

Le patron de la *Jeune-Amélie* proposa comme lieu de débarquement l'île de Monte-Cristo, laquelle était complètement déserte.

À ce mot de Monte-Cristo, Dantès tressaillit de joie ; il se leva pour cacher son émotion, et fit un tour dans la taverne enfumée où tous les idiomes du monde connu venaient se fondre dans la langue franque.

Lorsqu'il se rapprocha des deux interlocuteurs, il était décidé que l'on relâcherait à Monte-Cristo, et que l'on partirait pour cette expédition dès la nuit suivante.

15

L'île de Monte-Cristo

Le lendemain à sept heures du soir, tout fut prêt.

La mer était calme : avec un vent frais venant du sud-est, on naviguait sous un ciel d'azur. Dantès déclara que tout le monde pouvait se coucher et qu'il se chargeait du gouvernail.

Quand le Maltais (c'est ainsi que l'on appelait Dantès) avait fait une pareille déclaration, cela suffisait, et chacun s'en allait coucher tranquille.

Quand le patron se réveilla, le navire marchait sous toutes ses voiles ; il n'y avait pas un lambeau de toile qui ne fût gonflé par le vent ; on faisait plus de deux lieues et demie à l'heure.

Edmond rendit le bâtiment à son maître, et alla s'étendre à son tour dans son hamac ; mais, malgré sa nuit d'insomnie, il ne put fermer l'œil un seul instant.

Deux heures après, il remonta sur le pont ; le bâtiment était en train de doubler l'île d'Elbe. On voyait s'élancer dans l'azur du ciel le sommet flamboyant de Monte-Cristo.

Vers cinq heures du soir on eut la vue complète de l'île. On en apercevait les moindres détails, grâce à cette limpidité atmosphérique qui est particulière à la lumière que versent les rayons du soleil à son déclin.

La nuit vint. À dix heures du soir on aborda. La *Jeune-Amélie* était la première au rendez-vous.

Un signal arboré à une demi-lieue en mer, et auquel la *Jeune-Amélie* répondit aussitôt par un signal pareil, indiqua que le moment était venu de se mettre à la besogne.

Le bâtiment retardataire, rassuré par le signal qui devait faire connaître au dernier arrivé qu'il y avait toute sécurité à s'aboucher, apparut bientôt blanc et silencieux comme un fantôme, et vint jeter l'ancre à une encablure du rivage.

Aussitôt le transport commença.

Personne ne se doutait de rien, et lorsque le lendemain, en prenant un fusil, du plomb et de la poudre, Dantès manifesta le désir d'aller tuer quelqu'une de ces nombreuses chèvres sauvages que l'on voyait sauter de rocher en rocher, on n'attribua cette excursion de Dantès qu'à l'amour de la chasse ou au désir de la solitude. Il n'y eut que Jacopo qui insista pour le suivre. Dantès ne voulut pas s'y opposer, craignant d'inspirer quelques soupçons. Mais à peine eut-il fait un quart de lieue, qu'ayant trouvé l'occasion de tirer et de tuer un chevreau, il envoya Jacopo le porter à ses compagnons, les invitant à le faire cuire et à lui donner, lorsqu'il serait cuit, le signal d'en manger sa part en tirant un coup de fusil.

Dantès continua son chemin en se retournant de temps en temps. Par une route perdue entre deux murailles de roches, il se rapprocha de l'endroit où il supposait que les grottes avaient dû exister. Un gros rocher rond, posé sur une base solide, était le seul but auquel elles semblassent conduire. Edmond pensa qu'au lieu d'être arrivé à la fin, il

n'était peut-être, tout au contraire, qu'au commencement ;
il prit en conséquence le contre-pied et retourna sur ses
pas.

Pendant ce temps ses compagnons préparaient le déjeuner, allaient puiser de l'eau à la source, transportaient le
pain et les fruits à terre, et faisaient cuire le chevreau. Juste
au moment où ils le tiraient de sa broche improvisée, ils
aperçurent Edmond, qui, léger et hardi comme un chamois,
sautait de rocher en rocher : ils tirèrent un coup de fusil
pour lui donner le signal. Le chasseur changea aussitôt de
direction et revint tout courant à eux. Mais au moment où
tous le suivaient des yeux dans l'espèce de vol qu'il exécu-
tait, taxant son adresse de témérité, comme pour donner
raison à leurs craintes, le pied manqua à Edmond ; on le
vit chanceler à la cime d'un rocher, pousser un cri et disparaître.

Tous bondirent d'un seul élan, car tous aimaient
Edmond ; ce fut Jacopo qui arriva le premier.

Il trouva Edmond étendu, sanglant et presque sans
connaissance. On lui introduisit dans la bouche quelques
gouttes de rhum. Edmond rouvrit les yeux, se plaignit de
souffrir une vive douleur au genou. On voulut le transporter jusqu'au rivage ; mais Dantès déclara qu'il aimait mieux
mourir où il était que de supporter les douleurs atroces que
lui occasionnerait le mouvement, si faible qu'il fût.

— Eh bien, dit le patron, advienne que pourra, mais il
ne sera pas dit que nous avons laissé sans secours un brave
compagnon comme vous. Nous ne partirons que ce soir.

— Non, j'ai été un maladroit, et il est juste que je porte
la peine de ma maladresse. Laissez-moi une petite provi-
sion de biscuit, un fusil, de la poudre et des balles pour tuer
des chevreaux, et une pioche pour me construire, si vous
tardiez trop à me venir prendre, une espèce de maison.

Les contrebandiers laissèrent à Edmond ce qu'il demandait, et s'éloignèrent, non sans se retourner plusieurs fois,

lui faisant à chaque fois qu'ils se retournaient tous les signes d'un cordial adieu, auquel Edmond répondait de la main seulement, comme s'il ne pouvait remuer le reste du corps.

Puis, lorsqu'ils eurent disparu :

— C'est étrange, murmura Dantès en riant, que ce soit parmi de pareils hommes que l'on trouve des preuves d'amitié et des actes de dévouement.

Alors il se traîna avec précaution jusqu'au sommet d'un rocher qui lui dérobait l'aspect de la mer, et de là il vit la tartane achever son appareillage, lever l'ancre, se balancer gracieusement comme une mouette qui va prendre son vol, et partir.

Au bout d'une heure, elle avait complètement disparu ; du moins, de l'endroit où était demeuré le blessé, il était impossible de la voir.

Alors Dantès se releva, plus souple et plus léger qu'un des chevreaux qui bondissaient parmi les myrtes et les lentisques sur ces rochers sauvages, prit son fusil d'une main, sa pioche de l'autre, et courut à cette roche à laquelle aboutissaient les entailles qu'il avait remarquées sur les rochers.

— Et maintenant, s'écria-t-il en se rappelant cette histoire du pêcheur arabe que lui avait racontée Faria, maintenant, Sésame, ouvre-toi !

Seulement une chose inquiétait Edmond : comment avait-on pu, sans employer des forces considérables, hisser ce rocher sur l'espèce de base où il reposait ?

Tout à coup une idée vint à Dantès.

Dantès jeta les yeux autour de lui ; son regard tomba sur une corne de mouflon pleine de poudre, que lui avait laissée son ami Jacopo.

Il sourit : l'invention infernale allait faire son œuvre.

À l'aide de sa pioche, Dantès creusa, entre le rocher supérieur et celui sur lequel il était posé, un conduit de mine, puis il le bourra de poudre ; puis, effilant son mouchoir et le roulant dans le salpêtre, il en fit une mèche.

Le feu mis à cette mèche, Dantès s'éloigna.

L'explosion ne se fit pas attendre : le rocher supérieur fut en un instant soulevé par l'incalculable force, le rocher inférieur vola en éclats ; par la petite ouverture qu'avait d'abord pratiquée Dantès, s'échappa tout un monde d'insectes frémissants, et une couleuvre énorme, gardienne de ce chemin mystérieux, roula sur ses volutes bleuâtres et disparut.

Dantès s'approcha : le rocher supérieur, désormais sans appui, inclinait vers l'abîme ; l'intrépide chercheur en fit le tour, choisit l'endroit le plus vacillant, appuya une branche d'olivier dans une de ses arêtes, et, pareil à Sisyphe, se raidit de toute sa puissance contre le rocher.

Le rocher, déjà ébranlé par la commotion, chancela ; Dantès redoubla d'efforts : on eût dit un de ces Titans qui déracinaient des montagnes pour faire la guerre au maître des dieux. Enfin le rocher céda, roula, bondit, se précipita et disparut, s'engloutissant dans la mer.

Il laissait découverte une place circulaire, et mettait au jour un anneau de fer scellé au milieu d'une dalle de forme carrée.

Dantès poussa un cri de joie et d'étonnement : jamais plus magnifique résultat n'avait couronné une première tentative.

Edmond passa son levier dans l'anneau, leva vigoureusement, et la dalle descellée s'ouvrit, découvrant la pente rapide d'une sorte d'escalier qui allait s'enfonçant dans l'ombre d'une grotte de plus en plus obscure.

Il resta un moment immobile, pensif, les yeux fixés sur cette ouverture sombre et continue.

— Descendons.

Après quelques secondes de séjour dans cette grotte, le regard de Dantès, habitué aux ténèbres, put sonder les angles les plus reculés de la caverne. Il se rappela les termes du testament qu'il savait par cœur : « *Dans l'angle le plus éloigné de la seconde ouverture* », disait ce testament.

Dantès avait pénétré seulement dans la première grotte, il fallait maintenant chercher l'entrée de la seconde.

Dantès examina les couches de pierres et alla frapper à une des parois qui lui parut celle où devait être cette ouverture, masquée sans doute pour plus grandes précautions.

Il frappa de nouveau avec plus de force.

Alors il vit une chose singulière, c'est que, sous les coups de l'instrument, une espèce d'enduit se soulevait et tombait en écailles, découvrant une pierre blanchâtre et molle, pareille à nos pierres de taille ordinaires.

Dantès frappa alors par le bout aigu de la pioche, qui entra d'un pouce dans la porte-muraille.

C'était là qu'il fallait fouiller.

Après quelques coups, il introduisit dans une des fissures la pointe de la pioche, pesa sur le manche et vit avec joie une pierre rouler comme sur des gonds et tomber à ses pieds.

Dès lors Dantès n'eut plus qu'à tirer chaque pierre à lui avec la dent de fer de la pioche, et chaque pierre à son tour roula près de la première.

Enfin, après une nouvelle hésitation d'un instant, Dantès passa de cette première grotte dans la seconde.

À gauche de l'ouverture était un angle profond et sombre. Le trésor, s'il existait, était enterré dans cet angle sombre.

Il s'avança vers l'angle, et, comme pris d'une résolution subite, il attaqua le sol hardiment. Au cinquième ou sixième coup de pioche le fer résonna sur du fer.

Il sonda à côté de l'endroit où il avait sondé déjà, et rencontra la même résistance mais non pas le même son.

— C'est un coffre de bois cerclé de fer, dit-il.

En un instant un emplacement de trois pieds de long sur deux pieds de large à peu près fut déblayé, et Dantès put reconnaître un coffre de bois de chêne cerclé de fer ciselé. Au milieu du couvercle resplendissaient, sur une plaque d'argent que la terre n'avait pu ternir, les armes de la famille Spada, c'est-à-dire une épée posée en pal sur un écusson ovale, comme sont les écussons italiens, et surmonté d'un chapeau de cardinal.

Dès lors il n'y avait plus de doute, le trésor était bien là ; on n'eût pas pris tant de précautions pour remettre à cette place un coffre vide.

En un instant tous les alentours du coffre furent déblayés, et Dantès vit apparaître tour à tour la serrure du milieu, placée entre deux cadenas, et les anses des faces latérales.

Dantès introduisit le côté tranchant de sa pioche entre le coffre et le couvercle, pesa sur le manche de la pioche, et le couvercle après avoir crié éclata.

Une fièvre vertigineuse s'empara de Dantès ; il ferma les yeux, comme font les enfants, pour apercevoir, dans la nuit étincelante de leur imagination, plus d'étoiles qu'ils n'en peuvent compter dans un ciel encore éclairé, puis il les rouvrit et demeura ébloui.

Trois compartiments scindaient le coffre.

Dans le premier brillaient de rutilants écus d'or aux fauves reflets.

Dans le second, des lingots mal polis, mais rangés en bon ordre, et qui n'avaient de l'or que le poids et la valeur.

Dans le troisième enfin, à demi plein, Edmond remua à poignées les diamants, les perles, les rubis, qui, cascade étincelante, faisaient, en retombant les uns sur les autres, le bruit de la grêle sur les vitres.

Après avoir touché, palpé, enfoncé ses mains frémissantes dans l'or et les pierreries, Edmond se releva et prit sa course à travers les cavernes avec la tremblante exaltation d'un homme qui touche à la folie.

Bientôt il se sentit plus calme et partant plus heureux, car de cette heure seulement il commençait à croire à sa félicité.

Dantès vit le jour baisser et s'éteindre peu à peu. Il craignit d'être surpris s'il restait dans la caverne, et sortit son fusil à la main. Un morceau de biscuit et quelques gorgées de vin furent son souper. Puis il replaça la pierre, se coucha dessus, et dormit à peine quelques heures, couvrant de son corps l'entrée de la grotte.

Cette nuit fut à la fois une de ces nuits délicieuses et terribles comme cet homme aux foudroyantes émotions en avait déjà passé deux ou trois dans sa vie.

16

L'inconnu

Le jour vint. Dantès l'attendait depuis longtemps les yeux ouverts. À ses premiers rayons il se leva, monta sur le rocher le plus élevé de l'île, afin d'explorer les alentours ; tout était désert.

Edmond descendit, leva la pierre, emplit ses poches de pierreries, replaça du mieux qu'il put les planches et les ferrures du coffre, le recouvrit de terre, piétina cette terre, jeta du sable dessus, effaça les traces de ses pas amassés autour de cet endroit, et attendit avec impatience le retour de ses compagnons.

Les contrebandiers revinrent le sixième jour. Dantès reconnut de loin le port et la marche de la *Jeune-Amélie.* Lorsque ses compagnons abordèrent, il leur annonça, tout en se plaignant encore, un mieux sensible.

Edmond demeura impénétrable, il se rembarqua le soir même, et suivit le patron à Livourne.

À Livourne il alla chez un Juif et vendit cinq mille francs chacun quatre de ses plus petits diamants.

Le lendemain il acheta une barque toute neuve qu'il donna à Jacopo, en ajoutant à ce don cent piastres afin qu'il pût engager un équipage ; et cela à la condition que Jacopo irait à Marseille demander des nouvelles d'un vieillard nommé Louis Dantès et qui demeurait aux Allées de Meillan, et d'une jeune fille qui demeurait au village des Catalans et que l'on nommait Mercédès.

Ce fut à Jacopo à croire qu'il faisait un rêve : Edmond lui raconta alors qu'il s'était fait marin par un coup de tête, et parce que sa famille lui refusait l'argent nécessaire à son entretien ; mais qu'en arrivant à Livourne il avait touché la succession d'un oncle qui l'avait fait son seul héritier. L'éducation élevée de Dantès donnait à ce récit une telle vraisemblance, que Jacopo ne douta point un instant que son compagnon ne lui eût dit la vérité.

D'un autre côté, comme l'engagement d'Edmond à bord de la *Jeune-Amélie* était expiré, il prit congé du patron, qui essaya d'abord de le retenir, mais qui, ayant appris comme Jacopo l'histoire de l'héritage, renonça dès lors à l'espoir de vaincre la résolution de son ancien matelot.

Le lendemain, Jacopo mit à la voile pour Marseille : il devait retrouver Edmond à Monte-Cristo.

Le même jour, Dantès partit sans dire où il allait, prenant congé de l'équipage de la *Jeune-Amélie* par une gratification splendide, et du patron avec la promesse de lui donner un jour ou l'autre de ses nouvelles.

Dantès alla à Gênes.

Au moment où il arrivait, on essayait un petit yacht commandé par un Anglais qui, ayant entendu dire que les Génois étaient les meilleurs constructeurs de la Méditerranée, avait voulu avoir un yacht construit à Gênes ; l'Anglais avait fait prix à quarante mille francs : Dantès en offrit soixante mille, à la condition que le bâtiment lui serait livré le jour même. L'Anglais était allé faire un tour en Suisse, en attendant que son bâtiment fût achevé ; il ne devait revenir que dans trois semaines ou un mois : le constructeur pensa qu'il aurait le temps d'en remettre un autre sur le chantier.

Le constructeur offrit à Dantès ses services, pour lui composer un équipage ; mais Dantès le remercia en disant qu'il avait l'habitude de naviguer seul.

Deux heures après, Dantès sortait du port de Gênes escorté par les regards d'une foule de curieux qui voulaient voir le seigneur qui avait l'habitude de naviguer seul.

Les curieux suivirent le petit bâtiment des yeux jusqu'à ce qu'ils l'eussent perdu de vue, et alors les discussions s'établirent pour savoir où il allait. Nul ne pensa à nommer l'île de Monte-Cristo.

C'était cependant à Monte-Cristo qu'allait Dantès.

L'île était déserte, personne ne paraissait y avoir abordé depuis que Dantès en était parti ; il alla à son trésor, tout était dans le même état qu'il l'avait laissé.

Le lendemain son immense fortune était transportée à bord du yacht.

Dantès attendit huit jours encore. Le huitième jour, Dantès vit un petit bâtiment qui venait sur l'île toutes voiles dehors, et reconnut la barque de Jacopo.

Il y avait une triste réponse à chacune des deux demandes faites par Edmond.

Le vieux Dantès était mort.

Mercédès avait disparu.

Edmond écouta ces deux nouvelles d'un visage calme ; mais aussitôt il descendit à terre, en défendant que personne l'y suivît.

Deux heures après il revint : deux hommes de la barque de Jacopo passèrent sur son yacht pour l'aider à la manœuvre, et il donna l'ordre de mettre le cap sur Marseille.

Un matin donc, le yacht, suivi de la petite barque, entra bravement dans le port de Marseille et s'arrêta juste en face de l'endroit où, ce soir de fatale mémoire, on l'avait embarqué pour le château d'If.

Ce ne fut pas sans un certain frémissement que, dans le canot de Santé, Dantès vit venir à lui un gendarme. Mais Dantès, avec cette assurance parfaite qu'il avait acquise, lui présenta un passeport anglais qu'il avait acheté à Livourne, et moyennant ce laissez-passer étranger, il descendit sans difficulté à terre.

Chaque pas qu'il faisait oppressait son cœur d'une émotion nouvelle : tous ses souvenirs d'enfance, souvenirs indélébiles, éternellement présents à la pensée, étaient là se dressant à chaque coin de place, à chaque angle de rue, à chaque borne de carrefour. En arrivant au bout de la rue de Noailles, et en apercevant les Allées de Meillan, il sentit ses genoux qui fléchissaient, et il faillit tomber sous les roues d'une voiture. Enfin il arriva jusqu'à la maison qu'avait habitée son père.

Il s'appuya contre un arbre, et resta quelque temps pensif et regardant les derniers étages de cette pauvre petite maison ; enfin, il s'avança vers la porte, en franchit le seuil, demanda s'il n'y avait pas un logement vacant, et, quoiqu'il fût occupé, insista si longtemps pour visiter celui du cinquième, que la concierge monta et demanda, de la part d'un étranger, aux personnes qui l'habitaient la permission de voir les deux pièces dont il était composé.

Les personnes qui habitaient ce petit logement étaient un jeune homme et une jeune femme qui venaient de se marier depuis huit jours seulement.

En voyant ces deux jeunes gens, Dantès poussa un profond soupir.

Au reste, rien ne rappelait plus à Dantès l'appartement de son père : ce n'était plus le même papier ; tous les vieux meubles, ces amis d'enfance d'Edmond, présents à son souvenir dans tous leurs détails, avaient disparu. Les murailles seules étaient restées les mêmes.

En passant à l'étage au-dessous, Edmond s'arrêta devant une autre porte et demanda si c'était toujours le tailleur Caderousse qui demeurait là. Mais le concierge lui répondit que l'homme dont il parlait avait fait de mauvaises affaires, et tenait une petite auberge sur la route de Bellegarde à Beaucaire.

Dantès descendit, demanda l'adresse du propriétaire de la maison des Allées de Meillan, se rendit chez lui, se fit annoncer sous le nom de lord Wilmore – c'était le nom et le titre qui étaient portés sur son passeport –, et lui acheta cette petite maison pour la somme de vingt-cinq mille francs.

Le jour même, les jeunes gens du cinquième étage furent prévenus par le notaire qui avait fait le contrat que le nouveau propriétaire leur donnait le choix d'un appartement dans toute la maison, sans augmenter en aucune façon leur loyer, à la condition qu'ils lui céderaient les deux chambres qu'ils habitaient.

17

L'auberge du *Pont du Gard*

Ceux qui comme moi ont parcouru à pied le Midi de la France ont pu remarquer, entre Bellegarde et Beaucaire, une petite auberge où pend, sur une plaque de tôle qui grince au moindre vent, une grotesque représentation du pont du Gard.

Depuis sept ou huit ans à peu près, cette petite auberge était tenue par un homme et une femme ayant pour tout domestiques une fille de chambre appelée Trinette, et un garçon d'écurie répondant au nom de Pacaud ; double coopération qui, au reste, suffisait largement aux besoins du service, depuis qu'un canal creusé de Beaucaire à Aigues-Mortes avait fait succéder victorieusement les bateaux au roulage accéléré, et le coche à la diligence.

L'hôtelier qui tenait cette petite auberge pouvait être un homme de quarante à quarante-cinq ans, grand, sec et nerveux, véritable type méridional avec ses yeux enfoncés et brillants, son nez en bec d'aigle et ses dents blanches comme celles d'un animal carnassier. Cet homme, c'était notre ancienne connaissance Gaspard Caderousse.

Caderousse se tenait, comme c'était son habitude, devant sa porte, promenant son regard mélancolique d'un petit gazon pelé, où picoraient quelques poules, aux deux extrémités du chemin désert qui s'enfonçait, d'un côté au midi, et de l'autre au nord, quand tout à coup la voix aigre de sa femme le força de quitter son poste. Il rentra en grommelant et monta au premier, laissant néanmoins la porte toute grande ouverte, comme pour inviter les voyageurs à ne pas l'oublier en passant.

Cependant, s'il fût resté à son poste, Caderousse aurait pu voir poindre, du côté de Bellegarde, un cavalier et un cheval. Le cavalier était un prêtre vêtu de noir et coiffé d'un chapeau à trois cornes.

Arrivé devant la porte, il mit pied à terre, et, tirant l'animal par la bride, il alla l'attacher au tourniquet d'un contrevent délabré qui ne tenait plus qu'à un gond ; puis, s'avançant vers la porte en essuyant d'un mouchoir de coton rouge son front ruisselant de sueur, le prêtre frappa trois coups sur le seuil, du bout ferré de la canne qu'il tenait à la main.

Aussitôt un pas lourd ébranla l'escalier de bois rampant le long de la muraille, et que descendait, en se courbant et à reculons, l'hôte du pauvre logis à la porte duquel se tenait le prêtre.

— Me voilà ! disait Caderousse tout étonné, me voilà ! Que désirez-vous, monsieur l'abbé ? je suis à vos ordres.

Le prêtre dit avec un accent italien très bien prononcé :

— N'êtes-vous pas monsou Caderousse ?

— Oui, monsou, dit l'hôte, Gaspard Caderousse, pour vous servir.

— Gaspard Caderousse... oui, je crois que c'est là le prénom et le nom. Vous demeuriez autrefois Allées de Meillan, n'est-ce pas, au quatrième ?

— C'est cela.

— Et vous y exerciez la profession de tailleur ?

— Oui, mais l'état a mal tourné : il fait si chaud à ce coquin de Marseille, que l'on finira, je crois, par ne plus s'y habiller du tout. Mais, à propos de chaleur, ne voulez-vous pas vous rafraîchir, monsieur l'abbé ?

— Si fait, donnez-moi une bouteille de votre meilleur vin, et nous reprendrons la conversation, s'il vous plaît, où nous la laissons.

— Comme il vous fera plaisir, monsieur l'abbé, dit Caderousse.

Lorsque, au bout de cinq minutes, il reparut, il trouva l'abbé assis sur un escabeau, le coude appuyé à une table longue.

— Vous êtes seul ? demanda l'abbé à son hôte, tandis que celui-ci posait devant lui la bouteille et un verre.

— Oh, mon Dieu ! oui, seul ou à peu près, monsieur l'abbé, car j'ai ma femme qui ne me peut aider en rien, attendu qu'elle est toujours malade, la pauvre Carconte.

— Ah, vous êtes marié ! dit le prêtre avec une sorte d'intérêt, et en jetant autour de lui un regard qui paraissait estimer à sa mince valeur le maigre mobilier du pauvre vieillard.

— Vous trouvez que je ne suis pas riche, n'est-ce pas, monsieur l'abbé ? dit en soupirant Caderousse ; mais que voulez-vous ! il ne suffit pas d'être honnête homme pour prospérer dans ce monde.

L'abbé fixa sur lui un regard perçant.

— Avez-vous connu en 1814 ou 1815 un marin qui s'appelait Dantès ?

— Dantès !... si je l'ai connu, ce pauvre Edmond ! je le crois bien ! c'était même un de mes meilleurs amis, s'écria Caderousse dont un rouge pourpre envahit le visage.

— Oui, je crois en effet qu'il s'appelait Edmond.

— S'il s'appelait Edmond, le petit ! je le crois bien ! aussi vrai que je m'appelle, moi, Gaspard Caderousse. Et qu'est-il devenu, monsieur, ce pauvre Edmond ? continua l'aubergiste ; l'auriez-vous connu ? vit-il encore ? est-il libre ? est-il heureux ?

— Il est mort prisonnier, plus désespéré et plus misérable que les forçats qui traînent leur boulet au bagne de Toulon.

Une pâleur mortelle succéda, sur le visage de Caderousse, à la rougeur qui s'en était d'abord emparée. Il se retourna, et l'abbé lui vit essuyer une larme avec un coin du mouchoir rouge qui lui servait de coiffure.

— Pauvre petit ! murmura Caderousse.

— Vous paraissez aimer ce garçon de tout votre cœur, monsieur ? demanda l'abbé.

— Oui, je l'aime bien, dit Caderousse, quoique j'aie à me reprocher d'avoir un instant envié son bonheur. Mais depuis, je vous le jure, foi de Caderousse, j'ai bien plaint son malheureux sort.

Il se fit un instant de silence, pendant lequel le regard fixe de l'abbé ne cessa point un instant d'interroger la physionomie mobile de l'aubergiste.

— Et vous l'avez connu, le pauvre petit ? continua Caderousse.

— J'ai été appelé à son lit de mort pour lui offrir les derniers secours de la religion, répondit l'abbé.

— Et de quoi est-il mort ? demanda Caderousse d'une voix étranglée.

— Et de quoi meurt-on en prison quand on y meurt à trente ans, si ce n'est de la prison elle-même ?

Caderousse essuya la sueur qui coulait sur son front.

— Ce qu'il y a d'étrange dans tout cela, reprit l'abbé, c'est que Dantès, à son lit de mort, sur le Christ dont il baisait les pieds, m'a toujours juré qu'il ignorait la véritable cause de sa captivité.

— C'est vrai, c'est vrai, murmura Caderousse, il ne pouvait pas le savoir ; non, monsieur l'abbé, il ne mentait pas, le pauvre petit.

— C'est ce qui fait qu'il m'a chargé d'éclaircir son malheur, qu'il n'avait jamais pu éclaircir lui-même, et de réhabiliter sa mémoire, si cette mémoire avait reçu quelque souillure.

Et le regard de l'abbé, devenant de plus en plus fixe, dévora l'expression presque sombre qui apparut sur le visage de Caderousse.

— Un riche Anglais, continua l'abbé, son compagnon d'infortune, et qui sortit de prison à la seconde Restauration, était possesseur d'un diamant d'une grande valeur. En sortant, il voulut laisser à Dantès, qui, dans une maladie qu'il avait faite, l'avait soigné comme un frère, un témoignage de sa reconnaissance en lui laissant ce diamant. Dantès le conserva toujours précieusement pour le cas où il sortirait de prison ; car, s'il sortait de prison, sa fortune était assurée par la vente seule de ce diamant.

— C'était donc, comme vous dites, demanda Caderousse avec des yeux ardents, un diamant d'une grande valeur ?

— Tout est relatif, reprit l'abbé : d'une grande valeur pour Edmond ; ce diamant était estimé cinquante mille francs.

— Cinquante mille francs ! dit Caderousse ; mais il était donc gros comme une noix ?

— Non, pas tout à fait, dit l'abbé, mais vous allez en juger vous-même, car je l'ai sur moi.

L'abbé tira de sa poche une petite boîte de chagrin noir, l'ouvrit, et fit briller aux yeux éblouis de Caderousse l'étincelante merveille, montée sur une bague d'un admirable travail.

— Et cela vaut cinquante mille francs ?

— Sans la monture, qui est elle-même d'un certain prix, dit l'abbé.

Et il referma l'écrin, et remit dans sa poche le diamant, qui continuait d'étinceler au fond de la pensée de Caderousse.

— Mais comment vous trouvez-vous avoir ce diamant en votre possession, monsieur l'abbé ? demanda Caderousse. Edmond vous a donc fait son héritier ?

— Non, mais son exécuteur testamentaire. « J'avais trois bons amis et une fiancée, m'a-t-il dit ; tous quatre, j'en suis sûr, me regrettent amèrement : l'un de ces bons amis s'appelait Caderousse. »

Caderousse frémit.

— « L'autre, continua l'abbé sans paraître s'apercevoir de l'émotion de Caderousse, l'autre s'appelait Danglars ; le troisième, a-t-il ajouté, bien que mon rival, m'aimait aussi. »

Un sourire diabolique éclaira les traits de Caderousse, qui fit un mouvement pour interrompre l'abbé.

— Attendez, dit l'abbé, laissez-moi finir, et si vous avez quelque observation à me faire, vous me la ferez tout à l'heure. « L'autre, bien que mon rival, m'aimait aussi, et s'appelait Fernand. Quant à ma fiancée, son nom était... » Je ne me rappelle plus le nom de la fiancée, dit l'abbé.

— Mercédès, dit Caderousse.

— Oui, c'est cela. Vous irez à Marseille... » C'est toujours Dantès qui parle, comprenez-vous ?

— Parfaitement.

— « Vous vendrez ce diamant, vous ferez cinq parts, et vous les partagerez entre ces bons amis, les seuls êtres qui m'aient aimé sur la Terre ! »

— Comment, cinq parts ? dit Caderousse : vous ne m'avez nommé que quatre personnes !

— Parce que la cinquième est morte, à ce qu'on m'a dit... La cinquième était le père de Dantès...

— Hélas, oui ! dit Caderousse ému par les passions qui s'entrechoquaient en lui ; hélas, oui ! le pauvre homme, il est mort !

— J'ai appris cet événement à Marseille, répondit l'abbé en faisant un effort pour paraître indifférent ; mais il y a si longtemps que cette mort est arrivée, que je n'ai pu recueillir aucun détail... Sauriez-vous quelque chose de la fin de ce vieillard, vous ?

— Hé ! dit Caderousse, qui peut savoir cela mieux que moi ?... Je demeurais porte à porte avec le bonhomme... Hé ! mon Dieu ! oui, un an à peine après la disparition de son fils, il mourut, le pauvre vieillard !

— Mais de quoi mourut-il ?

— Les médecins ont nommé la maladie... une gastro-entérite, je crois ; ceux qui le connaissaient ont dit qu'il était mort de douleur... et moi qui l'ai presque vu mourir, je dis qu'il est mort...

Caderousse s'arrêta.

— Mort de quoi ? reprit avec anxiété le prêtre.

— Eh bien, mort de faim !

— De faim ! s'écria l'abbé bondissant sur son escabeau, de faim ! Impossible ! oh ! c'est impossible !

— J'ai dit ce que j'ai dit, reprit Caderousse.

— Mais ce malheureux vieillard était-il donc si abandonné de tout le monde qu'il soit mort d'une pareille mort ?

— Oh monsieur ! ce n'est pas que Mercédès la Catalane ni M. Morrel l'aient abandonné, mais le pauvre vieillard s'était pris d'une antipathie profonde pour Fernand, celui-là même, continua Caderousse avec un sourire ironique, que Dantès vous a dit être de ses amis.

— Ne l'était-il donc pas ? dit l'abbé.

— Peut-on être l'ami de celui dont on convoite la femme ? répondit-il à l'abbé. Dantès, qui était un cœur d'or, appelait tous ces gens-là ses amis... Pauvre Edmond !...

— Savez-vous donc, continua l'abbé, ce que Fernand a fait contre Dantès ?

— Si je le sais ? Je le crois bien !

— Parlez, alors.

Et il commença.

18

Le récit

— Avant tout, dit Caderousse, je dois, monsieur, vous prier de me promettre une chose.

— Laquelle ? demanda l'abbé.

— C'est que jamais, si vous faites un usage quelconque des détails que je vais vous donner, on ne saura que ces détails viennent de moi.

— Soyez tranquille, mon ami, dit l'abbé, je suis prêtre, et les confessions meurent dans mon sein.

— Eh bien ! en ce cas, dit Caderousse, je veux, je dirai même plus, je dois vous détromper sur ces amitiés que le pauvre Edmond croyait sincères et dévouées.

« Deux hommes étaient jaloux de lui, monsieur, l'un par amour, l'autre par ambition, Fernand et Danglars.

— Et de quelle façon se manifesta cette jalousie, dites ?

— Ils dénoncèrent Edmond comme agent bonapartiste.

— Mais lequel des deux le dénonça, lequel des deux fut le vrai coupable ?

— Tous deux, monsieur ; ce fut Danglars qui écrivit la dénonciation de la main gauche pour que son écriture ne fût pas reconnue, et Fernand qui l'envoya.

— Et vous ne vous êtes pas opposé à cette infamie ? dit l'abbé : alors vous êtes leur complice.

— Monsieur, dit Caderousse, ils m'avaient fait boire tous deux au point que j'en avais à peu près perdu la raison.

— Je comprends, vous laissâtes faire, voilà tout.

— Oui, monsieur, répondit Caderousse, et c'est mon remords de la nuit et du jour.

Et Caderousse baissa la tête avec tous les signes d'un vrai repentir.

— Bien, monsieur, dit l'abbé, vous avez parlé avec franchise : s'accuser ainsi, c'est mériter son pardon.

Il se fit un instant de silence : l'abbé s'était levé et se promenait pensif ; il revint à sa place et se rassit.

— Qu'est devenu Danglars ? le plus coupable, n'est-ce pas ? l'instigateur ?

— Ce qu'il est devenu ? il a quitté Marseille ; il est entré, sur la recommandation de M. Morrel qui ignorait son crime, comme commis d'ordre chez un banquier espagnol ; à l'époque de la guerre d'Espagne, il s'est chargé d'une part dans les fournitures de l'armée française, et a fait fortune ; alors, avec ce premier argent, il a joué sur les fonds et a triplé, quadruplé ses capitaux ; et, veuf lui-même de la fille de son banquier, il a épousé une veuve, Mme de Nargonne, fille de M. de Servieux, chambellan du roi actuel, et qui jouit de la plus grande faveur. Il s'était fait millionnaire, on l'a fait baron ; de sorte qu'il est baron Danglars maintenant, qu'il a un hôtel rue du Mont-Blanc, dix chevaux dans ses écuries, six laquais dans son antichambre, et je ne sais combien de millions dans ses caisses.

— Ah ! fit l'abbé avec un singulier accent, et Fernand ?

— Fernand, c'est bien autre chose encore ! Fernand était tombé à la conscription. Napoléon revint, une levée extraordinaire fut décrétée, et Fernand fut forcé de partir. Il fut enrégimenté dans les troupes actives, gagna la frontière avec son régiment, et assista à la bataille de Ligny. La nuit qui suivit la bataille, il était de planton à la porte d'un général qui avait des relations secrètes avec l'ennemi. Cette nuit même le général devait rejoindre les Anglais. Il proposa à Fernand de l'accompagner ; Fernand accepta, quitta son poste et suivit le général.

« Ce qui eût fait passer Fernand à un conseil de guerre, si Napoléon fût resté sur le trône, lui servit de recommandation près des Bourbons. Il rentra en France avec l'épaulette de sous-lieutenant ; et comme la protection du général, qui est en haute faveur, ne l'abandonna point, il était capitaine en 1823, lors de la guerre d'Espagne, c'est-à-dire au moment même où Danglars risquait ses premières spéculations. Fernand était espagnol, il fut envoyé à Madrid pour y étudier l'esprit de ses compatriotes ; il y retrouva Danglars, s'aboucha avec lui, promit à son général un appui parmi les royalistes de la capitale et des provinces, reçut des promesses, prit de son côté des engagements, guida son régiment par des chemins connus de lui seul dans des gorges gardées par les royalistes, et enfin rendit dans cette courte campagne de tels services, qu'après la prise du Trocadéro il fut nommé colonel et reçut la croix d'officier de la Légion d'honneur, avec le titre de comte.

— Destinée ! destinée ! murmura l'abbé.

— Oui, mais écoutez, ce n'est pas le tout. La guerre d'Espagne finie, la carrière de Fernand se trouvait compromise par la longue paix qui promettait de régner en Europe. La Grèce seule était soulevée contre la Turquie, et venait de commencer la guerre de son indépendance. Fernand sollicita et obtint la permission d'aller servir en Grèce, en demeurant toujours porté néanmoins sur les contrôles de l'armée. Quelque temps après on apprit que le comte de Morcerf – c'était le nom qu'il portait – était au service d'Ali-Pacha, avec le grade de général instructeur. Ali-Pacha fut tué, comme vous savez ; mais avant de mourir, il récompensa les services de Fernand en lui laissant une somme considérable avec laquelle Fernand revint en France, où son grade de lieutenant général lui fut confirmé.

— De sorte qu'aujourd'hui... ? demanda l'abbé.

— De sorte qu'aujourd'hui, poursuivit Caderousse, il possède un hôtel magnifique à Paris, rue du Helder, n° 27.

L'abbé ouvrit la bouche, demeura un instant comme un homme qui hésite ; mais, faisant un effort sur lui-même :

— Et Mercédès, dit-il, on m'a assuré qu'elle avait disparu ?

— Disparu, dit Caderousse, oui, comme disparaît le soleil pour se lever le lendemain plus éclatant.

— A-t-elle donc fait fortune aussi ? demanda l'abbé avec un sourire ironique.

— Mercédès est à cette heure une des plus grandes dames de Paris, continua Caderousse.

— Continuez, dit l'abbé : il me semble que j'écoute le récit d'un rêve. Mais j'ai vu moi-même des choses si extraordinaires, que celles que vous me dites m'étonnent moins.

— Mercédès fut d'abord désespérée du coup qui lui enlevait Edmond. Au milieu de son désespoir, une nouvelle douleur vint l'atteindre, ce fut le départ de Fernand, de Fernand dont elle ignorait le crime, et qu'elle regardait comme son frère. Fernand partit, Mercédès demeura seule. Trois mois s'écoulèrent pour elle dans les larmes ; pas de nouvelles d'Edmond, pas de nouvelles de Fernand ; rien devant les yeux qu'un vieillard qui s'en allait de désespoir.

« Un soir, après être restée toute la journée assise, comme c'était son habitude, à l'angle des deux chemins qui se rendent de Marseille aux Catalans, elle rentra chez elle plus abattue qu'elle ne l'avait encore été : ni son amant ni son ami ne revenaient par l'un ou l'autre de ces deux chemins, et elle n'avait de nouvelles ni de l'un ni de l'autre. Tout à coup il lui sembla entendre un pas connu ; elle se retourna avec anxiété, la porte s'ouvrit, et elle vit apparaître Fernand avec son uniforme de sous-lieutenant. Ce n'était pas la moitié de ce qu'elle pleurait, mais c'était une portion de sa vie passée qui revenait à elle. Mercédès saisit les mains de Fernand avec un transport que celui-ci prit pour de l'amour, et qui n'était que la joie de n'être pas seule au monde et de revoir enfin un ami après les longues heures de la tristesse solitaire. Et puis, il faut le dire, Fernand n'avait jamais été haï, il n'était pas aimé, voilà tout ; un autre tenait tout le cœur de Mercédès, cet autre était absent... était disparu... était mort peut-être. Mercédès lui demanda six mois encore pour attendre et pleurer Edmond.

— Au fait, dit l'abbé avec un sourire amer, cela faisait dix-huit mois en tout. Que peut demander davantage l'amant le plus adoré !

— Six mois après, reprit Caderousse, le mariage eut lieu à l'église des Accoules. Huit jours après la noce, ils partirent.

— Et revîtes-vous Mercédès ? demanda le prêtre.

— Oui, au moment de la guerre d'Espagne, à Perpignan, où Fernand l'avait laissée ; elle faisait alors l'éducation de son fils.

L'abbé tressaillit.

— De son fils ? dit-il.

— Oui, répondit Caderousse, du petit Albert.

— Et M. de Villefort ? demanda l'abbé.

— Oh ! lui, je ne le connaissais pas.

— Mais ne savez-vous point ce qu'il est devenu, et la part qu'il a prise au malheur d'Edmond ?

— Non ; je sais seulement que quelque temps après l'avoir fait arrêter il a épousé Mlle de Saint-Méran, et bientôt a quitté Marseille. Sans doute que le bonheur lui aura souri comme aux autres, sans doute qu'il est riche comme Danglars, considéré comme Fernand ; moi seul, vous le voyez, suis resté pauvre, misérable et oublié de Dieu.

— Vous vous trompez, mon ami, dit l'abbé : Dieu peut paraître oublier parfois quand Sa justice se repose ; mais il vient toujours un moment où Il se souvient, et en voici la preuve.

À ces mots l'abbé tira le diamant de sa poche, et le présentant à Caderousse :

— Tenez, mon ami, lui dit-il, prenez ce diamant, car il est à vous.

— Oh ! vous êtes un homme de Dieu, monsieur, s'écria Caderousse, car en vérité personne ne savait qu'Edmond vous avait donné ce diamant, et vous auriez pu le garder.

« Bien, se dit tout bas l'abbé, tu l'eusses fait, à ce qu'il paraît, toi. »

L'abbé se leva, prit son chapeau et ses gants.

— C'est bien, dit l'abbé, c'est bien, que cet argent vous profite ! Adieu, je retourne loin des hommes qui se font tant de mal les uns aux autres.

Et l'abbé, se délivrant à grand-peine des enthousiastes élans de Caderousse, leva lui-même la barre de la porte, sortit, remonta à cheval, salua une dernière fois l'aubergiste, qui se confondait en adieux bruyants, et partit suivant la même direction qu'il avait déjà suivie pour venir.

19

Le déjeuner

À Paris, dans une maison de la rue du Helder, tout se préparait dans la matinée du 21 mai, pour recevoir les invités d'Albert de Morcerf.

Le jeune homme habitait un pavillon situé à l'angle d'une grande cour, et faisant face à un autre bâtiment destiné aux communs. Albert avait établi son quartier général dans le petit salon du rez-de-chaussée.

En ce moment une voiture légère s'arrêta devant la porte, et, un instant après, le valet de chambre entra pour annoncer M. Lucien Debray. Un grand jeune homme blond, pâle, à l'œil gris et assuré, aux lèvres minces et froides, entra sans sourire, sans parler, et d'un air demi-officiel.

— Bonjour, Lucien, bonjour, dit Albert. Ah ! vous m'effrayez, mon cher, avec votre exactitude ! Que dis-je, exactitude ! Vous que je n'attendais que le dernier, vous arrivez à dix heures moins cinq minutes, lorsque le rendez-vous définitif n'est qu'à dix heures et demie ! C'est miraculeux ! le ministère serait-il renversé, par hasard ?

— Non, très cher, dit le jeune homme en s'incrustant dans le divan, rassurez-vous. J'ai passé la nuit à expédier des lettres : vingt-cinq dépêches diplomatiques. Rentré chez moi ce matin au jour, j'ai voulu dormir ; mais le mal de tête m'a pris, et je me suis relevé pour monter à cheval une heure. À Boulogne, je me suis alors souvenu que l'on festinait chez vous ce matin, et me voilà : j'ai faim, nourrissez-moi ; je m'ennuie, amusez-moi.

— C'est mon devoir d'amphitryon, cher ami ! dit Albert en sonnant le valet de chambre ; Germain, un verre de xérès et un biscuit. Tenez, justement j'entends la voix de Beauchamp dans l'antichambre ; vous vous disputerez, cela vous fera prendre patience.

— M. Beauchamp ! annonça le valet de chambre.

— Entrez, entrez, plume terrible ! dit Albert en se levant et en allant au-devant du jeune homme ; tenez, voici Debray qui vous déteste sans vous lire, à ce qu'il dit du moins.

— Il a bien raison, dit Beauchamp ; c'est comme moi, je le critique sans savoir ce qu'il fait. Maintenant, un seul mot, mon cher Albert ; déjeunons-nous ou dînons-nous ?

— On déjeunera seulement ; nous n'attendons plus que deux personnes, et l'on se mettra à table aussitôt qu'elles seront arrivées.

— Et quelles sortes de personnes attendez-vous à déjeuner ? dit Beauchamp.

— Un gentilhomme et un diplomate, reprit Albert.

— Allons donc, soit, je reste. Il faut absolument que je me distraie ce matin.

— M. de Château-Renaud ! M. Maximilien Morrel ! dit le valet de chambre en annonçant deux nouveaux convives.

— Complets alors ! dit Beauchamp, et nous allons déjeuner ; car, si je ne me trompe, vous n'attendiez plus que deux personnes, Albert ?

— Morrel ! murmura Albert surpris ; Morrel ! qu'est-ce que cela ?

Mais avant qu'il eût achevé, M. de Château-Renaud, beau jeune homme de trente ans, gentilhomme des pieds à la tête, avait pris Albert par la main.

— Permettez-moi, mon cher, lui dit-il, de vous présenter M. le capitaine de spahis Maximilien Morrel, mon ami, et de plus mon sauveur. Au reste, l'homme se présente assez bien par lui-même. Saluez mon héros, vicomte.

Le jeune officier s'inclina avec une politesse pleine d'élégance.

— Monsieur, dit Albert avec une affectueuse courtoisie, M. le comte de Château-Renaud savait d'avance tout le plaisir qu'il me procurait en me faisant faire votre connaissance ; vous êtes de ses amis, monsieur, soyez des nôtres.

— À quelle heure déjeunez-vous, Albert ?

— À dix heures et demie.

— Précises ? demanda Debray en tirant sa montre.

— Oh ! vous m'accorderez bien les cinq minutes de grâce, dit Morcerf ; car moi aussi j'attends un sauveur.

— À qui ?

— À moi, parbleu ! répondit Morcerf. Notre déjeuner est philanthropique, nous aurons à notre table, je l'espère du moins, deux bienfaiteurs de l'humanité.

— Et d'où vient-il ? demanda Debray.

— En vérité, dit Albert, je n'en sais rien. Quand je l'ai invité, il y a deux mois de cela, il était à Rome ; mais depuis ce temps-là qui peut dire le chemin qu'il a fait !

— Et le croyez-vous capable d'être exact ? demanda Debray.

— Je le crois capable de tout, répondit Morcerf.

— Pardon, dit Beauchamp, y a-t-il matière à un feuilleton dans ce que vous allez nous raconter ?

— Oui, certes, dit Morcerf ; et des plus curieux même.

— Dites alors, car je vois bien que je manquerai la Chambre ; il faut que je me rattrape.

— J'étais à Rome au carnaval dernier.

— Nous savons cela, dit Beauchamp.

— Oui, mais ce que vous ne savez pas, c'est que j'avais été enlevé par des brigands.

— Il n'y a pas de brigands, dit Debray.

— Si fait, il y en a, et de hideux même, c'est-à-dire d'admirables ; car je les ai trouvés beaux à faire peur. Les brigands m'avaient donc enlevé et m'avaient conduit dans un endroit fort triste qu'on appelle les catacombes de Saint-Sébastien. On m'avait annoncé que j'étais prisonnier sauf rançon, une misère, quatre mille écus romains, vingt-six mille livres tournois. Malheureusement je n'en avais plus que quinze cents ; j'étais au bout de mon voyage, et mon crédit était épuisé. J'écrivis à Franz que, s'il n'arrivait pas à six heures du matin avec les quatre mille écus, à six heures dix minutes j'aurais rejoint les glorieux martyrs dans la compagnie desquels j'avais l'honneur de me trouver ; et M. Luigi Vampa – c'est le nom de mon chef de brigands – m'aurait, je vous prie de le croire, tenu scrupuleusement parole.

— Mais Franz arriva avec les quatre mille écus, dit Château-Renaud. Que diable ! on n'est pas embarrassé pour quatre mille écus quand on s'appelle Franz d'Épinay ou Albert de Morcerf.

— Non, il arriva purement et simplement accompagné du convive que je vous annonce et que j'espère vous présenter.

— Et il traita de votre rançon ?

— Il dit deux mots à l'oreille du chef ; et je fus libre.

— Ah çà ! mais c'est donc l'Arioste que cet homme !

— Non, c'est tout simplement le comte de Monte-Cristo.

— On ne s'appelle pas le comte de Monte-Cristo, dit Debray.

— Je ne crois pas, ajouta Château-Renaud avec le sang-froid d'un homme qui connaît sur le bout du doigt son nobiliaire européen ; qui est-ce qui connaît quelque part un comte de Monte-Cristo ?

— Pardon, dit Maximilien, mais je crois que je vais vous tirer d'embarras, messieurs : Monte-Cristo est une petite île dont j'ai souvent entendu parler aux marins qu'employait mon père ; un grain de sable au milieu de la Méditerranée, un atome dans l'infini.

— C'est parfaitement cela, monsieur, dit Albert. Eh bien ! de ce grain de sable, de cet atome, est seigneur et roi celui dont je vous parle ; il aura acheté ce brevet de comte quelque part en Toscane.

— Il est donc riche, votre comte ?

— Ma foi ! je le crois.

— Mais cela doit se voir, ce me semble ?

— Tout le monde n'a pas des esclaves noirs, des galeries princières, des armes comme à la Casauba, des chevaux de six mille francs pièce, des maîtresses grecques.

— L'avez-vous vue, la maîtresse grecque ?

— Oui, je l'ai vue et entendue. Vue au théâtre, et entendue un jour que j'ai déjeuné chez le comte.

— Il mange donc, votre homme extraordinaire ?

— Ma foi, s'il mange, c'est si peu, que ce n'est point la peine d'en parler.

— Tenez, cher Albert, voilà dix heures et demie qui sonnent.

— Allons déjeuner, dit Beauchamp.

Mais la vibration de la pendule ne s'était pas encore éteinte, lorsque la porte s'ouvrit, et que Germain annonça :

— Son Excellence le comte de Monte-Cristo !

Le comte parut sur le seuil, vêtu avec la plus grande simplicité ; mais le *lion* le plus exigeant n'eût rien trouvé à reprendre à sa toilette. Tout était d'un goût exquis, tout sortait des mains des plus élégants fournisseurs, habits, chapeau et linge.

Le comte s'avança en souriant au milieu du salon et vint droit à Albert, qui, marchant au-devant de lui, lui offrit la main avec empressement.

— L'exactitude, dit Monte-Cristo, est la politesse des rois, à ce qu'a prétendu, je crois, un de vos souverains.

— Monsieur le comte, répondit Albert, j'étais en train d'annoncer votre visite à quelques-uns de mes amis que j'ai réunis à l'occasion de la promesse que vous aviez bien voulu me faire, et que j'ai l'honneur de vous présenter. Ce sont M. le comte de Château-Renaud ; M. Lucien Debray, secrétaire particulier du ministre de l'Intérieur ; M. Beauchamp, terrible journaliste, l'effroi du gouvernement français ; enfin, M. Maximilien Morrel, capitaine de spahis.

À ce nom, le comte, qui avait jusque-là salué courtoisement mais avec une froideur et une impassibilité tout anglaises, fit malgré lui un pas en avant, et un léger ton de vermillon passa comme l'éclair sur ses joues pâles.

— Monsieur porte l'uniforme des nouveaux vainqueurs français ? dit-il ; c'est un bel uniforme.

— Eh bien ! monsieur, sous cet uniforme bat un des cœurs les plus braves et les plus nobles de l'armée.

— Oh ! monsieur le comte, interrompit Morrel.

— Laissez-moi dire, capitaine... et nous venons, continua Albert, d'apprendre de monsieur un trait si héroïque, que, quoique je l'aie vu aujourd'hui pour la première fois, je réclame de lui la faveur de vous le présenter comme mon ami.

— Ah ! monsieur est un noble cœur, dit le comte, tant mieux !

Cette espèce d'exclamation, qui répondait à la propre pensée du comte plutôt qu'à ce que venait de dire Albert, surprit tout le monde et surtout Morrel, qui regardait Monte-Cristo avec étonnement.

— Messieurs, dit Albert, Germain m'annonce que vous êtes servis. Mon cher comte, permettez-moi de vous montrer le chemin.

On passa silencieusement dans la salle à manger. Chacun prit sa place.

— Messieurs, dit le comte en s'asseyant, permettez-moi un aveu qui sera mon excuse pour toutes les inconvenances que je pourrais faire : je suis étranger, mais étranger à tel point, que c'est la première fois que je viens à Paris. La vie française m'est donc parfaitement inconnue, et je n'ai guère jusqu'à présent pratiqué que la vie orientale, la plus antipathique aux bonnes traditions parisiennes. Je vous prie donc de m'excuser si vous trouvez en moi quelque chose de trop turc, de trop napolitain ou de trop arabe. Cela dit, messieurs, déjeunons.

— Monsieur le comte, vous ne vous faites pas l'idée du plaisir que j'éprouve à vous entendre parler ainsi ! dit Morcerf. Dites-leur donc vous-même, je vous en prie, que j'ai été pris par des bandits, et que, sans votre généreuse intercession, j'attendrais, selon toute probabilité, aujourd'hui la résurrection éternelle dans les catacombes de Saint-Sébastien, au lieu de leur donner à déjeuner dans mon indigne petite maison de la rue du Helder.

— Mon cher vicomte, dit Monte-Cristo, je ne vois pas dans tout ce que j'ai dit ou fait un seul mot qui me vaille de votre part le prétendu éloge que je viens de recevoir. D'ailleurs, vous le savez, j'avais, en vous sauvant, une arrière-pensée qui était de me servir de vous pour m'introduire dans les salons de Paris quand je viendrais visiter la France.

— Il n'y a qu'un seul service que je puisse vous rendre, mon cher comte, et pour celui-là je me mets à votre disposition : vous présenter partout, ou vous faire présenter par mes amis, cela va sans dire. Je ne peux donc en réalité vous être bon qu'à une chose : vous trouver une maison convenable. Je n'ose vous proposer de partager mon logement comme j'ai partagé le vôtre à Rome, car chez moi, excepté moi, il ne tiendrait pas une ombre, à moins que cette ombre ne fût celle d'une femme.

— Ah ! fit le comte, voici une réserve toute conjugale. Vous m'avez en effet, monsieur, dit à Rome quelques mots d'un mariage ébauché ; dois-je vous féliciter sur votre prochain bonheur ?

— La chose est toujours à l'état de projet, monsieur le comte.

— Et qui dit projet, reprit Debray, veut dire éventualité.

— Non pas ! dit Morcerf ; mon père y tient, et j'espère bien, avant peu, vous présenter sinon ma femme, du moins ma future : Mlle Eugénie Danglars.

— Eugénie Danglars ! reprit Monte-Cristo, attendez donc ; son père n'est-il pas M. le baron Danglars ? Je ne le connais pas, mais je ne tarderai pas probablement à faire sa connaissance, attendu que j'ai un crédit ouvert sur lui.

— Mais, dit Morcerf, nous nous sommes singulièrement écartés du sujet de notre conversation. Il était question de trouver une habitation convenable au comte de Monte-Cristo : voyons, messieurs, cotisons-nous pour avoir une idée : où logerons-nous cet hôte nouveau du grand Paris ?

— Merci, monsieur, merci, dit Monte-Cristo, j'ai déjà mon habitation toute prête.

Et Monte-Cristo passa un papier à Albert.

— *Champs-Élysées, n° 30*, lut Morcerf.

— Ah ! voilà qui est vraiment original ! ne put s'empêcher de dire Beauchamp.

— Alors, dit Château-Renaud, vous voilà avec une maison montée, vous avez un hôtel aux Champs-Élysées, il ne vous manque plus qu'une maîtresse.

Albert sourit : il songeait à la belle Grecque qu'il avait vue dans la loge du comte au théâtre Valle et au théâtre Argentina.

— J'ai mieux que cela, dit Monte-Cristo, j'ai une esclave ; vous louez vos maîtresses au théâtre de l'Opéra, au théâtre du Vaudeville, au théâtre des Variétés, moi j'ai acheté la mienne à Constantinople ; cela m'a coûté plus cher ; mais sous ce rapport-là, je n'ai plus besoin de m'inquiéter de rien.

— Mais la verrons-nous, au moins ? demanda Beauchamp.

— Ma foi, dit Monte-Cristo, je ne pousse pas l'orientalisme jusque-là.

Depuis longtemps on était passé au dessert et aux cigares.

— Mon cher, dit Debray en se levant, il est deux heures et demie, votre convive est charmant, mais il n'y a si bonne compagnie qu'on ne quitte, et quelquefois même pour la mauvaise : il faut que je retourne à mon ministère. Au revoir, Albert. Messieurs, votre très humble.

— Bon, dit Beauchamp à Albert, je n'irai pas à la Chambre, mais j'ai à offrir à mes lecteurs mieux qu'un discours de M. Danglars.

— De grâce, Beauchamp, dit Morcerf, pas un mot, je vous en supplie ; ne m'ôtez pas le mérite de le présenter et de l'expliquer. N'est-ce pas qu'il est curieux ?

— Il est mieux que cela, répondit Château-Renaud, et c'est un des hommes les plus extraordinaires que j'aie vus de ma vie. Venez-vous, Morrel ?

Et Maximilien Morrel sortit avec le baron de Château-Renaud, laissant Monte-Cristo seul avec Morcerf.

20

La présentation

— Maintenant, monsieur le comte, dit Albert, regardez-vous comme étant ici chez vous, et, pour vous mettre plus à votre aise encore, veuillez m'accompagner jusque chez M. de Morcerf, à qui j'ai écrit de Rome le service que vous m'avez rendu, à qui j'ai annoncé la visite que vous m'aviez promise ; et, je puis le dire, le comte et la comtesse attendaient avec impatience qu'il leur fût permis de vous remercier.

Monte-Cristo s'inclina sans répondre ; il acceptait la proposition sans enthousiasme et sans regrets, comme une des convenances de société dont tout homme comme il faut se fait un devoir. Albert appela son valet de chambre, et lui ordonna d'aller prévenir M. et Mme de Morcerf de l'arrivée prochaine du comte de Monte-Cristo.

Albert le suivit avec le comte.

En arrivant dans l'antichambre du comte, Morcerf passa le premier et poussa la porte qui donnait dans le salon.

— Mon père, dit le jeune homme, j'ai l'honneur de vous présenter M. le comte de Monte-Cristo, ce généreux ami que j'ai eu le bonheur de rencontrer dans les circonstances difficiles que vous savez.

— Monsieur est le bienvenu parmi nous, dit le comte de Morcerf en saluant Monte-Cristo, avec un sourire, et il a rendu à notre maison, en lui conservant son unique héritier, un service qui sollicitera éternellement notre reconnaissance.

Et en disant ces paroles, le comte de Morcerf indiquait un fauteuil à Monte-Cristo, en même temps que lui-même s'asseyait en face de la fenêtre.

— Mme la comtesse, dit Morcerf, était à sa toilette lorsque le vicomte l'a fait prévenir de la visite qu'elle allait avoir le bonheur de recevoir : elle va descendre.

— C'est beaucoup d'honneur pour moi, dit Monte-Cristo, d'être ainsi, dès le jour de mon arrivée à Paris, mis en rapport avec un homme dont le mérite égale la réputation, et pour lequel la fortune, juste une fois, n'a pas fait d'erreur ; mais n'a-t-elle pas encore, dans les plaines de la Mitidja ou dans les montagnes de l'Atlas, un bâton de maréchal à vous offrir ?

— Oh ! répliqua Morcerf en rougissant un peu, j'ai quitté le service, monsieur. Nommé pair sous la Restauration, j'étais de la première campagne, et je servais sous les ordres du maréchal de Bourmont ; je pouvais donc prétendre à un commandement supérieur, et qui sait ce qui serait arrivé si la branche aînée fût restée sur le trône ! Mais la révolution de Juillet était, à ce qu'il paraît, assez glorieuse pour se permettre d'être ingrate, elle le fut pour tout service qui ne datait pas de la période impériale ; je donnai donc ma démission, car lorsqu'on a gagné ses épaulettes sur les champs de bataille, on ne sait guère manœuvrer sur le terrain glissant des salons ; j'ai quitté l'épée, je me suis jeté dans la politique, je me voue à l'industrie, j'étudie les arts utiles. Pendant les vingt années que j'étais resté au service, j'en avais bien eu le désir, mais je n'en avais pas eu le temps.

— Ce sont de pareilles idées qui entretiennent la supériorité de votre nation sur les autres pays, monsieur, répondit Monte-Cristo : gentilhomme issu de grande maison, possédant une belle fortune, vous avez d'abord consenti à gagner les premiers grades en soldat obscur, c'est fort rare ; puis, devenu général, pair de France, commandeur de la Légion d'honneur, vous consentez à recommencer un second apprentissage, sans autre espoir, sans autre récompense que celle d'être un jour utile à vos semblables... Ah ! monsieur, voilà qui est vraiment beau.

— Ah ! voici ma mère, s'écria le vicomte.

En effet, Monte-Cristo en se retournant vivement vit Mme de Morcerf à l'entrée du salon ; immobile et pâle, elle laissa, lorsque Monte-Cristo se retourna de son côté, tomber son bras qui, on ne sait pourquoi, s'était appuyé sur le chambranle doré.

Celui-ci se leva et salua profondément la comtesse, qui s'inclina à son tour, muette et cérémonieuse.

— Hé, mon Dieu ! madame, demanda le comte, qu'avez-vous donc ? serait-ce par hasard la chaleur de ce salon qui vous fait mal ?

— Souffrez-vous, ma mère ? s'écria le vicomte en s'élançant au-devant de Mercédès.

Elle les remercia tous deux avec un sourire.

— Non, dit-elle, mais j'ai éprouvé quelque émotion en voyant pour la première fois celui sans l'intervention duquel nous serions en ce moment dans les larmes et dans le deuil. Monsieur, continua la comtesse en s'avançant avec la majesté d'une reine, je vous dois la vie de mon fils, et pour ce bienfait je vous bénis. Maintenant je vous rends grâce pour le plaisir que vous me faites en me procurant l'occasion de vous remercier comme je vous ai béni, c'est-à-dire du fond du cœur.

Le comte s'inclina encore, mais plus profondément que la première fois ; il était plus pâle encore que Mercédès.

— Madame, dit-il, M. le comte et vous me récompensez trop généreusement d'une action bien simple. Sauver un homme, épargner un tourment à un père, ménager la sensibilité d'une femme, ce n'est point faire une bonne œuvre, c'est faire acte d'humanité.

À ces mots prononcés avec une douceur et une politesse exquises, Mme de Morcerf répondit avec un accent profond :

— Il est bien heureux pour mon fils, monsieur, de vous avoir pour ami, et je rends grâce à Dieu qui a fait les choses ainsi.

Et Mercédès leva ses beaux yeux au ciel avec une gratitude si infinie, que le comte crut y voir trembler deux larmes.

— Monsieur le comte, continua-t-elle en se retournant vers Monte-Cristo, nous fera-t-il la grâce de passer le reste de la journée avec nous ?

— Merci, madame, et vous me voyez, croyez-le bien, on ne peut plus reconnaissant de votre offre ; mais je suis descendu ce matin à votre porte de ma voiture de voyage. Comment suis-je installé à Paris, je le sais à peine. C'est une inquiétude légère, je le sais, mais appréciable cependant.

— Nous aurons ce plaisir une autre fois au moins, vous nous le promettez ? demanda la comtesse.

Monte-Cristo s'inclina sans répondre, mais le geste pouvait passer pour un assentiment.

— Alors, je ne vous retiens pas, monsieur, dit la comtesse, car je ne veux pas que ma reconnaissance devienne ou une indiscrétion ou une importunité.

21

La maison d'Auteuil

La maison qui devait servir de résidence de ville à Monte-Cristo était située à droite en montant les Champs-Élysées, placée entre cour et jardin.

Avant même que le cocher eût hélé le concierge, la grille massive roula sur ses gonds ; on avait vu venir le comte, et à Paris comme à Rome, comme partout, il était servi avec la rapidité de l'éclair. Au côté gauche du perron la voiture s'arrêta ; deux hommes parurent à la portière : l'un était Ali, qui sourit à son maître avec une incroyable franchise de joie, et qui se trouva payé par un simple regard de Monte-Cristo.

L'autre salua humblement et présenta son bras au comte pour l'aider à descendre de la voiture.

— Merci, monsieur Bertuccio, dit le comte en sautant légèrement les trois degrés du marchepied ; et le notaire ?

— Il est dans le petit salon, Excellence, répondit Bertuccio.

Monte-Cristo passa dans le petit salon, conduit par Bertuccio, qui lui montra le chemin.

Comme l'avait dit l'intendant, le notaire attendait dans le petit salon.

— Monsieur est le notaire chargé de vendre la maison de campagne que je veux acheter ? demanda Monte-Cristo.

— Oui, monsieur le comte, répliqua le notaire.

— L'acte de vente est-il prêt ?

— Oui, monsieur le comte. Le voici.

— Parfaitement. Et où est cette maison que j'achète ? demanda négligemment Monte-Cristo.

Le notaire regarda Monte-Cristo avec étonnement.

— Comment ? dit-il, monsieur le comte ne sait pas où est la maison qu'il achète ?

— Non, ma foi, dit le comte.

— Monsieur le comte ne la connaît pas ?

— Et comment diable la connaîtrais-je ! c'est la première fois que je mets le pied en France.

— Alors c'est autre chose, répondit le notaire, la maison que monsieur le comte achète est située à Auteuil.

À ces mots Bertuccio pâlit visiblement.

— Et où prenez-vous Auteuil ? demanda Monte-Cristo.

— À deux pas d'ici, monsieur le comte, dit le notaire, un peu après Passy, dans une situation charmante, au milieu du bois de Boulogne.

— Si près que cela ! dit Monte-Cristo, mais cela n'est pas la campagne.

— Il est encore temps, dit vivement Bertuccio ; et si Votre Excellence veut me charger de chercher partout ailleurs, je lui trouverai ce qu'il y a de mieux, soit à Enghien, soit à Fontenay-aux-Roses, soit à Bellevue.

— Non, ma foi, dit insoucieusement Monte-Cristo ; puisque j'ai celle-là, je la garderai.

— Et monsieur a raison, dit vivement le notaire, qui craignait de perdre ses honoraires ; c'est une charmante propriété : eaux vives, bois touffus, habitation confortable, quoique abandonnée depuis longtemps.

— C'est convenable alors ?

— Ah ! monsieur, c'est mieux que cela, c'est magnifique.

— Peste ! ne manquons pas une pareille occasion, dit Monte-Cristo ; le contrat, s'il vous plaît, monsieur le notaire.

Et il signa rapidement, après avoir jeté un regard à l'endroit de l'acte où étaient désignés la situation de la maison et les noms des propriétaires.

— Bertuccio, dit-il, donnez cinquante-cinq mille francs à monsieur.

L'intendant sortit d'un pas mal assuré, et revint avec une liasse de billets de banque que le notaire compta en homme qui a l'habitude de ne recevoir son argent qu'après la purge légale.

— Conduisez monsieur, dit le comte à Bertuccio.

Et l'intendant sortit derrière le notaire.

À peine le comte fut-il seul, qu'il tira de sa poche un portefeuille à serrure, qu'il ouvrit avec une petite clef qu'il portait au cou et qui ne le quittait jamais.

Après avoir cherché un instant, il s'arrêta à un feuillet qui portait quelques notes, confronta ces notes avec l'acte de vente déposé sur la table, et recueillant ses souvenirs :

— Auteuil, rue de la Fontaine, n° 28 ; c'est bien cela, dit-il. Bertuccio ! cria-t-il en frappant avec une espèce de petit marteau à manche pliant sur un timbre qui rendit un son aigu et prolongé pareil à celui d'un tam-tam. Bertuccio !

L'intendant parut sur le seuil.

— Monsieur Bertuccio, dit le comte, ne m'avez-vous pas dit autrefois que vous aviez voyagé en France ?

— Dans certaines parties de la France, oui, Excellence.

— Vous connaissez les environs de Paris, sans doute ?

— Non, Excellence, non, répondit l'intendant avec une sorte de tremblement nerveux, que Monte-Cristo, connaisseur en fait d'émotions, attribua avec raison à une vive inquiétude.

— C'est fâcheux, dit-il, que vous n'ayez jamais visité les environs de Paris, car je veux aller ce soir même voir ma nouvelle propriété, et, en venant avec moi, vous m'eussiez donné sans doute d'utiles renseignements.

— À Auteuil ! s'écria Bertuccio, dont le teint cuivré devint presque livide. Moi, aller à Auteuil !

— Eh bien ! qu'y a-t-il d'étonnant que vous veniez à Auteuil, je vous le demande ? Quand je demeurerai à Auteuil, il faudra bien que vous y veniez, puisque vous faites partie de la maison.

Bertuccio baissa la tête devant le regard impérieux du maître, et il demeura immobile et sans réponse.

— Ah çà ! mais que vous arrive-t-il ? Vous allez donc me faire sonner une seconde fois pour la voiture ?

Bertuccio ne fit qu'un bond du petit salon à l'antichambre, et cria d'une voix rauque :

— Les chevaux de Son Excellence !

Monte-Cristo écrivit deux ou trois lettres ; comme il cachetait la dernière, l'intendant reparut.

— La voiture de Son Excellence est à la porte, dit-il.

— Eh bien ! prenez vos gants et votre chapeau, dit Monte-Cristo.

En vingt minutes on fut à Auteuil. En entrant dans le village, Bertuccio, rencogné dans l'angle de la voiture, commença à examiner avec une émotion fiévreuse chacune des maisons devant lesquelles on passait.

— Vous ferez arrêtez rue de la Fontaine, au n° 28, dit le comte en fixant impitoyablement son regard sur l'intendant, auquel il donnait cet ordre.

Ce n° 28 était situé à l'extrémité du village. Pendant le voyage, la nuit était venue. La voiture s'arrêta, le valet de pied se précipita à la portière, qu'il ouvrit.

— Eh bien ! dit le comte, vous ne descendez pas, monsieur Bertuccio ? Vous restez donc dans la voiture, alors ? Mais à quoi diable songez-vous donc ce soir ?

Bertuccio se précipita par la portière et présenta son épaule au comte, qui, cette fois, s'appuya dessus et descendit un à un les trois degrés du marchepied.

— Frappez, dit le comte, et annoncez-moi.

Bertuccio frappa, la porte s'ouvrit, et le concierge parut.

— Qu'est-ce que c'est ? demanda-t-il.

— C'est votre nouveau maître, brave homme.

Et il tendit au concierge le billet de reconnaissance donné par le notaire.

— La maison est donc vendue ? demanda le concierge, et c'est monsieur qui vient l'habiter ?

— Oui, mon ami, dit le comte, et je tâcherai que vous n'ayez pas à regretter votre ancien maître.

— Oh ! monsieur, dit le concierge, je n'aurai pas à le regretter beaucoup, car nous le voyions bien rarement ; il y a plus de cinq ans qu'il n'est venu, et il a, ma foi, bien fait de vendre une maison qui ne lui rapportait absolument rien.

— Et comment se nommait votre ancien maître ? demanda Monte-Cristo.

— M. le marquis de Saint-Méran ; ah ! il n'a pas vendu la maison ce qu'elle lui a coûté, j'en suis bien sûr.

— Le marquis de Saint-Méran ! reprit Monte-Cristo ; mais il me semble que ce nom ne m'est pas inconnu, dit le comte ; le marquis de Saint-Méran...

Et il parut chercher.

— Un vieux gentilhomme, continua le concierge, un fidèle serviteur des Bourbons ; il avait une fille unique qu'il avait mariée à M. de Villefort, qui a été procureur du roi à Nîmes et ensuite à Versailles.

Monte-Cristo jeta un regard qui rencontra Bertuccio plus livide que le mur contre lequel il s'appuyait pour ne pas tomber.

— Et cette fille n'est-elle pas morte ? demanda Monte-Cristo ; il me semble que j'ai entendu dire cela.

— Oui, monsieur, il y a vingt et un ans, et depuis ce temps-là nous n'avons pas revu trois fois le pauvre cher marquis.

— Merci, merci, dit Monte-Cristo, jugeant à la prostration de l'intendant qu'il ne pouvait tendre davantage cette corde sans risquer de la briser ; merci ! Prenez une des lanternes de la voiture, Bertuccio, et montrez-moi les appartements, dit le comte.

L'intendant obéit sans observation ; mais il était facile de voir, au tremblement de la main qui tenait la lanterne, ce qu'il lui en coûtait pour obéir.

On parcourut un rez-de-chaussée assez vaste, un premier étage composé d'un salon, d'une salle de bains et de deux chambres à coucher. Par une de ces chambres à coucher, on arrivait à un escalier tournant dont l'extrémité aboutissait au jardin.

À la porte extérieure, l'intendant s'arrêta.

— Allons donc ! monsieur Bertuccio, dit le comte.

Mais celui auquel il s'adressait était abasourdi, stupide, anéanti. Ses yeux égarés cherchaient tout autour de lui comme les traces d'un passé terrible, et de ses mains crispées il semblait essayer de repousser des souvenirs affreux.

— Eh bien ! insista le comte.

— Non, non, s'écria Bertuccio en posant la lanterne à l'angle du mur intérieur ; non, monsieur, je n'irai pas plus loin, c'est impossible !

— Qu'est-ce à dire ? articula la voix irrésistible de Monte-Cristo.

— Mais vous voyez bien, monseigneur, s'écria l'intendant, que cela n'est point naturel ; qu'ayant une maison à
acheter à Paris, vous l'achetiez justement à Auteuil, et que,
l'achetant à Auteuil, cette maison soit le n° 28 de la rue de
la Fontaine. Comme s'il n'y avait d'autre maison à Auteuil
que celle de l'assassinat !

— Oh ! oh ! fit Monte-Cristo s'arrêtant tout à coup,
quel vilain mot venez-vous de prononcer là ? Diable
d'homme ! Corse enraciné ! toujours des mystères ou des
superstitions ! Voyons, prenez cette lanterne et visitons le
jardin ; avec moi, vous n'aurez pas peur, j'espère !

Bertuccio ramassa la lanterne et obéit.

Monte-Cristo appuya à droite ; arrivé près d'un massif
d'arbres, il s'arrêta.

L'intendant n'y put tenir.

— Éloignez-vous, monsieur, s'écria-t-il, éloignez-vous,
je vous en supplie, vous êtes justement à la place !

— À quelle place ?

— À la place même où il est tombé.

— Mon cher monsieur Bertuccio, dit Monte-Cristo en
riant, revenez à vous, je vous y engage ; nous ne sommes
pas ici à Sartène, ou à Corte.

— Monsieur, ne restez pas là, ne restez pas là, je vous
en supplie !

— L'abbé Busoni m'avait donc menti, dit-il, lorsqu'il
vous envoya vers moi, muni d'une lettre de recommandation, dans laquelle il me détaillait vos précieuses qualités ?
Eh bien ! je vais écrire à l'abbé ; je le rendrai responsable
de son protégé, et je saurai sans doute ce que c'est que toute
cette affaire d'assassinat.

— Mais, monsieur le comte, reprit en hésitant Bertuccio,
ne m'avez-vous pas dit vous-même que M. l'abbé Busoni,
qui a entendu ma confession dans les prisons de Nîmes,
vous avait prévenu, en m'envoyant chez vous, que j'avais
un lourd reproche à me faire ?

— Oui, mais comme il vous adressait à moi en me disant que vous feriez un excellent intendant, j'ai cru que, comme vous étiez corse, vous n'aviez pu résister au désir de faire une peau.

— Eh bien ! oui, monseigneur, oui, mon bon seigneur, c'est cela ! s'écria Bertuccio en se jetant aux genoux du comte ; oui, c'est une vengeance, je le jure, une simple vengeance.

— Je comprends, mais ce que je ne comprends pas, c'est que ce soit cette maison justement qui vous galvanise à ce point.

— Mais, monseigneur, n'est-ce pas bien naturel, reprit Bertuccio, puisque c'est dans cette maison que la vengeance s'est accomplie ? Monsieur, c'est la fatalité qui amène tout cela, j'en suis bien sûr : d'abord vous achetez une maison juste à Auteuil, cette maison est celle où j'ai commis un assassinat ; vous descendez au jardin, juste par l'escalier où il est descendu ; vous vous arrêtez, juste à l'endroit où il reçut le coup ; à deux pas sous ce platane était la fosse où il venait d'enterrer l'enfant : tout cela n'est pas du hasard, non, car en ce cas le hasard ressemblerait trop à la Providence.

— Eh bien ! voyons, monsieur le Corse, supposons que ce soit la Providence ; je suppose toujours tout ce qu'on veut, moi ; d'ailleurs, aux esprits malades il faut faire des concessions. Voyons, rappelez vos esprits et racontez-moi cela.

— Je ne l'ai jamais raconté qu'une fois, et c'était à l'abbé Busoni. Mais d'abord, je vous en supplie, éloignez-vous de ce platane ; tenez, la lune va blanchir ce nuage, et là, placé comme vous l'êtes, enveloppé de ce manteau qui me cache votre taille et qui ressemble à celui de M. de Villefort...

— Comment ! s'écria Monte-Cristo, c'est M. de Villefort... ?

— Votre Excellence le connaît ?

— L'ancien procureur du roi de Nîmes ?

— Oui.

— Qui avait épousé la fille du marquis de Saint-Méran ?

— Lui-même.

— Et qui avait dans le barreau la réputation du plus honnête, du plus sévère, du plus rigide magistrat ?

— Eh bien ! monsieur, s'écria Bertuccio, cet homme, à la réputation irréprochable...

— Eh bien ?

— C'était un infâme.

— Bah ! dit Monte-Cristo, impossible !

— Cela est pourtant comme je vous le dis.

— Ah ! vraiment, dit Monte-Cristo, et vous en avez la preuve ?

— Je l'avais du moins.

— Et vous l'avez perdue, maladroit ?

— Oui ; mais en cherchant bien on peut la retrouver.

— En vérité ! dit le comte, contez-moi cela, monsieur Bertuccio ! car cela commence véritablement à m'intéresser.

Et le comte, en chantonnant un petit air de *La Lucia*, alla s'asseoir sur un banc, tandis que Bertuccio le suivait en rappelant ses souvenirs.

Bertuccio resta debout devant lui.

22

La vendetta

— Les choses remontent à 1815.

— Ah ! fit Monte-Cristo, ce n'est pas hier, 1815.

— Non, monsieur, et cependant les moindres détails me sont aussi présents à la mémoire que si nous étions seulement au lendemain. J'avais un frère aîné, qui était au service de l'Empereur. En 1814, sous les Bourbons, il s'était marié ; l'Empereur revint de l'île d'Elbe, mon frère reprit aussitôt du service, et, blessé légèrement à Waterloo, il se retira avec l'armée derrière la Loire. Un jour nous reçûmes une lettre ; il faut vous dire que nous habitions le petit village de Rogliano, à l'extrémité du cap Corse : cette lettre était de mon frère, il nous disait que l'armée était licenciée et qu'il revenait ; si j'avais quelque argent, il me priait de le lui faire tenir à Nîmes, chez un aubergiste de notre connaissance, avec lequel j'avais quelques relations.

— J'aimais tendrement mon frère, Excellence ; aussi je résolus, non pas de lui envoyer l'argent, mais de le lui porter moi-même. Or, c'était le moment où avaient lieu les fameux massacres du Midi. En entrant à Nîmes, on marchait littéralement dans le sang ; à chaque pas on rencontrait des cadavres. Je courus chez notre aubergiste. Mes pressentiments ne m'avaient pas trompé ; mon frère avait été assassiné.

« Je fis tout au monde pour connaître les meurtriers, mais personne n'osa me dire leurs noms, tant ils étaient redoutés. Je songeai alors à cette justice française, dont on m'avait tant parlé, qui ne redoute rien, elle, et je me présentai chez le procureur du roi.

— Et ce procureur du roi se nommait Villefort ? demanda négligemment Monte-Cristo.

— Oui, Excellence ; il venait de Marseille, où il avait été substitut. Son zèle lui avait valu de l'avancement. Il était un des premiers, disait-on, qui eussent annoncé au gouvernement le débarquement de l'île d'Elbe.

— Donc, reprit Monte-Cristo, vous vous présentâtes chez lui.

— "Monsieur, lui dis-je, mon frère a été assassiné hier dans les rues de Nîmes, je ne sais point par qui, mais c'est votre mission de le savoir. Vous êtes ici le chef de la justice, et c'est à la justice de venger ceux qu'elle n'a pas su défendre.

« — Et qu'était votre frère ? demanda le procureur du roi.

« — Lieutenant au bataillon corse.

« — Un soldat de l'usurpateur, alors ?

— Monsieur, ce n'est pas pour moi que je vous prie. Moi, je pleurerai ou je me vengerai, voilà tout ; mais mon pauvre frère avait une femme. S'il m'arrivait malheur à mon tour, cette pauvre créature mourrait de faim, car le travail seul de mon frère la faisait vivre. Obtenez pour elle une petite pension du gouvernement.

« — Chaque révolution a ses catastrophes, répondit M. de Villefort ; votre frère a été victime de celle-ci, c'est un malheur, et le gouvernement ne doit rien à votre famille pour cela.

« — Eh quoi ! monsieur, m'écriai-je, il est possible que vous me parliez ainsi, vous, un magistrat !...

« — Tous ces Corses sont fous, ma parole d'honneur, répondit M. de Villefort, et ils croient encore que leur compatriote est empereur.

« — Eh bien ! lui dis-je à mi-voix, puisque vous connaissez si bien les Corses, vous devez savoir comment ils tiennent leur parole. Vous trouvez qu'on a bien fait de tuer mon frère qui était bonapartiste, parce que vous êtes royaliste, vous ; eh bien ! moi, qui suis bonapartiste aussi, je vous déclare une chose : c'est que je vous tuerai, vous. À partir de ce moment, je vous déclare la vendetta."

« Et là-dessus, avant qu'il fût revenu de sa surprise, j'ouvris la porte et je m'enfuis.

— Ah ! ah ! dit Monte-Cristo, avec votre honnête figure, vous faites de ces choses-là, monsieur Bertuccio, et à un procureur du roi encore ! Fi donc ! Et savait-il au moins ce que voulait dire ce mot *vendetta* ?

— Il le savait si bien, qu'à partir de ce moment il ne sortit plus seul, et se calfeutra chez lui, me faisant chercher partout. Heureusement, j'étais si bien caché qu'il ne put me trouver. Alors la peur le prit ; il trembla de rester plus longtemps à Nîmes ; il sollicita son changement de résidence, et, comme c'était en effet un homme influent, il fut nommé à Versailles ; mais, vous le savez, il n'y a pas de distance pour un Corse qui a juré de se venger de son ennemi.

« L'important n'était pas de le tuer, cent fois j'en avais trouvé l'occasion ; mais il fallait le tuer sans être découvert et surtout sans être arrêté. Pendant trois mois je guettai M. de Villefort ; enfin, je découvris qu'il venait mystérieusement à Auteuil ; je le suivis encore et je le vis entrer dans cette maison où nous sommes ; seulement, au lieu d'entrer comme tout le monde par la grande porte de la rue, il venait soit à cheval, soit en voiture, laissait voiture ou cheval à l'auberge, et entrait par cette petite porte que vous voyez là.

Monte-Cristo fit de la tête un signe qui prouvait qu'au milieu de l'obscurité il distinguait en effet l'entrée indiquée par Bertuccio.

« Je me fixai à Auteuil et je m'informai. La maison appartenait, comme le concierge l'a dit à Votre Excellence, à M. de Saint-Méran ; beau-père de Villefort, M. de Saint-Méran habitait Marseille, par conséquent cette campagne lui était inutile : aussi disait-on qu'il venait de la louer à une jeune veuve que l'on ne connaissait que sous le nom de la baronne.

« En effet, un soir en regardant par-dessus le mur, je vis une belle jeune femme de dix-huit à dix-neuf ans, grande et blonde. Comme elle était en simple peignoir et que rien ne gênait sa taille, je pus remarquer qu'elle était enceinte et que sa grossesse même paraissait assez avancée.

« Quelques moments après, on ouvrit la petite porte ; un homme entra : la jeune femme courut le plus vite qu'elle put à sa rencontre ; ils se jetèrent dans les bras l'un de l'autre, s'embrassèrent tendrement et regagnèrent ensemble la maison.

« Cet homme, c'était M. de Villefort.

— Et, demanda le comte, avez-vous su depuis le nom de cette femme ?

— Non, Excellence, répondit Bertuccio ; vous allez voir que je n'eus pas le temps de l'apprendre.

— Continuez.

— Ce soir-là, reprit Bertuccio, j'aurais pu tuer peut-être le procureur du roi ; mais je ne connaissais pas encore assez le jardin dans tous ses détails. Je craignis de ne pas le tuer raide, et, si quelqu'un accourait à ses cris, de ne pouvoir fuir. Je remis la partie au prochain rendez-vous, et pour que rien ne m'échappât, je pris une petite chambre donnant sur la rue que longeait le mur du jardin.

« Trois jours après, vers sept heures du soir, je vis sortir de la maison un domestique à cheval qui prit au galop le chemin qui conduisait à la route de Sèvres ; je présumai qu'il allait à Versailles. Je ne me trompais pas. Trois heures après, l'homme revint tout couvert de poussière ; son message était terminé. Dix minutes après, un autre homme à pied, enveloppé d'un manteau, ouvrait la petite porte du jardin, qui se referma sur lui.

« Je descendis rapidement. Quoique je n'eusse pas vu le visage de Villefort, je le reconnus au battement de mon cœur : je traversai la rue, je gagnai une borne placée à l'angle du mur et à l'aide de laquelle j'avais regardé une première fois dans le jardin.

« Cette fois je ne me contentai pas de regarder, je tirai mon couteau de ma poche, je m'assurai que la pointe était bien affilée, et je sautai par-dessus le mur.

« Mon premier soin fut de courir à la porte ; il avait laissé la clef en dedans, en prenant la simple précaution de donner un double tour à la serrure.

« Je me mis à étudier les localités. Le jardin formait un carré long ; une pelouse de fin gazon anglais s'étendait au milieu ; aux angles de cette pelouse étaient des massifs d'arbres au feuillage touffu et tout entremêlé de fleurs d'automne.

« Je me cachai dans celui le plus près duquel devait passer Villefort ; à peine y étais-je, qu'au milieu des bouffées de vent qui courbaient les arbres au-dessus de mon front, je crus distinguer comme des gémissements. Deux heures s'écoulèrent pendant lesquelles, à plusieurs reprises, je crus entendre les mêmes gémissements. Minuit sonna.

« La porte s'ouvrit, et l'homme au manteau reparut.

« L'homme vint droit à moi ; mais à mesure qu'il avançait dans l'espace découvert, je croyais remarquer qu'il tenait une arme de la main droite. Lorsqu'il fut à quelques pas de moi seulement, je reconnus que ce que j'avais pris pour une arme n'était rien autre chose qu'une bêche.

« Je n'avais pas encore pu deviner dans quel but M. de Villefort tenait une bêche à la main, lorsqu'il s'arrêta sur la lisière du massif, et se mit à creuser un trou dans la terre. Ce fut alors que je m'aperçus qu'il y avait quelque chose dans son manteau qu'il venait de déposer sur la pelouse pour être plus libre de ses mouvements.

« Puis une idée m'était venue qui se confirma en voyant le procureur du roi tirer de son manteau un petit coffre long de deux pieds et large de six à huit pouces.

« Je le laissai déposer le coffre dans le trou sur lequel il repoussa la terre, puis sur cette terre fraîche, il appuya ses pieds pour faire disparaître la trace de l'œuvre nocturne. Je m'élançai alors sur lui et lui enfonçai mon couteau dans la poitrine en lui disant :

« "Je suis Giovanni Bertuccio ! ta mort pour mon frère, ton trésor pour sa veuve : tu vois bien que ma vengeance est plus complète que je ne l'espérais."

« Je ne sais s'il entendit ces paroles, je ne le crois pas, car il tomba sans pousser un cri ; ce sang me rafraîchissait au lieu de me brûler. En une seconde j'eus déterré le coffret à l'aide de la bêche ; puis, je m'élançai par la porte, que je fermai à double tour en dehors, et dont j'emportai la clef. Je courus jusqu'à la rivière, je m'assis sur le talus, et pressé de savoir ce que contenait le coffre, je fis sauter la serrure avec mon couteau.

« Dans un lange de fine batiste était enveloppé un enfant qui venait de naître ; au bout d'un instant je crus sentir un léger battement vers la région du cœur ; je dégageai son cou du cordon qui l'enveloppait, et, comme j'avais été infirmier à l'hôpital de Bastia, je fis ce qu'aurait pu faire un médecin en pareille circonstance : c'est-à-dire que je lui insufflai courageusement de l'air dans les poumons, et qu'après un quart d'heure d'efforts inouïs, je le vis respirer, et j'entendis aussitôt un cri s'échapper de sa poitrine.

— Et que fîtes-vous de cet enfant ? demanda Monte-Cristo ; c'était un bagage assez embarrassant pour un homme qui avait besoin de fuir.

— Aussi n'eus-je point un instant l'idée de le garder. Mais je savais qu'il existait à Paris un hospice où on reçoit ces pauvres créatures. On m'indiqua l'hospice, qui était situé tout au haut de la rue d'Enfer, et après avoir pris la précaution de couper le lange en deux de manière à ce qu'une des lettres qui le marquaient continuât d'envelopper le corps de l'enfant, tandis que je garderais l'autre, je déposai mon fardeau dans le tour, je sonnai et m'enfuis à toutes jambes. Quinze jours après, j'étais de retour à Rogliano, et je disais à Assunta :

« "Console-toi, ma sœur ; Israël est mort, mais je l'ai vengé."

« Alors elle me demanda l'explication de ces paroles, et je lui racontai tout ce qui s'était passé.

« "Giovanni, me dit Assunta, tu aurais dû rapporter cet enfant ; nous lui eussions tenu lieu des parents qu'il a perdus ; nous l'eussions appelé Benedetto, et en faveur de cette bonne action Dieu nous eût bénis effectivement."

« Pour toute réponse je lui donnai la moitié du lange que j'avais conservée, afin de faire réclamer l'enfant si nous étions plus riches.

« Moitié pour chasser les souvenirs qui m'assiégeaient, moitié pour subvenir aux besoins de la pauvre veuve, je me remis avec ardeur à ce métier de contrebandier, devenu plus facile par le relâchement des lois qui suit toujours les révolutions. Depuis l'assassinat de mon frère dans les rues de Nîmes, je n'avais pas voulu rentrer dans cette ville. Il en résulta que l'aubergiste avec lequel nous faisions des affaires, voyant que nous ne voulions plus venir à lui, était venu à nous et avait fondé une succursale de son auberge sur la route de Bellegarde à Beaucaire, à l'enseigne du *Pont du Gard.*

« Mes courses devinrent de plus en plus étendues, de plus en plus fructueuses. Assunta était la ménagère, et notre petite fortune s'arrondissait. Un jour en rentrant dans la maison, la première chose que je vis à l'endroit le plus apparent de la chambre d'Assunta, dans un berceau somptueux relativement au reste de l'appartement, fut un enfant de sept à huit mois. Je jetai un cri de joie. Les seuls moments de tristesse que j'eusse éprouvés depuis l'assassinat du procureur du roi m'avaient été causés par l'abandon de cet enfant.

« La pauvre Assunta avait tout deviné : elle avait profité de mon absence, et, munie de la moitié du lange, ayant inscrit, pour ne point l'oublier, le jour et l'heure précis où l'enfant avait été déposé à l'hospice, elle était partie pour Paris et avait été elle-même le réclamer. Aucune objection ne lui avait été faite, et l'enfant lui avait été remis.

« Hélas ! Jamais nature plus perverse ne se déclara plus prématurément, et cependant on ne dira pas qu'il fut mal élevé, car ma sœur le traitait comme le fils d'un prince. Âgé de onze ans à peine, tous ses camarades étaient choisis parmi les plus mauvais sujets de Bastia et de Corte, et déjà, pour quelques espiègleries qui méritaient un nom plus sérieux, la justice nous avait donné des avertissements.

« Je fus effrayé ; j'allais justement être forcé de m'éloigner de la Corse pour une expédition importante. Je donnai de bons conseils à ma sœur, qui, dans nos discussions, prenait sans cesse la défense du petit malheureux ; et comme elle m'avoua que plusieurs fois des sommes assez considérables lui avaient manqué, je lui indiquai un endroit où elle pouvait cacher notre petit trésor.

« Ce plan arrêté, je partis pour la France. Ma pauvre sœur, selon mes conseils, résistait aux exigences de Benedetto qui, à chaque instant, voulait se faire donner tout l'argent qu'il y avait à la maison. Un matin il la menaça, et disparut pendant toute la journée. Lorsqu'à onze heures il rentra avec deux de ses amis, compagnons ordinaires de toutes ses folies, l'un des trois s'écria : "Jouons à la question, et il faudra bien qu'elle avoue où est son argent."

« Deux retinrent la pauvre Assunta, le troisième alla barricader portes et fenêtres, puis il revint, et tous trois réunis, étouffant les cris que la terreur lui arrachait, approchèrent les pieds d'Assunta du brasier sur lequel ils comptaient pour lui faire avouer où était caché notre petit trésor ; mais dans la lutte le feu prit à ses vêtements : ils lâchèrent alors la patiente, pour ne pas être brûlés eux-mêmes. Alors la voisine entendit des cris affreux : c'était Assunta qui appelait au secours. Bientôt sa voix fut étouffée ; les cris devinrent des gémissements, et le lendemain, on trouva Assunta à moitié brûlée, mais respirant encore ; les armoires forcées, l'argent disparu. Quant à Benedetto, il avait quitté Rogliano pour n'y plus revenir ; depuis ce jour je ne l'ai plus revu, et je n'ai pas même entendu parler de lui.

— Et qu'avez-vous pensé de cet événement ? demanda Monte-Cristo.

— Que c'était le châtiment du crime que j'avais commis, répondit Bertuccio. Ah ! Ah ! ces Villefort, c'était une race maudite.

— Je le crois, murmura le comte avec un accent lugubre.

— Maintenant, continua l'intendant en baissant la tête, vous savez tout, monsieur le comte ; vous êtes mon juge ici-bas comme Dieu le sera là-haut ; ne me direz-vous point quelques paroles de consolation ?

— Vous avez raison, en effet, et je puis vous dire ce que vous dirait l'abbé Busoni : celui que vous avez frappé, ce Villefort, méritait un châtiment pour ce qu'il avait fait à vous et peut-être pour autre chose encore. Benedetto, s'il vit, servira à quelque vengeance divine, puis sera puni à son tour. Quant à vous, vous n'avez en réalité qu'un reproche à vous adresser ; demandez-vous pourquoi, ayant enlevé cet enfant à la mort, vous ne l'avez pas rendu à sa mère ; là est le crime, Bertuccio.

— Oui, monsieur, là est le crime et le véritable crime, car en cela j'ai été lâche. Une fois que j'eus rappelé l'enfant à la vie, je n'avais qu'une chose à faire, vous l'avez dit, c'était de le renvoyer à sa mère. Mais pour cela, il me fallait faire des recherches, attirer l'attention, me livrer peut-être ; je n'ai pas voulu mourir, je tenais à la vie par ma sœur, par l'amour-propre inné chez nous autres de rester entiers et victorieux dans notre vengeance ; et puis enfin, peut-être tenais-je simplement à la vie par l'amour même de la vie. Oh ! moi, je ne suis pas un brave comme mon pauvre frère !

Bertuccio cacha son visage dans ses deux mains, et Monte-Cristo attacha sur lui un long et indéfinissable regard.

Puis après un instant de silence rendu plus solennel encore par l'heure et par le lieu :

— Pour terminer dignement cet entretien qui sera le dernier sur ces aventures, monsieur Bertuccio, dit le comte avec un accent de mélancolie qui ne lui était pas habituel, retenez bien mes paroles, je les ai souvent entendu prononcer à l'abbé Busoni lui-même : à tous maux il est deux remèdes, le temps et le silence. Maintenant, monsieur Bertuccio, laissez-moi me promener un instant dans ce jardin. Ce qui est une émotion poignante pour vous, acteur dans cette terrible scène, sera pour moi une sensation presque douce. Voilà que j'ai acheté un jardin, croyant acheter un simple enclos fermé de murs ; et point du tout : tout à coup cet enclos se trouve être un jardin tout plein de fantômes qui n'étaient point portés sur le contrat. Or, j'aime les fantômes, je n'ai jamais entendu dire que les morts eussent fait en six mille ans autant de mal que les vivants en font en un jour.

Le comte, après un dernier tour dans ce jardin, alla retrouver sa voiture ; Bertuccio, qui le voyait rêveur, monta sans rien dire sur le siège auprès du cocher.

La voiture reprit le chemin de Paris.

Le soir même, à son arrivée à la maison des Champs-Élysées, le comte de Monte-Cristo visita toute l'habitation comme eût pu le faire un homme familiarisé avec elle depuis de longues années.

Bientôt on entendit héler le concierge ; la grille s'ouvrit, une voiture roula dans l'allée et s'arrêta devant le perron. Le comte descendit ; la portière était déjà ouverte ; il tendit la main à une jeune femme enveloppée d'une mante de soie verte toute brodée d'or qui lui couvrait la tête. La jeune femme prit la main qu'on lui tendait, la baisa avec un certain amour mêlé de respect, et quelques mots furent échangés tendrement de la part de la jeune femme et avec une douce gravité de la part du comte dans cette langue sonore que le vieil Homère a mise dans la bouche de ses dieux.

Alors, la jeune femme, laquelle n'était autre que cette belle Grecque, compagne ordinaire de Monte-Cristo en Italie, fut conduite à son appartement ; puis le comte se retira dans le pavillon qu'il s'était réservé.

À minuit et demi, toutes les lumières étaient éteintes dans la maison, et l'on eût pu croire que tout le monde dormait.

23

Le crédit illimité

Le lendemain, vers deux heures de l'après-midi, une calè-che attelée de deux magnifiques chevaux anglais s'arrêta devant la porte de Monte-Cristo ; un homme vêtu d'un habit bleu, à boutons de soie de même couleur, d'un gilet blanc sillonné par une énorme chaîne d'or et d'un pantalon couleur noisette, passa sa tête par la portière et envoya son groom demander au concierge si le comte de Monte-Cristo était chez lui.

— N'est-ce point ici que demeure M. le comte de Monte-Cristo ?

— C'est ici que demeure Son Excellence, répondit le concierge ; mais Son Excellence n'est pas visible.

— En ce cas, voici la carte de mon maître : M. le baron Danglars. Vous la remettrez au comte de Monte-Cristo, et vous lui direz qu'en allant à la Chambre mon maître s'est détourné pour avoir l'honneur de le voir.

Le groom retourna vers la voiture.

— Eh bien ? demanda Danglars.

L'enfant apporta à son maître la réponse du concierge.

— Oh ! fit celui-ci, c'est donc un prince que ce monsieur, qu'on appelle Excellence ; n'importe, puisqu'il a un crédit sur moi, il faudra bien que je le voie quand il voudra de l'argent.

Et Danglars se rejeta dans le fond de sa voiture en criant au cocher de manière à ce qu'on pût l'entendre de l'autre côté de la route :

— À la Chambre des députés !

Au travers d'une jalousie de son pavillon, Monte-Cristo, prévenu à temps, avait vu le baron et l'avait étudié à l'aide d'une excellente lorgnette.

— Décidément, fit-il avec un geste de dégoût et en faisant rentrer les tuyaux de sa lunette dans leur fourreau d'ivoire, décidément c'est une laide créature que cet homme. Ali ! cria-t-il ; puis il frappa un coup sur le timbre de cuivre. Ali parut : Appelez Bertuccio.

Au même moment, Bertuccio entra.

— Comment se fait-il, dit Monte-Cristo en fronçant le sourcil, quand je vous ai demandé les deux plus beaux chevaux de Paris, qu'il y ait à Paris deux autres chevaux aussi beaux que les miens, et que ces chevaux ne soient pas dans mes écuries ?

— Monsieur le comte, dit Bertuccio, les chevaux dont vous me parlez n'étaient pas à vendre.

Monte-Cristo haussa les épaules.

— Sachez, monsieur l'intendant, dit-il, que tout est toujours à vendre pour qui sait y mettre le prix. Ce soir, dit-il, j'ai une visite à rendre ; je veux que ces deux chevaux soient attelés à ma voiture avec un harnais neuf.

Bertuccio se retira en saluant.

À cinq heures, le comte descendit et vit, attelés à sa voiture, les chevaux qu'il avait admirés le matin à la voiture de Danglars.

En passant près d'eux il leur jeta un coup d'œil.

— Ils sont beaux en effet, dit-il, et vous avez bien fait de les acheter.

— Si Votre Excellence est satisfaite, dit Bertuccio, tout est bien. Où va Votre Excellence ?

— Rue de la Chaussée-d'Antin, chez M. le baron Danglars.

Cette conversation se passait sur le haut du perron. Bertuccio fit un pas pour descendre la première marche.

— Attendez, monsieur, dit Monte-Cristo en l'arrêtant. J'ai besoin d'une terre sur les bords de la mer, en Normandie, par exemple entre Le Havre et Boulogne. Je vous donne de l'espace, comme vous voyez. Il faudrait que, dans cette acquisition, il y eût un petit port, une petite crique, une petite baie, où puisse entrer et se tenir ma corvette ; elle ne tire que quinze pieds d'eau.

— Votre Excellence peut compter sur moi.

Le comte fit un signe de satisfaction, descendit les degrés, sauta dans sa voiture, qui, entraînée au trot du magnifique attelage, ne s'arrêta que devant l'hôtel du banquier.

Danglars présidait une commission nommée pour un chemin de fer, lorsqu'on vint lui annoncer la visite du comte de Monte-Cristo. La séance, au reste, était presque finie.

Au nom du comte, il se leva.

— Messieurs, dit-il, en s'adressant à ses collègues, dont plusieurs étaient des honorables membres de l'une ou l'autre Chambre, pardonnez-moi si je vous quitte ainsi, mais imaginez-vous que la maison Thomson & French, de Rome, m'adresse un certain comte de Monte-Cristo, en lui ouvrant chez moi un crédit illimité. C'est la plaisanterie la plus drôle que mes correspondants de l'étranger se soient encore permise vis-à-vis de moi. Un crédit illimité rend bien exigeant le banquier chez qui le crédit est ouvert. J'ai donc hâte de voir notre homme.

En achevant ces mots et en leur donnant une emphase qui gonfla les narines de M. le baron, celui-ci quitta ses hôtes et passa dans un salon blanc et or qui faisait grand bruit dans la Chaussée-d'Antin.

C'était là qu'il avait ordonné d'introduire le visiteur pour l'éblouir du premier coup.

Au bruit que fit Danglars en entrant, le comte se retourna.

Danglars salua légèrement de la tête, et fit signe au comte de s'asseoir dans un fauteuil de bois doré garni de satin blanc broché d'or.

Le comte s'assit.

— C'est à monsieur de Monte-Cristo que j'ai l'honneur de parler ?

— Et moi, répondit le comte, à monsieur le baron Danglars, chevalier de la Légion d'honneur, membre de la Chambre des députés ?

Monte-Cristo redisait tous les titres qu'il avait trouvés sur la carte du baron.

Danglars sentit la botte et se mordit les lèvres.

— Monsieur le comte, dit-il en s'inclinant, j'ai reçu une lettre d'avis de la maison Thomson & French.

— J'en suis charmé, monsieur le baron. Je n'aurai pas besoin de me présenter moi-même, ce qui est toujours assez embarrassant. Vous aviez donc, disiez-vous, reçu une lettre d'avis ?

— Oui, répondit Danglars ; mais je vous avoue que je n'en ai pas parfaitement compris le sens. Cette lettre ouvre à M. le comte de Monte-Cristo un crédit illimité sur ma maison.

— Voyons, avouez-moi, dit Monte-Cristo, que vous vous défiez de la maison Thomson & French ? Mon Dieu ! c'est tout simple ! j'ai prévu le cas, et quoique assez étranger aux affaires, j'ai pris mes précautions. Voici donc deux autres lettres pareilles à celle qui vous est adressée : l'une est de la maison Arestein & Eskoles de Vienne sur M. le baron de Rothschild, l'autre est de la maison Baring de Londres sur M. Laffitte. Dites un mot, monsieur, et je vous ôterai toute préoccupation en me présentant dans l'une ou dans l'autre de ces deux maisons.

Danglars était vaincu ; il ouvrit avec un tremblement visible la lettre d'Allemagne et la lettre de Londres que lui tendait du bout des doigts le comte, vérifia l'authenticité des signatures avec une minutie qui eût été insultante pour Monte-Cristo, s'il n'eût pas fait la part de l'égarement du banquier.

— Oh ! monsieur, voilà trois signatures qui valent bien des millions, dit Danglars en se levant comme pour saluer la puissance de l'or personnifiée en cet homme qu'il avait devant lui. Trois crédits illimités sur nos trois maisons ! Pardonnez-moi, monsieur le comte ; mais tout en cessant d'être défiant, on peut demeurer encore étonné.

— Oh ! ce n'est pas une maison comme la vôtre qui s'étonnerait ainsi ! dit Monte-Cristo avec toute sa politesse ; ainsi vous pourrez donc m'envoyer quelque argent, n'est-ce pas ?

— Parlez, monsieur le comte ; je suis à vos ordres.

— Eh bien ! reprit Monte-Cristo, maintenant que vous n'avez plus aucune défiance, fixons, si vous le voulez bien, une somme générale pour la première année, six millions, par exemple.

— Six millions, soit ! dit Danglars suffoqué. L'argent sera chez vous demain à dix heures du matin, monsieur le comte. Voulez-vous de l'or, ou des billets de banque, ou de l'argent ?

— Or et billets par moitié, s'il vous plaît.

Et le comte se leva.

— Avec vos goûts et vos intentions, monsieur, continua Danglars, vous allez déployer dans la capitale un luxe qui va nous écraser tous, nous autres pauvres petits millionnaires ; je souhaiterais, si vous le permettez, vous présenter à Mme la baronne Danglars ; excusez mon empressement, monsieur le comte, mais un client comme vous fait presque partie de la famille.

Monte-Cristo s'inclina, en signe qu'il acceptait l'honneur que le financier voulait bien lui faire.

Danglars sonna ; un laquais, vêtu d'une livrée éclatante, parut.

— Mme la baronne est-elle chez elle ? demanda Danglars.

— Oui, monsieur le baron, répondit le laquais.

— Seule ?

— Non, madame a du monde.

— Et qui est près de madame ? M. Debray ? demanda Danglars avec une bonhomie qui fit sourire intérieurement Monte-Cristo, déjà renseigné sur les transparents secrets d'intérieur du financier.

— M. Debray, oui, monsieur le baron, répondit le laquais.

Danglars fit un signe de tête.

Puis se tournant vers Monte-Cristo :

— M. Lucien Debray, dit-il, est un ancien ami à nous, secrétaire intime du ministre de l'Intérieur ; quant à ma femme, elle a dérogé en m'épousant, car elle appartient à une ancienne famille : c'est une demoiselle de Servières, veuve en premières noces de M. le colonel marquis de Nargonne.

— Je n'ai pas l'honneur de connaître Mme Danglars ; mais j'ai déjà rencontré M. Lucien Debray.

— Bah ! dit Danglars, où donc cela ?

— Chez M. de Morcerf.

— Ah ! vous connaissez le petit vicomte ? dit Danglars.

— Nous nous sommes trouvés ensemble à Rome à l'époque du carnaval.

— Ah ! oui, dit Danglars, n'ai-je pas entendu parler de quelque chose comme une aventure singulière avec des bandits, des voleurs dans des ruines ! il a été tiré de là miraculeusement. Je crois qu'il a raconté quelque chose de tout cela à ma femme et à ma fille à son retour d'Italie.

— Mme la baronne attend ces messieurs, revint dire le laquais.

— Je passe devant pour vous montrer le chemin, fit Danglars en saluant.

— Et moi, je vous suis, dit Monte-Cristo.

24

L'attelage gris pommelé

— Madame la baronne, dit Danglars, permettez que je vous présente M. le comte de Monte-Cristo. Je n'ai qu'un mot à en dire et qui va en un instant le rendre la coqueluche de toutes nos belles dames : il vient à Paris avec l'intention d'y rester un an et de dépenser six millions pendant cette année ; cela promet une série de bals, de dîners, dans lesquels j'espère que M. le comte ne nous oubliera pas plus que nous ne l'oublierons nous-mêmes dans nos petites fêtes.

— Oh ! vous arrivez dans une affreuse saison ; Paris est détestable l'été ; il n'y a plus ni bals, ni réunions, ni fêtes. Il nous reste donc pour toute distraction quelques malheureuses courses au Champ-de-Mars et à Satory. Ferez-vous courir, monsieur le comte ?

— Moi, madame, dit Monte-Cristo, je ferai tout ce qu'on fait à Paris, si j'ai le bonheur de trouver quelqu'un qui me renseigne convenablement sur les habitudes françaises.

— Vous êtes amateur de chevaux, monsieur le comte ?

— J'ai passé une partie de ma vie en Orient, madame, et les Orientaux, vous le savez, n'estiment que deux choses au monde, la noblesse des chevaux et la beauté des femmes.

— Ah ! monsieur le comte, dit la baronne, vous auriez dû avoir la galanterie de mettre les femmes les premières.

— Vous voyez, madame, que j'avais bien raison quand tout à l'heure je souhaitais un précepteur qui pût me guider dans les habitudes françaises.

En ce moment la cameriste favorite de Mme la baronne Danglars entra, et, s'approchant de sa maîtresse, lui glissa quelques mots à l'oreille.

Mme Danglars pâlit.

— Impossible ! dit-elle.

— C'est l'exacte vérité cependant, madame, répondit la cameriste.

Mme Danglars se retourna du côté de son mari.

— Est-ce vrai, monsieur ? demanda la baronne.

— Quoi ! madame ? demanda Danglars visiblement agité.

— Ce que me dit cette fille...

— Et que vous dit-elle ?

— Elle me dit qu'au moment où mon cocher a été pour mettre mes chevaux à ma voiture, il ne les a plus trouvés à l'écurie ; que signifie cela ? je vous le demande.

— Madame, dit Danglars, les chevaux étaient trop vifs, ils avaient quatre ans à peine, ils me faisaient pour vous des peurs horribles.

— Hé ! monsieur, dit la baronne, vous savez bien que j'ai depuis un mois à mon service le meilleur cocher de Paris, à moins toutefois que vous ne l'ayez vendu avec les chevaux.

— Chère amie, je vous trouverai les pareils, de plus beaux même, s'il y en a, mais des chevaux doux, calmes, et qui ne m'inspirent plus pareille terreur.

La baronne haussa les épaules avec un air de profond mépris.

— Oh ! mon Dieu ! s'écria Debray.

— Quoi donc ? demanda la baronne.

— Mais je ne me trompe pas, ce sont vos chevaux, vos propres chevaux attelés à la voiture du comte.

— Mes gris pommelé ! s'écria Mme Danglars.

Et elle s'élança vers la fenêtre.

— En effet, ce sont eux, dit-elle.

Danglars était stupéfait.

— Est-ce possible ? dit Monte-Cristo, en jouant l'étonnement.

— C'est incroyable ! murmura le banquier.

La baronne dit deux mots à l'oreille de Debray, qui s'approcha à son tour de Monte-Cristo.

— La baronne vous fait demander combien son mari vous a vendu son attelage.

— Mais je ne sais trop, dit le comte, c'est une surprise que mon intendant m'a faite et… qui m'a coûté trente mille francs, je crois.

Debray alla reporter la réponse à la baronne.

Danglars était si pâle et si décontenancé, que le comte eut l'air de le prendre en pitié.

— Voyez, lui dit-il, combien les femmes sont ingrates : cette prévenance de votre part n'a pas touché un instant la baronne.

Danglars ne répondit rien, il prévoyait dans un prochain avenir une scène désastreuse ; déjà le sourcil de Mme la baronne s'était froncé, et, comme celui de Jupiter Olympien, présageait un orage ; Debray, qui le sentait grossir, prétexta une affaire et partit. Monte-Cristo, qui ne voulait pas gâter la position qu'il comptait conquérir en demeurant plus longtemps, salua Mme Danglars et se retira, livrant le baron à la colère de sa femme.

Deux heures après, Mme Danglars reçut une lettre charmante du comte de Monte-Cristo, dans laquelle il lui déclarait que, ne voulant pas commencer ses débuts dans le monde parisien en désespérant une jolie femme, il la suppliait de reprendre ses chevaux. Ils avaient le même harnais qu'elle leur avait vu le matin, seulement, au centre de chaque rosette qu'ils portaient sur l'oreille, le comte avait fait coudre un diamant.

Danglars aussi eut sa lettre. Le comte lui demandait la permission de passer à la baronne ce caprice de million-naire, le priant d'excuser les façons orientales dont le renvoi des chevaux était accompagné.

Le lendemain, vers trois heures, Ali, appelé par un coup de timbre, entra dans le cabinet du comte.

— Ali, lui dit-il, tu m'as souvent parlé de ton adresse à lancer le lasso ?

Ali fit signe que oui, et se redressa fièrement.

— Eh bien ! écoute, dit Monte-Cristo ; tout à l'heure une voiture passera emportée par deux chevaux gris pommelé, les mêmes que j'avais hier. Dusses-tu te faire écraser, il faut que tu arrêtes cette voiture devant ma porte.

Ali descendit dans la rue, et traça devant la porte une ligne sur le pavé ; puis il rentra, et montra la ligne au comte, qui l'avait suivi des yeux.

Le comte lui frappa doucement sur l'épaule, c'était sa manière de remercier Ali.

Cependant, vers cinq heures, on entendit un roulement lointain, mais qui se rapprochait avec la rapidité de la foudre, puis une calèche apparut dont le cocher essayait inutilement de retenir les chevaux qui s'avançaient furieux, hérissés, bondissant avec des élans insensés.

Dans la calèche, une jeune femme et un enfant de sept à huit ans, se tenant embrassés, avaient perdu par l'excès de la terreur jusqu'à la force de pousser un cri ; il eût suffi d'une pierre sous la roue ou d'un arbre accroché pour briser tout à fait la voiture qui craquait.

Soudain Ali tire de sa poche le lasso, le lance, enveloppe d'un triple tour les jambes de devant du cheval de gauche, se laisse entraîner trois ou quatre pas par la violence de l'impulsion, mais au bout de ces trois ou quatre pas le cheval enchaîné s'abat, tombe sur la flèche qu'il brise, et paralyse les efforts que fait le cheval resté debout pour continuer sa course ; le cocher saisit cet instant de répit pour sauter en bas de son siège, mais déjà Ali a saisi les naseaux du second cheval avec ses doigts de fer, et l'animal, hennissant de douleur, s'est allongé convulsivement près de son compagnon.

Il a fallu à tout cela le temps qu'il faut à la balle pour frapper le but.

Cependant, il a suffi pour que, de la maison en face de laquelle l'accident est arrivé, un homme se soit élancé, suivi de plusieurs serviteurs : au moment où le cocher ouvre la portière, il enlève de la calèche la dame, qui d'une main se cramponne au coussin, tandis que de l'autre elle serre contre sa poitrine son fils évanoui. Monte-Cristo les emporte tous les deux dans le salon, et les déposant sur un canapé :

— Ne craignez plus rien, madame, lui dit-il, vous êtes sauvée.

— Où suis-je ? s'écria-t-elle, et à qui dois-je tant de bonheur après une si cruelle épreuve ?

— Vous êtes, madame, répondit Monte-Cristo, chez l'homme le plus heureux d'avoir pu vous épargner un chagrin.

— Oh ! maudite curiosité, dit la dame ; tout Paris parlait de ces magnifiques chevaux de Mme Danglars, et j'ai eu la folie de vouloir les essayer.

— Comment ! s'écria le comte avec une surprise admirablement jouée, ces chevaux sont ceux de la baronne ?

— Oui, monsieur ; la connaissez-vous ?

— Mme Danglars ?... j'ai cet honneur, et ma joie est double de vous voir sauvée du péril que ces chevaux vous ont fait courir ; car ce péril, c'est à moi que vous eussiez pu l'attribuer ; j'avais acheté hier ces chevaux au baron, mais la baronne a paru tellement les regretter, que je les lui ai renvoyés hier en la priant de les accepter de ma main.

— Mais alors vous êtes donc le comte de Monte-Cristo dont Hermine m'a tant parlé hier ?

— Oui, madame, fit le comte.

— Moi, monsieur, je suis Mme Héloïse de Villefort.

Le comte salua en homme devant lequel on prononce un nom parfaitement inconnu.

— Oh ! que M. de Villefort sera reconnaissant ! reprit Héloïse, car enfin il vous devra notre vie à tous deux, vous lui avez rendu sa femme et son fils ; assurément, sans votre généreux serviteur, ce cher enfant et moi nous étions tués.

Le soir, l'événement d'Auteuil faisait le sujet de toutes les conversations : Albert le racontait à sa mère, Château-Renaud au Jockey-Club, Debray dans le salon du ministre, Beauchamp lui-même fit au comte la galanterie, dans son journal, d'un *fait divers* de vingt lignes, qui posa le noble étranger en héros auprès de toutes les femmes de l'aristo-cratie.

Quant à M. de Villefort, il prit un habit noir, des gants blancs, sa plus belle livrée, et monta dans son carrosse qui vint, le même soir, s'arrêter à la porte du 30 de la maison des Champs-Élysées.

25

Idéologie

Cependant, si le comte de Monte-Cristo eût vécu depuis longtemps dans le monde parisien, il eût apprécié de toute sa valeur la démarche que faisait près de lui M. de Villefort.

Bien en cour, réputé habile par tous, haï de beaucoup, mais chaudement protégé par quelques-uns sans cependant être aimé de personne, M. de Villefort avait une des hautes positions de la magistrature. Son salon, régénéré par une jeune femme et par une fille de son premier mariage à peine âgée de dix-huit ans, n'en était pas moins un de ces salons sévères de Paris où l'on observe le culte des traditions et la religion de l'étiquette.

Voilà quel était l'homme dont la voiture venait de s'arrêter devant la porte du comte de Monte-Cristo.

Le valet de chambre annonça M. de Villefort au moment où le comte, incliné sur une grande table, suivait sur une carte un itinéraire de Saint-Pétersbourg en Chine.

Le procureur du roi entra du même pas grave et compassé qu'il entrait au tribunal. Si maître de lui que fût Monte-Cristo, il examina avec une visible curiosité, en lui rendant son salut, le magistrat qui, défiant par habitude, et peu crédule surtout quant aux merveilles sociales, était plus disposé à voir dans le noble étranger – c'était ainsi qu'on appelait déjà Monte-Cristo – un chevalier d'industrie venant exploiter un nouveau théâtre, ou un malfaiteur en état de rupture de ban, qu'un prince du Saint-Siège ou un sultan des *Mille et Une Nuits*.

— Monsieur, dit Villefort avec ce ton glapissant affecté par les magistrats dans leurs périodes oratoires, et dont ils ne peuvent ou ne veulent pas se défaire dans la conversation, monsieur, le service signalé que vous avez rendu hier à ma femme et à mon fils me fait un devoir de vous remercier. Je viens donc m'acquitter de ce devoir, et vous exprimer toute ma reconnaissance.

— Monsieur, répliqua le comte à son tour avec une froideur glaciale, je suis fort heureux d'avoir pu conserver un fils à sa mère, car on dit que le sentiment de la maternité est le plus saint de tous, et ce bonheur qui m'arrive vous dispensait, monsieur, de remplir un devoir, dont l'exécution m'honore sans doute, mais qui, si précieuse qu'elle soit cependant, ne vaut pas pour moi la satisfaction intérieure.

Villefort jeta les yeux autour de lui pour raccrocher à quelque chose la conversation tombée.

Il vit la carte qu'interrogeait Monte-Cristo au moment où il était entré, et il reprit :

— Vous vous occupez de géographie, monsieur ? C'est une riche étude pour vous surtout qui, à ce qu'on assure, avez vu autant de pays qu'il y en a de gravés sur cet atlas.

— Oui, monsieur, répondit le comte, j'ai voulu faire sur l'espèce humaine prise en masse ce que vous pratiquez chaque jour sur des exceptions, c'est-à-dire une étude physiologique. Mais asseyez-vous donc, monsieur, je vous en supplie.

Et Monte-Cristo indiqua de la main au procureur du roi un fauteuil que celui-ci fut obligé de prendre la peine d'avancer lui-même, tandis que lui n'eut que celle de se laisser retomber dans celui sur lequel il était agenouillé quand le procureur du roi était entré : de cette façon, le comte se trouva à demi tourné vers son visiteur, ayant le dos à la fenêtre et le coude appuyé sur la carte géographique qui faisait pour le moment l'objet de la conversation.

— Ah ! vous philosophez, reprit Villefort, ce n'est point l'usage chez nous, malheureux corrompus de la civilisation, que les gentilshommes possesseurs comme vous d'une fortune immense perdent leur temps à des spéculations sociales, à des rêves philosophiques faits tout au plus pour consoler ceux que le sort a déshérités des biens de la Terre.

— Je le sais, monsieur, répondit Monte-Cristo ; mais quand je dois aller dans un pays, je commence à étudier, par des moyens qui me sont propres, tous les hommes dont je puis avoir quelque chose à espérer ou à craindre, et j'arrive à les connaître aussi bien, et mieux peut-être, qu'ils ne se connaissent eux-mêmes. Cela amène ce résultat, que le procureur du roi, quel qu'il fût, à qui j'aurais affaire, serait très certainement plus embarrassé que moi-même.

Villefort regardait Monte-Cristo avec un suprême étonnement.

— Monsieur le comte, dit-il, avez-vous des parents ?

— Non, monsieur, je suis seul au monde.

— Tant pis !

— Pourquoi ? demanda Monte-Cristo.

— Parce que vous auriez pu voir un spectacle propre à briser votre orgueil. Venez, s'il vous plaît, continuer cette conversation chez moi, monsieur le comte, et je vous montrerai mon père, M. Noirtier de Villefort, un des plus fougueux jacobins de la Révolution française ; un homme qui avait aidé à bouleverser un des royaumes les plus puissants ; eh bien, monsieur, la rupture d'un vaisseau sanguin dans un lobe du cerveau a brisé tout cela, non pas en un jour, non pas en une heure, mais en une seconde. La veille, M. Noirtier, ancien jacobin, ancien sénateur, ancien carbonaro, riant de la guillotine, riant du canon, riant du poignard, M. Noirtier, si redoutable, était le lendemain *ce pauvre M. Noirtier*, vieillard immobile, livré aux volontés de l'être le plus faible de la maison, c'est-à-dire de sa petite-fille Valentine ; un cadavre muet et glacé enfin, qui ne vit sans souffrance, que pour donner le temps à la matière d'arriver sans secousse à son entière décomposition.

— Hélas ! monsieur, dit Monte-Cristo, ce spectacle n'est étranger ni à mes yeux ni à ma pensée. J'irai, monsieur, puisque vous voulez bien m'y engager, contempler au profit de mon humilité ce terrible spectacle, qui doit fort attrister votre maison.

— Cela serait sans doute, si Dieu ne m'avait point donné une large compensation. En face du vieillard qui descend en se traînant vers la tombe sont deux enfants qui entrent dans la vie : Valentine, une fille de mon premier mariage avec Mlle Renée de Saint-Méran, et Édouard, ce fils à qui vous avez sauvé la vie.

— Et que concluez-vous de cette compensation, monsieur ? demanda Monte-Cristo.

— Je conclus, monsieur, répondit Villefort, que mon père, égaré par les passions, a commis quelques-unes de ces fautes qui échappent à la justice humaine, mais qui relèvent de la justice de Dieu !... et que Dieu, ne voulant punir qu'une seule personne, n'a frappé que lui seul.

Monte-Cristo, le sourire sur les lèvres, poussa au fond du cœur un rugissement qui eût fait fuir Villefort si Villefort eût pu l'entendre.

— Adieu, monsieur, reprit le magistrat qui, depuis quelque temps déjà, s'était levé et parlait debout ; je vous quitte, emportant de vous un souvenir d'estime qui, je l'espère, pourra vous être agréable lorsque vous me connaîtrez mieux, car je ne suis point un homme banal, tant s'en faut. Vous vous êtes fait d'ailleurs dans Mme de Villefort une amie éternelle.

Le comte salua et se contenta de reconduire jusqu'à la porte de son cabinet seulement Villefort, lequel regagna sa voiture, précédé de deux laquais qui, sur un signe de leur maître, s'empressaient de la lui ouvrir.

26

Pyrame et Thisbé

Aux deux tiers du faubourg Saint-Honoré, derrière un bel hôtel remarquable entre les remarquables habitations de ce riche quartier, s'étend un vaste jardin dont les marronniers touffus dépassent les énormes murailles. À un angle où le feuillage devient tellement touffu qu'à peine si la lumière y pénètre, un large banc de pierre et des sièges de jardin indiquent une retraite favorite à quelque habitant de l'hôtel.

Vers le soir d'une des plus chaudes journées que le printemps eût encore accordées aux habitants de Paris, il y avait sur ce banc de pierre un livre, une ombrelle, un panier à ouvrage et un mouchoir de batiste dont la broderie était commencée : et, non loin de ce banc, près de la grille, debout devant les planches, l'œil appliqué à la cloison à claire-voie, une jeune femme, dont le regard plongeait par une fente dans le terrain désert.

Presque au même moment, la petite porte de ce terrain se refermait sans bruit, et un jeune homme, grand, vigoureux, vêtu d'une blouse de toile écrue, d'une casquette de velours, mais dont les moustaches, la barbe et les cheveux noirs extrêmement soignés juraient quelque peu avec ce costume populaire, se dirigeait d'un pas précipité vers la grille.

À la vue de celui qu'elle attendait, mais non pas probablement sous ce costume, la jeune fille eut peur et se rejeta en arrière.

Et cependant déjà, à travers les fentes de la porte, le jeune homme, avec ce regard qui n'appartient qu'aux amants, avait vu flotter la robe blanche et la longue ceinture bleue ; il s'élança vers la cloison, et appliquant sa bouche à une ouverture :

— N'ayez pas peur, Valentine, dit-il, c'est moi.

La jeune fille s'approcha.

— Oh ! monsieur, dit-elle, pourquoi donc êtes-vous venu si tard aujourd'hui ? Savez-vous que l'on va dîner bientôt, et qu'il m'a fallu bien de la diplomatie et bien de la promptitude pour me débarrasser de ma belle-mère qui m'épie, de ma femme de chambre qui m'espionne, et de mon frère qui me tourmente, pour venir travailler ici à cette broderie ? Puis, quand vous vous serez excusé sur votre retard, vous me direz quel est ce nouveau costume qu'il vous a plu d'adopter, et qui presque a été cause que je ne vous ai pas reconnu.

— Chère Valentine, dit le jeune homme, je vous remercie de votre gronderie : elle est toute charmante, car elle me prouve... je n'ose pas dire que vous m'attendiez, mais que vous pensiez à moi. Vous vouliez savoir la cause de mon retard et le motif de mon déguisement, je vais vous les dire, et j'espère que vous les excuserez ; j'ai fait choix d'un état : je me suis fait maraîcher, et j'ai adopté le costume de ma profession.

— Bon ! Quelle folie !

— C'est au contraire la chose la plus sage, je crois, que j'aie faite de ma vie, car elle nous donne toute sécurité.

— Voyons, expliquez-vous.

— Eh bien, j'ai été trouver le propriétaire de cet enclos, le bail avec les anciens locataires était fini, et je le lui ai loué à nouveau. Je suis ici chez moi, je puis mettre des échelles contre mon mur et regarder par-dessus, et j'ai, sans crainte qu'une patrouille vienne me déranger, le droit de vous dire que je vous aime, tant que votre fierté ne se blessera pas d'entendre sortir ce mot de la bouche d'un pauvre journalier vêtu d'une blouse et coiffé d'une casquette.

Valentine poussa un petit cri de surprise joyeuse ; puis tout à coup :

— Hélas ! Maximilien, dit-elle tristement, maintenant nous serons trop libres ; nous abuserons de notre sécurité, et notre sécurité nous perdra.

— Pouvez-vous me dire cela, mon amie, à moi qui, depuis que je vous connais, vous prouve chaque jour que j'ai subordonné mes pensées et ma vie à votre vie et à vos pensées ? Vous ai-je, par un mot, par un signe, donné l'occasion de vous repentir de m'avoir distingué au milieu de ceux qui eussent été heureux de mourir pour vous ? Vous m'avez dit, pauvre enfant, que vous étiez fiancée à M. d'Épinay ; que votre père avait décidé cette alliance, c'est-à-dire qu'elle était certaine ; car tout ce que veut M. de Villefort arrive infailliblement. Et cependant vous m'aimez, vous avez eu pitié de moi, Valentine, et vous me l'avez dit ; merci pour cette douce parole que je ne vous demande que de me répéter de temps en temps, et qui me fera tout oublier.

— Et voilà ce qui vous a enhardi, Maximilien, voilà ce qui me fait à la fois une vie bien douce et bien malheureuse, au point que je me demande souvent lequel vaut mieux pour moi, du chagrin que me causait autrefois la rigueur de ma belle-mère et sa préférence aveugle pour son enfant, ou du bonheur plein de danger que je goûte en vous voyant.

— Du danger ! s'écria Maximilien ; pouvez-vous dire un mot si dur et si injuste ! Avez-vous jamais vu un esclave plus soumis que moi ?

— Non, dit-elle, mais ne voyez-vous pas que je suis une pauvre créature, abandonnée dans une maison presque étrangère, mon père m'abandonne avec indifférence et ma belle-mère me hait avec un acharnement d'autant plus terrible qu'il est voilé par un éternel sourire.

— Vous haïr ! vous, Valentine ! et comment peut-on vous haïr ?

— Hélas ! mon ami, dit Valentine, je suis forcée d'avouer que cette haine pour moi vient d'un sentiment presque naturel : elle adore son fils, mon frère Édouard. Comme elle n'a pas de fortune de son côté, que moi je suis déjà riche du chef de ma mère, et que cette fortune sera encore plus que doublée par celle de M. et de Mme de Saint-Méran qui doit me revenir un jour, eh bien, je crois qu'elle est envieuse ! Ô mon Dieu ! si je pouvais lui donner la moitié de cette fortune et me retrouver chez M. de Ville-fort comme une fille dans la maison de son père, certes je le ferais à l'instant même. Oh ! Maximilien ! je vous le jure, je ne lutte pas, parce que c'est vous autant que moi que je crains de briser dans cette lutte.

— Mais enfin, Valentine, reprit Maximilien, pourquoi désespérer ainsi et voir l'avenir toujours sombre ?

— Chut ! s'écria tout à coup Valentine. Cachez-vous, sauvez-vous ; on vient !

Maximilien sauta sur une bêche et se mit à retourner impitoyablement la luzerne.

— Mademoiselle, mademoiselle, cria une voix derrière les arbres ; Mme de Villefort vous cherche partout et vous appelle ; il y a une visite au salon.

— Une visite ! dit Valentine tout agitée ; et qui nous fait cette visite ?

— Un grand seigneur, un prince, à ce qu'on dit, M. le comte de Monte-Cristo.

— J'y vais, dit tout haut Valentine.

27

Toxicologie

C'était bien M. le comte de Monte-Cristo qui venait d'entrer chez Mme de Villefort, dans l'intention de rendre à M. le procureur du roi la visite qu'il lui avait faite, et à ce nom toute la maison, comme on le comprend bien, avait été mise en émoi.

Mme de Villefort, qui était seule au salon lorsqu'on annonça le comte, fit aussitôt venir son fils. Après les premières politesses d'usage, le comte s'informa de M. de Villefort.

— Mon mari dîne chez M. le chancelier, répondit la jeune femme ; il vient de partir à l'instant même, et il regrettera bien, j'en suis sûre, d'avoir été privé du bonheur de vous voir.

— À propos, que fait donc ta sœur Valentine ? dit Mme de Villefort à Édouard ; qu'on la prévienne, afin que j'aie l'honneur de la présenter à M. le comte.

— Vous avez une fille, madame ? demanda le comte ; mais ce doit être une enfant ?

— C'est la fille de M. de Villefort, répliqua la jeune femme ; une fille d'un premier mariage, une grande et belle personne.

Mme de Villefort étendait la main pour sonner lorsque Valentine entra.

— Mlle de Villefort, ma belle-fille, dit Mme de Villefort à Monte-Cristo, en se penchant sur son sofa et en montrant de la main Valentine.

— Et M. le comte de Monte-Cristo, roi de la Chine, empereur de la Cochinchine, dit le jeune drôle en lançant un regard sournois à sa sœur.

Pour cette fois, Mme de Villefort pâlit, et faillit s'irriter contre ce fléau domestique qui répondait au nom d'Édouard ; mais tout au contraire le comte sourit et parut regarder l'enfant avec complaisance.

— Mais, madame, reprit le comte en renouant la conversation et en regardant tour à tour Mme de Villefort et Valentine, est-ce que je n'ai pas déjà eu l'honneur de vous voir quelque part, vous et mademoiselle ?

— M. le comte nous a vues peut-être en Italie, dit timidement Valentine.

— En effet, en Italie... c'est possible, dit Monte-Cristo. Vous avez voyagé en Italie, mademoiselle ?

— Madame et moi, nous y allâmes il y a deux ans. Les médecins craignaient pour ma poitrine et m'avaient recommandé l'air de Naples. Nous passâmes par Bologne, par Pérouse et par Rome.

— Ah ! c'est vrai, mademoiselle, s'écria Monte-Cristo, comme si cette simple indication suffisait à fixer tous ses souvenirs. C'est à Pérouse, le jour de la Fête-Dieu, dans le jardin de l'hôtellerie de la Poste, où le hasard nous a réunis, vous, mademoiselle, votre fils et moi, que je me rappelle avoir eu l'honneur de vous voir.

— Je me rappelle parfaitement Pérouse, monsieur, et l'hôtellerie de la Poste, et la fête dont vous me parlez, dit Mme de Villefort ; mais j'ai beau interroger mes souvenirs, et j'ai honte de mon peu de mémoire, je ne me souviens pas d'avoir eu l'honneur de vous voir.

— Je vais vous aider, madame, reprit le comte. Ne vous souvient-il plus, pendant que vous étiez assise sur un banc de pierre et que Mlle de Villefort et M. votre fils étaient absents, d'avoir causé assez longtemps avec quelqu'un ?

— Oui, vraiment, oui, dit la jeune femme en rougissant, je m'en souviens, avec un homme enveloppé d'un long manteau de laine... avec un médecin, je crois.

— Justement, madame ; cet homme, c'était moi ; depuis quinze jours j'habitais dans cette hôtellerie, j'avais guéri mon valet de chambre de la fièvre et mon hôte de la jaunisse, de sorte que l'on me regardait comme un grand docteur.

— Mais cependant, monsieur, vous étiez bien réellement médecin, dit Mme de Villefort, puisque vous avez guéri des malades.

— Molière ou Beaumarchais vous répondraient, madame, que c'est justement parce que je ne l'étais pas que j'ai non point guéri mes malades, mais que mes malades ont guéri ; moi, je me contenterai de vous dire que j'ai étudié assez à fond la chimie et les sciences naturelles, mais en amateur seulement... vous comprenez.

En ce moment six heures sonnèrent.

— Voilà six heures, dit Mme de Villefort visiblement agitée ; n'allez-vous pas voir, Valentine, si votre grand-père est prêt à dîner ?

Valentine se leva, et, saluant le comte, elle sortit de la chambre sans prononcer un seul mot.

— Oh mon Dieu ! madame, serait-ce donc à cause de moi que vous congédiez Mlle de Villefort ? dit le comte lorsque Valentine fut partie.

— Pas le moins du monde, reprit vivement la jeune femme ; mais c'est l'heure à laquelle nous faisons faire à M. Noirtier le triste repas qui soutient sa triste existence : vous savez, monsieur, dans quel état déplorable est le père de mon mari ?

— Oui, madame, M. de Villefort m'en a parlé : une paralysie, je crois.

— Hélas ! oui, il y a chez le pauvre vieillard absence complète du mouvement : l'âme seule veille dans cette machine humaine, et encore pâle et tremblante, et comme une lampe prête à s'éteindre. Mais pardon, monsieur, de vous entretenir de nos infortunes domestiques, je vous ai interrompu au moment où vous me disiez que vous étiez un habile chimiste.

— Oh ! je ne disais pas cela, madame, répondit le comte avec un sourire ; bien au contraire, j'ai étudié la chimie parce que, décidé à vivre particulièrement en Orient, j'ai voulu suivre l'exemple du roi Mithridate.

— *Mithridates, rex Ponticus*, dit l'étourdi en découpant des silhouettes dans un magnifique album.

— Édouard ! méchant enfant ! s'écria Mme de Villefort en arrachant le livre mutilé des mains de son fils, vous êtes insupportable, vous nous étourdissez. Laissez-nous, et allez rejoindre votre sœur Valentine chez bon papa Noirtier.

— L'album !... dit Édouard.

— Tenez, et laissez-nous tranquilles, dit Mme de Villefort ; et elle donna l'album à Édouard, qui partit accompagné de sa mère.

Le comte suivit des yeux Mme de Villefort.

« Voyons si elle fermera la porte derrière lui. »

Mme de Villefort ferma la porte avec le plus grand soin derrière l'enfant ; le comte ne parut pas s'en apercevoir.

Puis, en jetant un dernier regard autour d'elle, la jeune femme revint s'asseoir sur sa causeuse.

— Permettez-moi de vous faire observer, madame, que vous êtes bien sévère pour ce charmant espiègle.

— Il le faut bien, monsieur, répliqua Mme de Villefort avec un véritable aplomb de mère. Mais à propos de ce qu'il disait, est-ce que vous croyez, par exemple, monsieur le comte, que Mithridate usât de ces précautions, et que ces précautions pussent être efficaces ?

— J'y crois si bien, madame, que, moi qui vous parle, j'en ai usé pour n'être pas empoisonné à Naples, à Palerme et à Smyrne, c'est-à-dire dans trois occasions où, sans cette précaution, j'aurais pu laisser ma vie.

— Et le moyen vous a réussi ?

— Parfaitement.

— Et comment vous êtes-vous habitué ?

— C'est bien facile. Supposez que vous sachiez d'avance de quel poison on doit user contre vous... supposez que ce poison soit de la... brucine, par exemple, et que vous en preniez un milligramme le premier jour, deux milligrammes le second, eh bien ! au bout de dix jours vous aurez un centigramme ; au bout de vingt jours, en augmentant d'un autre milligramme, vous aurez trois centigrammes, c'est-à-dire une dose que vous supporterez sans inconvénient, et qui serait fort dangereuse pour une autre personne qui n'aurait pas pris les mêmes précautions que vous. Enfin, au bout d'un mois, en buvant de l'eau dans la même carafe, vous tuerez la personne qui aura bu cette eau en même temps que vous, sans vous apercevoir autrement que par un simple malaise qu'il y ait eu une substance vénéneuse quelconque mêlée à cette eau.

— Vous ne connaissez pas d'autre contrepoison ?

— Je n'en connais pas.

Mme de Villefort paraissait rêveuse.

— C'est bien heureux, dit-elle, que de pareilles substances ne puissent être préparées que par des chimistes, car, en vérité, la moitié du monde empoisonnerait l'autre.

— Par des chimistes ou des personnes qui s'occupent de chimie, répondit négligemment Monte-Cristo.

Six heures et demie venaient de sonner, on annonça une amie de Mme de Villefort qui venait dîner avec elle.

— Si j'avais l'honneur de vous voir pour la troisième ou la quatrième fois, monsieur le comte, au lieu de vous voir pour la seconde, dit Mme de Villefort ; si j'avais l'honneur d'être votre amie, au lieu d'avoir tout bonnement le bonheur d'être votre obligée, j'insisterais pour vous retenir à dîner, et je ne me laisserais pas battre par un premier refus.

— Mille grâces, madame, répondit Monte-Cristo, j'ai moi-même un engagement auquel je ne puis manquer. J'ai promis de conduire au spectacle une princesse grecque de mes amies, qui n'a pas encore vu le grand Opéra, et qui compte sur moi pour l'y mener.

Monte-Cristo salua et sortit.

« Allons, voilà une bonne terre ; je suis convaincu que le grain qu'on y laisse tomber n'y avorte pas. »

28

La hausse et la baisse

Quelques jours après, Albert de Morcerf vint faire visite au comte de Monte-Cristo dans sa maison des Champs-Élysées, qui avait déjà pris cette allure de palais que le comte, grâce à son immense fortune, donnait à ses habitations même les plus passagères.

Albert était accompagné de Lucien Debray. Il lui sembla que Lucien venait le voir mû par un double sentiment de curiosité, et que la moitié de ce sentiment émanait de la rue de la Chaussée-d'Antin. Mais le comte ne parut pas soupçonner la moindre corrélation entre la visite de Lucien et la curiosité de la baronne.

— Vous êtes en rapports presque continuels avec le baron Danglars ? demanda-t-il à Albert de Morcerf.

— Mais oui, monsieur le comte ; vous savez ce que je vous ai dit ?

— Cela tient donc toujours ?

— Plus que jamais, dit Lucien, c'est une affaire arrangée.

— Oui, en effet, dit Monte-Cristo, je crois que, pendant la visite que je lui ai faite, M. Danglars m'a parlé de cela ; et, continua-t-il en jetant un coup d'œil de côté sur Lucien qui feuilletait un album... et est-elle jolie, Mlle Eugénie ? car je crois me rappeler que c'est Eugénie qu'elle s'appelle.

— Fort jolie, ou plutôt fort belle, répondit Albert, mais d'une beauté que je n'apprécie pas, je suis un indigne !

— Savez-vous, dit Monte-Cristo en baissant la voix, que vous ne me paraissez pas enthousiaste de ce mariage ?

— Oh ! mon Dieu ! dit Morcerf, cette répugnance, si répugnance il y a, ne vient pas toute de mon côté.

— Mais de quel côté donc ? car vous m'avez dit que votre père désirait ce mariage.

— Du côté de ma mère, et ma mère est un œil prudent et sûr. Eh bien ! elle ne sourit pas à cette union, elle a je ne sais quelle prévention contre les Danglars. Oh ! pour ne pas faire de peine à mon excellente mère, je me brouillerais avec le comte, je crois.

Monte-Cristo se détourna ; il semblait ému.

— Hé ! dit-il à Debray assis dans un fauteuil profond à l'extrémité du salon, et qui tenait de la main droite un crayon et de la gauche un carnet, que faites-vous donc ? un croquis d'après Le Poussin ?

— Moi, dit-il tranquillement, oh ! bien oui ! un croquis, j'aime trop la peinture pour cela ! Non pas, je fais tout l'opposé de la peinture, je fais des chiffres.

— Des chiffres ?

— Oui, je calcule, cela vous regarde indirectement, vicomte ; je calcule ce que la maison Danglars a gagné sur la dernière hausse d'Haïti : de deux cent six le fonds est monté à quatre cent neuf en trois jours, et le prudent banquier avait acheté beaucoup à deux cent six. Il a dû gagner trois cent mille livres. S'il eût attendu aujourd'hui, le fonds retombait à deux cent cinq, et au lieu de gagner trois cent mille francs, il en perdait vingt ou vingt-cinq mille.

— Et pourquoi le fonds est-il retombé de quatre cent neuf à deux cent six ? demanda Monte-Cristo. Je vous demande pardon, je suis fort ignorant de toutes ces intrigues de Bourse.

— Parce que, répondit en riant Albert, les nouvelles se suivent et ne se ressemblent pas.

— Ah ! diable, fit le comte, M. Danglars joue à gagner ou à perdre trois cent mille francs en un jour ! Ah çà, mais il est donc énormément riche ?

— Ce n'est pas lui qui joue, s'écria vivement Lucien, c'est Mme Danglars ; elle est véritablement intrépide.

— Mais vous qui êtes raisonnable, Lucien, et qui connaissez le peu de stabilité des nouvelles, puisque vous êtes à la source, vous devriez l'empêcher, dit Morcerf avec un sourire.

— Comment le pourrais-je, si son mari n'y réussit pas ? demanda Lucien. Vous connaissez le caractère de la baronne ; personne n'a d'influence sur elle, et elle ne fait absolument que ce qu'elle veut.

Monte-Cristo, quoique indifférent en apparence, n'avait pas perdu un mot de cet entretien.

Lucien abrégea sa visite. Le comte lui dit en le reconduisant quelques mots à voix basse auxquels il répondit :

— Bien volontiers, monsieur le comte, j'accepte.

Le comte revint au jeune de Morcerf.

— Vraiment, la comtesse est à ce point contraire à ce mariage ?

— À ce point que la baronne vient rarement à la maison, et que ma mère, je crois, n'a pas été deux fois dans sa vie chez Mme Danglars.

— Alors, dit le comte, me voilà enhardi à vous parler à cœur ouvert : M. Danglars est mon banquier, M. de Villefort m'a comblé de politesses en remerciements du service qu'un heureux hasard m'a mis à même de lui rendre. Je devine sous tout cela une avalanche de dîners et de raouts. Or, pour avoir le mérite de prendre les devants, j'ai projeté de réunir dans ma maison de campagne d'Auteuil M. et Mme Danglars, M. et Mme de Villefort. Si je vous invite à ce dîner, ainsi que M. le comte et Mme la comtesse de Morcerf, cela n'aura-t-il pas l'air d'une espèce de rendez-vous matrimonial ? Alors votre mère me prendra en horreur, et je ne veux aucunement de cela, moi.

— Ma foi, comte, dit Morcerf, je vous remercie d'y mettre avec moi cette franchise, et j'accepte l'exclusion que vous me proposez. Je ferai mieux que cela ; ma mère veut aller respirer l'air de la mer. À quel jour est fixé votre dîner ?

— À samedi.

— Nous sommes à mardi, bien ; demain soir nous partons, après-demain matin nous serons au Tréport. Savez-vous, monsieur le comte, que vous êtes un homme charmant de mettre ainsi les gens à leur aise ?

— Moi ! en vérité vous me tenez pour plus que je ne vaux ; je désire vous être agréable, voilà tout.

— Eh bien ! voilà qui est conclu ; mais vous, venez dîner avec moi ; nous serons en petit comité, vous, ma mère et moi seulement..

— Mille grâces, dit le comte, l'invitation est des plus gracieuses, et je regrette vivement de ne pouvoir l'accepter.

— Hum ! fit Morcerf, voilà déjà deux fois que vous refusez de dîner avec ma mère. C'est un parti pris, comte.

Monte-Cristo tressaillit.

— Oh ! vous ne le croyez pas, dit-il ; d'ailleurs voici ma preuve qui vient.

Baptistin entra et se tint sur la porte debout et attendant.

— Baptistin, que vous ai-je dit ce matin quand je vous ai appelé dans mon cabinet de travail ?

— De faire fermer la porte de M. le comte une fois cinq heures sonnées, répondit le valet.

— Ensuite ?

— Ensuite, de ne recevoir que M. le major Bartolomeo Cavalcanti et son fils.

— Vous entendez : M. le major Bartolomeo Cavalcanti, un homme de la plus vieille noblesse d'Italie ; et son fils, un charmant jeune homme de votre âge, à peu près, vicomte, portant le même titre que vous, et qui fait son entrée dans le monde parisien avec les millions de son père. Le major m'amène ce soir son fils Andrea, le *contino*, comme nous disons en Italie. Il me le confie. Je le pousserai, s'il a quelque mérite. Vous m'aiderez, n'est-ce pas ?

— Sans doute ! dit Albert. Faites bien mes compliments au seigneur Cavalcanti ; et si par hasard il tenait à établir son fils, trouvez-lui une femme bien riche, bien noble du chef de sa mère du moins, et bien baronne du chef de son père.

— Oh ! oh ! répondit Monte-Cristo, vous en êtes là ?

— Ah ! comte, s'écria Morcerf, quel service vous me rendriez, et comme je vous aimerais cent fois davantage encore si, grâce à vous, je restais garçon, ne fût-ce que dix ans.

— Tout est possible, répondit gravement Monte-Cristo.

Et, prenant congé d'Albert, il rentra chez lui et frappa trois fois sur son timbre.

Bertuccio parut.

— Monsieur Bertuccio, dit-il, vous saurez que je reçois samedi dans ma maison d'Auteuil.

Bertuccio eut un léger frisson.

— Bien, monsieur, dit-il.

— J'ai besoin de vous, continua le comte, pour que tout soit préparé convenablement. Cette maison est fort belle, ou du moins peut être fort belle.

— Il faudrait tout changer pour en arriver là, monsieur le comte, car les tentures ont vieilli.

— Changez donc tout, à l'exception d'une seule, celle de la chambre à coucher de damas rouge ; vous la laisserez même absolument telle qu'elle est. Vous ne toucherez pas au jardin non plus.

Bertuccio s'inclina et sortit.

29

Le major Cavalcanti

Ni le comte ni Baptistin n'avaient menti en annonçant à Morcerf cette visite du major lucquois. Sept heures venaient de sonner, et M. Bertuccio, selon l'ordre qu'il en avait reçu, était parti depuis deux heures pour Auteuil, lorsqu'un fiacre s'arrêta à la porte de l'hôtel.

On introduisit l'étranger dans le salon le plus simple. Le comte l'y attendait et alla au-devant de lui d'un air riant.

— Ah ! cher monsieur, dit-il, soyez le bienvenu, je vous attendais. Vous m'êtes adressé par cet excellent abbé Busoni ?

— C'est cela, s'écria le major joyeux.

— Et vous avez une lettre ?

— La voilà.

— Eh pardieu ! vous voyez bien. Donnez donc !

— C'est bien cela... ce cher abbé... *Le major Cavalcanti, un digne patricien de Lucques, descendant des Cavalcanti de Florence, jouissant d'une fortune d'un demi-million de revenu. Et auquel il ne manquait qu'une chose pour être heureux.*

— Oh, mon Dieu ! oui, une seule ! dit le Lucquois avec un soupir.

— *De retrouver un fils adoré.*

— Un fils adoré ?

— *Enlevé dans sa jeunesse, soit par un ennemi de sa noble famille, soit par des Bohémiens.*

— À l'âge de cinq ans, monsieur ! dit le Lucquois avec un profond soupir et en levant les yeux au ciel.

— Pauvre père ! dit Monte-Cristo.

Le comte continua :

— *Je lui rends l'espoir, je lui rends la vie, monsieur le comte, en lui annonçant que, ce fils que depuis quinze ans il cherche vainement, vous pouvez le lui faire retrouver.*

Le Lucquois regarda Monte-Cristo, avec une indéfinissable expression d'inquiétude.

— Je le puis, répondit Monte-Cristo.

Le major se redressa.

— Ah ! ah ! dit-il, la lettre était donc vraie jusqu'au bout ?

— En aviez-vous douté, cher monsieur Bartolomeo ? Mais asseyez-vous donc ; en vérité, je ne sais ce que je fais... je vous tiens debout depuis un quart d'heure.

— Ne faites pas attention.

Le major tira un fauteuil et s'assit.

— Mon cher monsieur, dit Monte-Cristo, je comprends votre émotion, il faut vous donner le temps de vous remettre ; je veux aussi préparer le jeune homme à cette entrevue tant désirée, car je présume qu'il n'est pas moins impatient que vous.

— Je le crois, dit Cavalcanti.

— Eh bien ! dans un petit quart d'heure, nous sommes à vous.

Et faisant un charmant salut au Lucquois ravi, Monte-Cristo disparut derrière la tapisserie.

Le comte de Monte-Cristo entra dans le salon voisin, que Baptistin avait désigné sous le nom de salon Bleu, et où venait de le précéder un jeune homme de tournure dégagée, assez élégamment vêtu, et qu'un cabriolet de place avait, une demi-heure auparavant, jeté à la porte de l'hôtel.

Quand le comte entra dans le salon, le jeune homme était négligemment étendu sur un sofa, fouettant avec distraction sa botte d'un petit jonc à pomme d'or.

En apercevant Monte-Cristo, il se leva vivement.

— Monsieur est le comte de Monte-Cristo ? dit-il.

— Oui, monsieur, répondit celui-ci, et j'ai l'honneur de parler, je crois, à monsieur le comte Andrea Cavalcanti ?

— Le comte Andrea Cavalcanti, répéta le jeune homme en accompagnant ces mots d'un salut plein de désinvolture.

— Si ce que vous me faites l'honneur de me dire est vrai, répliqua en souriant le comte, j'espère que vous serez assez bon pour me donner quelques détails sur vous et votre famille.

— Volontiers, monsieur le comte, répondit le jeune homme avec une volubilité qui prouvait la solidité de sa mémoire. Je suis, comme vous l'avez dit, le comte Andrea Cavalcanti, fils du major Bartolomeo Cavalcanti. J'ai été, à l'âge de cinq ou six ans, enlevé par un gouverneur infidèle, de sorte que depuis quinze ans je n'ai point revu l'auteur de mes jours. Depuis que je suis libre et maître de moi, je le cherche, mais inutilement. Enfin cette lettre de votre ami Sindbad m'annonce qu'il est à Paris, et m'autorise à m'adresser à vous pour en obtenir des nouvelles.

— En vérité, monsieur, tout ce que vous me racontez là est fort intéressant, dit le comte regardant avec une sombre satisfaction cette mine dégagée, empreinte d'une beauté pareille à celle du mauvais ange, et vous avez fort bien fait de vous conformer en toutes choses à l'invitation de mon ami Sindbad, car votre père est en effet ici et vous cherche.

— Ah ! oui, c'est vrai, le major Bartolomeo Cavalcanti. Et vous dites, monsieur le comte, qu'il est ici, ce cher père ?

— Oui, monsieur. J'ajouterai même que je le quitte à l'instant ; que l'histoire qu'il m'a contée de ce fils chéri, perdu autrefois, m'a fort touché ; en vérité, ses douleurs, ses craintes, ses espérances à ce sujet composeraient un poème attendrissant. En somme, c'est un père fort suffisant, je vous assure.

— Ah ! vous me rassurez, monsieur ; je l'avais quitté depuis si longtemps, que je n'avais de lui aucun souvenir.

— Et puis, vous savez, une grande fortune fait passer sur bien des choses.

— Mon père est donc réellement riche, monsieur ?

— Millionnaire... cinq cent mille livres de rente.

— Alors, demanda le jeune homme avec anxiété, je vais me trouver dans une position... agréable ?

— Des plus agréables, mon cher monsieur ; il vous fait cinquante mille livres de rente par an pendant tout le temps que vous resterez à Paris.

— Mais j'y resterai toujours, en ce cas.

— Heu ! qui peut répondre des circonstances, mon cher monsieur ? l'homme propose et Dieu dispose.

Andrea poussa un soupir.

— Et mon père compte rester longtemps à Paris ? demanda Andrea avec inquiétude.

— Quelques jours seulement, répondit Monte-Cristo. Son service ne lui permet pas de s'absenter plus de deux ou trois semaines.

— Oh ! ce cher père ! dit Andrea visiblement enchanté de ce prompt départ.

— Aussi, dit Monte-Cristo, faisant semblant de se tromper à l'accent de ses paroles, aussi, je ne veux pas retarder d'un instant l'heure de votre réunion. Êtes-vous préparé à embrasser ce digne M. Cavalcanti ?

— Vous n'en doutez pas, je l'espère ?

— Eh bien ! entrez donc dans le salon, mon jeune ami, et vous trouverez votre père qui vous attend.

Andrea fit un profond salut au comte et entra dans le salon.

Le comte le suivit des yeux, et, l'ayant vu disparaître, poussa un ressort correspondant à un tableau, lequel, en s'écartant du cadre, laissait, par un interstice habilement ménagé, pénétrer la vue dans le salon.

Andrea referma la porte derrière lui et s'avança vers le major, qui se leva dès qu'il entendit le bruit des pas qui s'approchaient.

— Ah ! monsieur et cher père, dit Andrea à haute voix et de manière à ce que le comte l'entendît à travers la porte fermée, est-ce bien vous ?

— Bonjour, mon cher fils, dit gravement le major.

— Après tant d'années de séparation, dit Andrea en continuant de regarder du côté de la porte, quel bonheur de nous revoir !

— En effet, la séparation a été longue.

— Ne nous embrassons-nous pas, monsieur ? reprit Andrea.

— Comme vous voudrez, mon fils, dit le major.

Et les deux hommes s'embrassèrent comme on s'embrasse au Théâtre-Français, c'est-à-dire en se passant la tête par-dessus l'épaule.

— Ainsi donc nous voici réunis ! dit Andrea.

— Nous voici réunis, reprit le major.

— Pour ne plus nous séparer ?

— Si fait ; je crois, mon cher fils, que vous regardez maintenant la France comme une seconde patrie ?

— Le fait est, dit le jeune homme, que je serais désespéré de quitter Paris.

— Et moi, vous comprenez que je ne saurais vivre hors de Lucques. Je retournerai donc en Italie aussitôt que je pourrai.

— Mais avant de partir, très cher père, vous me remettrez sans doute les papiers à l'aide desquels il me sera facile de constater le sang dont je sors ?

— Les voici.

Andrea saisit avidement l'acte de mariage de son père, son certificat de baptême à lui, et, après avoir ouvert le tout avec une avidité bien naturelle à un bon fils, il parcourut les deux pièces avec une rapidité et une habitude qui dénotaient le coup d'œil le plus exercé en même temps que l'intérêt le plus vif.

Lorsqu'il eut fini, une indéfinissable expression de joie brilla sur son front, et regardant le major avec un étrange sourire :

— Ah çà ! dit-il en excellent toscan, il n'y a donc pas de galère en Italie... ?

Le major se redressa.

— Et pourquoi cela ? dit-il.

— Qu'on y fabrique impunément de pareilles pièces. Pour la moitié de cela, mon très cher père, en France on vous enverrait prendre l'air à Toulon pour cinq ans.

— Plaît-il ? dit le Lucquois en essayant de conquérir un air majestueux.

— Mon cher monsieur Cavalcanti, dit Andrea en pressant le bras du major, combien vous donne-t-on pour être mon père ?

Le major voulut parler.

— Chut ! dit Andrea en baissant la voix, je vais vous donner l'exemple de la confiance : on me donne cinquante mille francs par an pour être votre fils, par conséquent vous

189

comprenez que ce n'est pas moi qui serai jamais disposé à nier que vous soyez mon père.

Le major regarda avec inquiétude autour de lui.

— Hé ! soyez tranquille, nous sommes seuls, dit Andrea ; d'ailleurs nous parlons italien.

— Eh bien ! à moi, dit le Lucquois, on me donne cinquante mille francs une fois payés.

Le major tira de son gousset une poignée d'or.

— Palpables, comme vous voyez.

— Y comprenez-vous quelque chose ?

— Ma foi, non.

— Il y a une dupe dans tout cela.

— En tout cas, ce n'est ni vous ni moi ?

— Non, certainement.

— Eh bien ! alors...

— Peu nous importe, n'est-ce pas ?

— Justement, c'est que je voulais dire : allons jusqu'au bout et jouons serré.

— Soit, vous verrez que je suis digne de faire votre partie.

Monte-Cristo choisit ce moment pour rentrer dans le salon.

— Eh bien ! monsieur le marquis, dit Monte-Cristo, il paraît que vous avez retrouvé un fils selon votre cœur ?

— Ah ! monsieur le comte, je suffoque de joie.

— Et vous, jeune homme ?

— Ah ! monsieur le comte, j'étouffe de bonheur.

— Heureux père ! heureux enfant ! dit le comte.

— Une seule chose m'attriste, dit le major : c'est la nécessité où je suis de quitter Paris si vite.

— Oh ! cher monsieur Cavalcanti, dit Monte-Cristo, vous ne partirez pas, je l'espère, que je ne vous aie présenté à quelques amis.

— Je suis aux ordres de monsieur le comte, dit le major.

— C'est bien, dit Monte-Cristo, maintenant, allez.

— Et quand aurons-nous l'honneur de revoir monsieur le comte ? demanda Cavalcanti.

— Samedi, si vous voulez... oui... tenez... samedi. J'ai à dîner à ma maison d'Auteuil, rue de la Fontaine, n° 28, plusieurs personnes, et entre autres M. Danglars, votre banquier ; je vous présenterai à lui, il faut bien qu'il vous connaisse tous deux pour vous compter votre argent.

— À quelle heure pourrons-nous nous présenter ? demanda le jeune homme.

— Mais vers six heures et demie.

— C'est bien, on y sera, dit le major en portant la main à son chapeau.

Les deux Cavalcanti saluèrent le comte et sortirent.

30

Les fantômes

À la première vue, et examinée du dehors, la maison d'Auteuil n'avait rien de splendide, rien de ce qu'on pouvait attendre d'une habitation destinée au magnifique comte de Monte-Cristo ; mais cette simplicité tenait à la volonté du maître, qui avait positivement ordonné que rien ne fût changé à l'extérieur ; il n'était besoin pour s'en convaincre que de considérer l'intérieur. En effet, à peine la porte était-elle ouverte que le spectacle changeait. M. Bertuccio s'était surpassé lui-même pour le goût des ameublements et la rapidité de l'exécution.

À cinq heures précises le comte arriva, suivi d'Ali, devant la maison d'Auteuil. Bertuccio attendait cette arrivée avec une impatience mêlée d'inquiétude ; il espérait quelques compliments, tout en redoutant un froncement de sourcils.

Monte-Cristo descendit dans la cour, parcourut toute la maison, et fit le tour du jardin, silencieux et sans donner le moindre signe d'approbation ni de mécontentement.

À six heures précises on entendit piétiner un cheval devant la porte d'entrée. C'était notre capitaine de spahis, qui arrivait sur *Médéah*, son nouveau cheval, acheté grâce à la générosité du comte.

Monte-Cristo attendait Maximilien sur le perron, le sourire aux lèvres.

— Me voilà le premier, j'en suis bien sûr, lui cria Morrel ; je l'ai fait exprès pour vous avoir un instant à moi seul avant tout le monde. Ah ! mais savez-vous que c'est magnifique ici ? Dites-moi, comte, est-ce que vos gens auront bien soin de mon cheval ?

— Soyez tranquille, mon cher Maximilien, ils s'y connaissent.

— C'est qu'il a besoin d'être bouchonné. Si vous saviez de quel train il a été ? Une véritable trombe. M. de Château-Renaud et M. Debray courent après moi en ce moment, et encore sont-ils talonnés par les chevaux de la baronne Danglars, qui vont d'un trot à faire tout bonnement leurs six lieues à l'heure.

— Alors, ils vous suivent ? demanda Monte-Cristo.

— Tenez, les voilà.

En effet, au moment même, un coupé à l'attelage tout fumant et deux chevaux de selle hors d'haleine arrivèrent devant la grille de la maison, qui s'ouvrit devant eux. Aussitôt le coupé décrivit son cercle et vint s'arrêter au perron, suivi de deux cavaliers.

En un instant Debray eut mis pied à terre et se trouva à la portière. Il offrit sa main à la baronne.

Derrière sa femme descendit le banquier, pâle comme s'il fût sorti du sépulcre au lieu de sortir de son coupé.

Mme Danglars jeta autour d'elle un regard rapide et investigateur que Monte-Cristo seul put comprendre, et dans lequel elle embrassa la cour, le péristyle, la façade de la maison ; puis, réprimant une légère émotion qui se fût certes traduite sur son visage s'il eût été permis à son visage de pâlir, elle monta le perron tout en disant à Morrel :

— Monsieur, si vous étiez de mes amis, je vous demanderais si votre cheval est à vendre.

Morrel fit un sourire qui ressemblait fort à une grimace, et se retourna vers Monte-Cristo, comme pour le prier de le tirer de l'embarras où il se trouvait.

Le comte le comprit.

— Malheureusement, je suis témoin que M. Morrel ne peut céder son cheval, son honneur étant engagé à ce qu'il le garde.

— Comment cela ?

— Il a parié de dompter *Médéah* dans l'espace de six mois.

— Vous voyez, madame..., dit Morrel tout en adressant à Monte-Cristo un sourire reconnaissant.

— Il me semble d'ailleurs, dit Danglars avec un ton bourru mal déguisé par un sourire épais, que vous en avez assez comme cela, de chevaux.

Ce n'était point l'habitude de Mme Danglars de laisser passer de pareilles attaques sans y riposter, et cependant, au grand étonnement des jeunes gens, elle fit semblant de ne pas entendre et ne répondit rien.

— M. le major Bartolomeo Cavalcanti ; M. le comte Andrea Cavalcanti, annonça Baptistin.

— Qu'est-ce que ces messieurs ? demanda Danglars au comte de Monte-Cristo.

— Vous avez entendu, des Cavalcanti.

— Cela m'apprend leur nom, et voilà tout.

— Ah ! c'est vrai, vous n'êtes pas au courant de nos noblesses d'Italie : qui dit Cavalcanti, dit races de princes.

— Belle fortune ? demanda le banquier.

— Fabuleuse.

— Que font-ils ?

— Ils essayent de la manger sans pouvoir en venir à bout. Ils ont d'ailleurs des crédits sur vous, à ce qu'ils m'ont dit en me venant voir avant-hier. Je les ai même invités à votre intention. Je vous les présenterai. Le fils a été élevé dans un collège du Midi, à Marseille ou dans les environs, je crois. Vous le trouverez dans l'enthousiasme.

— De quoi ? demanda la baronne.

— Des Françaises, madame. Il veut absolument prendre femme à Paris.

— Une belle idée qu'il a là ! dit Danglars en haussant les épaules.

Mme Danglars regarda son mari avec une expression qui, dans tout autre moment, eût présagé un orage ; mais pour la seconde fois elle se tut.

— Le baron paraît bien sombre aujourd'hui, dit Monte-Cristo à Mme Danglars ; est-ce qu'on voudrait le faire ministre, par hasard ?

— Non, pas encore, que je sache. Je crois plutôt qu'il aura joué à la Bourse, qu'il aura perdu, et qu'il ne sait à qui s'en prendre.

— M. et Mme de Villefort ! cria Baptistin.

Les deux personnes annoncées entrèrent ; M. de Villefort, malgré sa puissance sur lui-même, était visiblement ému. En touchant sa main, Monte-Cristo sentit qu'elle tremblait.

« Décidément il n'y a que les femmes pour savoir dissimuler », se dit Monte-Cristo à lui-même et en regardant Mme Danglars qui souriait au procureur du roi et qui embrassait sa femme.

Après les premiers compliments, le comte vit Bertuccio qui, occupé jusque-là du côté de l'office, se glissait dans un petit salon attenant à celui dans lequel on se trouvait.

Il alla à lui.

— Que voulez-vous, monsieur Bertuccio ? lui dit-il.

— Son Excellence ne m'a pas dit le nombre de ses convives.

— Ah ! c'est vrai.

— Combien de couverts ?

— Comptez vous-même.

— Tout le monde est-il arrivé, Excellence ?

— Oui.

Bertuccio glissa son regard à travers la porte entre-bâillée.

Monte-Cristo le couvait des yeux.

— Ah ! mon Dieu ! s'écria-t-il.

— Quoi donc ? demanda le comte.

— Cette femme !... cette femme !...

— Laquelle ?

— Celle qui a une robe blanche et tant de diamants !... la blonde !...

— Mme Danglars ?

— Je ne sais pas comment on la nomme, mais c'est elle, monsieur, c'est elle !

— Qui, elle ?

— La femme du jardin ! celle qui était enceinte ! celle qui se promenait en attendant !... en attendant !...

Bertuccio demeura la bouche ouverte, pâle et les cheveux hérissés.

— En attendant qui ?

Bertuccio, sans répondre, montra Villefort du doigt, à peu près du même geste dont Macbeth montra Banco.

— Oh !... oh !... murmura-t-il enfin, voyez-vous ?

— Quoi ? Qui !

— Lui !

— Lui !... M. le procureur du roi Villefort ? Sans doute, que je le vois.

— Mais je ne l'ai donc pas tué !

— Ah çà ! mais je crois que vous devenez fou, mon brave monsieur Bertuccio, dit le comte.

— Mais il n'est donc pas mort ?

— Eh non ! il n'est pas mort, vous le voyez bien : au lieu de le frapper entre la sixième et la septième côte gauche, comme c'est la coutume de vos compatriotes, vous aurez frappé plus haut ou plus bas ; et ces gens de justice, ça vous a l'âme chevillée dans le corps ; ou bien plutôt rien de ce que vous m'avez raconté n'est vrai, c'est un rêve de votre imagination, une hallucination de votre esprit. Voyons, rappelez votre calme et comptez : M. et Mme de Villefort, deux ; M. et Mme Danglars, quatre ; M. de Château-Renaud, M. Debray, M. Morrel, sept ; M. le major Bartolomeo, huit.

— Huit ! répéta Bertuccio.

— Attendez donc ! attendez donc ! vous êtes bien pressé de vous en aller. Que diable ! vous oubliez un de mes convives. Appuyez un peu à gauche, tenez... M. Andrea Cavalcanti, ce jeune homme en habit noir qui regarde la Vierge de Murillo, qui se retourne.

Cette fois, Bertuccio commença un cri que le regard de Monte-Cristo éteignit sur ses lèvres.

— Benedetto ! murmura-t-il tout bas, fatalité !

— Voilà six heures et demie qui sonnent, monsieur Bertuccio, dit sévèrement le comte ; c'est l'heure où j'ai donné l'ordre qu'on se mît à table : vous savez que je n'aime point attendre.

Et Monte-Cristo rentra dans la salle où l'attendaient ses convives, tandis que Bertuccio regagnait la salle à manger en s'appuyant contre les murailles.

Cinq minutes après, les deux portes du salon s'ouvrirent. Bertuccio parut, et faisant, comme Vatel à Chantilly, un dernier et héroïque effort :

— Monsieur le comte est servi, dit-il.

Monte-Cristo offrit le bras à Mme de Villefort.

— Monsieur de Villefort, dit-il, faites-vous le cavalier de Mme la baronne Danglars, je vous prie.

Villefort obéit, et l'on passa dans la salle à manger.

31

Le dîner

Mme Danglars avait fait un mouvement en voyant, sur l'invitation de Monte-Cristo, M. de Villefort s'approcher d'elle pour lui offrir le bras, et M. de Villefort avait senti son regard se troubler sous ses lunettes d'or en sentant le bras de la baronne se poser sur le sien.

Aucun de ces deux mouvements n'avait échappé au comte, et déjà, dans cette simple mise en contact des individus, il y avait pour l'observateur de cette scène un fort grand intérêt.

Le repas fut magnifique. Monte-Cristo avait pris à tâche de renverser complètement la symétrie parisienne et de donner plus encore à la curiosité qu'à l'appétit de ses convives l'aliment qu'elle désirait. Ce fut un festin oriental qui leur fut offert, mais oriental à la manière dont pouvaient l'être les festins des fées arabes.

Les deux Cavalcanti ouvraient des yeux énormes, mais ils avaient le bon esprit de ne pas dire un mot.

— Tout cela est fort aimable, dit Château-Renaud ; cependant ce que j'admire le plus, je l'avoue, c'est l'admirable promptitude avec laquelle vous êtes servi. N'est-il pas vrai, monsieur le comte, que vous n'avez acheté cette maison qu'il y a cinq ou six jours ?

— Ma foi, tout au plus, dit Monte-Cristo.

— Eh bien ! je suis sûr qu'en huit jours elle a subi une transformation complète ; car elle était fort vieille, la maison, et même fort triste. Je me rappelle avoir été chargé par ma mère de la visiter, quand M. de Saint-Méran l'a mise en vente il y a deux ou trois ans.

— M. de Saint-Méran ! dit Mme de Villefort ; mais cette maison appartenait donc à M. de Saint-Méran avant que vous ne l'achetiez, monsieur le comte ?

— Il paraît que oui, répondit Monte-Cristo.

— Comment, il paraît ! Vous ne savez pas à qui vous avez acheté cette maison ?

— Ma foi non, c'est mon intendant qui s'occupe de tous ces détails.

— Il est vrai qu'il y a au moins dix ans qu'elle n'avait été habitée, dit Château-Renaud, et c'était une grande tristesse que de la voir avec ses persiennes fermées, ses portes closes et ses herbes dans la cour. En vérité, si elle n'eût point appartenu au beau-père d'un procureur du roi, on eût pu la prendre pour une de ces maisons maudites où quelque grand crime a été commis.

Villefort, qui jusque-là n'avait point touché aux trois ou quatre verres de vins extraordinaires placés devant lui, en prit un au hasard et le vida d'un seul trait.

Monte-Cristo laissa s'écouler un instant ; puis, au milieu du silence qui avait suivi les paroles de Château-Renaud :

— C'est bizarre, dit-il, monsieur le baron, mais la même pensée m'est venue la première fois que j'y entrai ; et cette maison me parut si lugubre, que jamais je ne l'eusse achetée si mon intendant n'eût fait la chose pour moi.

Probablement que le drôle avait reçu quelque pourboire du tabellion.

— C'est probable, balbutia Villefort en essayant de sourire, mais croyez que je ne suis pour rien dans cette corruption. M. de Saint-Méran a voulu que cette maison, qui fait partie de la dot de sa petite-fille, fût vendue, parce qu'en restant trois ou quatre ans inhabitée encore, elle serait tombée en ruine.

— Il y avait surtout, continua Monte-Cristo, une chambre, ah ! mon Dieu ! bien simple en apparence, une chambre comme toutes les chambres, tendue de damas rouge, qui m'a paru, je ne sais pourquoi, dramatique au possible.

— Pourquoi cela ? demanda Debray, pourquoi dramatique ?

— Est-ce que l'on se rend compte des choses instinctives ? dit Monte-Cristo ; est-ce qu'il n'y a pas des endroits où il semble qu'on respire naturellement la tristesse ? pourquoi ? on n'en sait rien ; par un enchaînement de souvenirs, par un caprice de la pensée qui nous reporte à d'autres temps, à d'autres lieux, qui n'ont peut-être aucun rapport avec les temps et les lieux où nous nous trouvons. Hé ! ma foi, tenez, puisque nous avons fini de dîner, il faut que je vous la montre ; puis nous redescendrons prendre le café au jardin : après le dîner, le spectacle.

Monte-Cristo fit un signe pour interroger ses convives. Mme de Villefort se leva, Monte-Cristo en fit autant, tout le monde imita leur exemple.

Villefort et Mme Danglars demeurèrent un instant comme cloués à leur place ; ils s'interrogeaient des yeux, froids, muets et glacés.

— Avez-vous entendu ? dit Mme Danglars.

— Il faut y aller, répondit Villefort en se levant et lui offrant le bras.

Tout le monde était déjà épars dans la maison, poussé par la curiosité ; car on pensait que la visite ne se bornerait pas à cette chambre, et qu'en même temps on parcourrait le reste de cette masure dont Monte-Cristo avait fait un palais. Chacun s'élança donc par les portes ouvertes. Monte-Cristo attendit les deux retardataires ; puis, quand ils furent passés à leur tour, il ferma la marche avec un sourire qui, s'ils eussent pu le comprendre, eût épouvanté les convives bien autrement que cette chambre dans laquelle on allait entrer.

Elle n'avait rien de particulier, si ce n'est que, quoique le jour tombât, elle n'était point éclairée, et qu'elle était dans la vétusté, quand toutes les autres chambres avaient revêtu une parure neuve.

Ces deux causes suffisaient en effet pour lui donner une teinte lugubre.

— Hou ! s'écria Mme de Villefort, c'est effrayant, en effet.

— N'est-ce pas ? dit Monte-Cristo. Voyez donc comme ce lit est bizarrement placé, quelle sombre et sanglante tenture ; et ces deux portraits au pastel que l'humidité a fait pâlir, ne semblent-ils pas dire avec leurs lèvres blêmes et leurs yeux effarés : « J'ai vu ! »

Villefort devint livide ; Mme Danglars tomba sur une chaise longue placée près de la cheminée.

— Oh ! dit Mme de Villefort en souriant, avez-vous bien le courage de vous asseoir sur cette chaise où peut-être le crime a été commis ?

Mme Danglars se leva vivement.

— Et puis, dit Monte-Cristo, ce n'est pas tout.

— Qu'y a-t-il donc encore ? demanda Debray, à qui l'émotion de Mme Danglars n'échappait point.

— Ah ! oui, qu'y a-t-il encore ? demanda Danglars ; car jusqu'à présent j'avoue que je n'y vois pas grand-chose... Et vous, monsieur Cavalcanti ?

— Ah ! dit celui-ci, nous avons à Pise la tour d'Ugolin, à Ferrare la prison du Tasse, et à Rimini la chambre de Francesca et de Paolo.

— Oui, mais vous n'avez pas ce petit escalier, dit Monte-Cristo en ouvrant une porte perdue dans la tenture : regardez-le-moi et dites ce que vous en pensez.

— Quelle sinistre cambrure d'escalier ! dit Château-Renaud en riant.

— Vous figurez-vous, dit Monte-Cristo, un Othello ou un abbé de Ganges quelconque, descendant pas à pas, par une nuit sombre et orageuse, cet escalier avec quelque lugubre fardeau qu'il a hâte de dérober à la vue des hommes, sinon au regard de Dieu ?

Mme Danglars s'évanouit à moitié au bras de Villefort, qui fut lui-même obligé de s'adosser à la muraille.

— Ah ! mon Dieu ! madame, s'écria Debray, qu'avez-vous donc ? comme vous pâlissez !

— Ce qu'elle a, dit Mme de Villefort, c'est bien simple : elle a que M. de Monte-Cristo nous raconte des histoires épouvantables dans l'intention sans doute de nous faire mourir de peur.

— En vérité, madame, dit Monte-Cristo, est-ce que cette terreur est sérieuse ?

— Non, monsieur, dit Mme Danglars ; mais vous avez une façon de supposer les choses qui donne à l'illusion l'aspect de la réalité.

— Oh ! mon Dieu, oui, dit Monte-Cristo en souriant, tout cela est une affaire d'imagination ; car aussi bien pourquoi ne pas plutôt se représenter cette chambre comme une bonne et honnête chambre de mère de famille ? ce lit avec ses tentures couleur de pourpre comme un lit visité par la déesse Lucine, et cet escalier mystérieux comme le passage par où, doucement et pour ne pas troubler le sommeil réparateur de l'accouchée, passe le médecin ou la nourrice, ou le père lui-même, emportant l'enfant qui dort ?...

Cette fois, Mme Danglars, au lieu de se rassurer à cette douce peinture, poussa un gémissement et s'évanouit tout à fait.

— Mme Danglars se trouve mal, balbutia Villefort ; peut-être faudrait-il la transporter à sa voiture.

— Oh, mon dieu ! dit Monte-Cristo, et moi qui ai oublié mon flacon.

— J'ai le mien, dit Mme de Villefort.

— Ah ! dit Monte-Cristo en le prenant des mains de Mme de Villefort.

— Oui, murmura celle-ci, sur vos indications j'ai essayé.

On avait transporté Mme Danglars dans la chambre à côté. Monte-Cristo laissa tomber sur ses lèvres une goutte de liqueur rouge, et elle revint à elle.

— Oh ! dit-elle, quel rêve affreux !

On chercha M. Danglars ; mais, peu disposé aux impressions poétiques, il était descendu au jardin, et causait avec M. Cavalcanti père d'un projet de chemin de fer de Livourne à Florence.

Monte-Cristo semblait désespéré ; il prit le bras de Mme Danglars et la conduisit au jardin, où l'on retrouva M. Danglars prenant le café entre MM. Cavalcanti père et fils.

— En vérité, madame, lui dit-il, est-ce que je vous ai fort effrayée ?

— Non, monsieur ; mais vous savez, les choses nous impressionnent selon la disposition d'esprit où nous nous trouvons.

Villefort s'efforça de rire.

— Et alors vous comprenez, dit-il, il suffit d'une supposition, d'une chimère...

— Eh bien ! dit Monte-Cristo, vous m'en croirez si vous voulez, j'ai la conviction qu'un crime a été commis dans cette maison.

— Prenez garde, dit Mme de Villefort, nous avons ici le procureur du roi.

— Ma foi, répondit Monte-Cristo, puisque cela se rencontre ainsi, j'en profiterai pour faire ma déclaration.

— Votre déclaration ? dit Villefort.

— Oui, et en face de témoins. Venez par ici, messieurs ; venez, monsieur de Villefort ; pour que la déclaration soit valable, elle doit être faite aux autorités compétentes.

Monte-Cristo prit le bras de Villefort, et en même temps qu'il serrait sous le sien celui de Mme Danglars, il traîna le procureur du roi jusque sous le platane où l'ombre était la plus épaisse.

Tous les autres convives suivaient.

— Tenez, dit Monte-Cristo, ici, à cette place même (et il frappait la terre du pied), ici, pour rajeunir ces arbres déjà vieux, j'ai fait creuser et mettre du terreau ; eh bien ! mes travailleurs, en creusant, ont déterré un coffre ou plutôt des ferrures de coffre au milieu desquelles était le squelette d'un enfant nouveau-né. Ce n'est pas de la fantasmagorie, cela, j'espère.

Monte-Cristo sentit se raidir le bras de Mme Danglars et frissonner le poignet de Villefort.

— Un enfant nouveau-né, répéta Debray ; diable ! ceci devient sérieux, ce me semble.

— Eh bien ! dit Château-Renaud, je ne me trompais donc pas, quand je prétendais que les maisons avaient une âme. La maison était triste parce qu'elle avait des remords, elle avait des remords parce qu'elle cachait un crime.

Monte-Cristo vit que c'était tout ce que pouvaient supporter les deux personnes pour lesquelles il avait préparé cette scène, et, ne voulant pas la pousser trop loin :

— Mais le café, messieurs, dit-il, il me semble que nous l'oublions.

Et il ramena ses convives vers la table placée au milieu de la pelouse.

32

Le mendiant

La soirée s'avançait ; Mme de Villefort avait manifesté le désir de regagner Paris – ce que n'avait point osé faire Mme Danglars, malgré le malaise évident qu'elle éprouvait.

Sur la demande de sa femme, M. de Villefort donna le premier le signal du départ. Il offrit une place dans son landau à Mme Danglars, afin qu'elle eût les soins de sa femme. Quant à M. Danglars, absorbé dans une conversation industrielle des plus intéressantes avec M. Cavalcanti, il ne faisait aucune attention à tout ce qui se passait.

Monte-Cristo laissa partir Morrel, Debray et Château-Renaud à cheval, et monter les deux dames dans le landau de M. de Villefort. De son côté, Danglars, de plus en plus enchanté de Cavalcanti père, l'invita à monter avec lui dans son coupé.

Quant à Andrea Cavalcanti, il gagna son tilbury, qui l'attendait devant la porte, et dont un groom qui exagérait les agréments de la *fashion* anglaise lui tenait l'énorme cheval gris de fer. Le groom tendit les rênes à Andrea, qui les prit et posa légèrement sa botte vernie sur le marchepied.

En ce moment une main s'appuya sur son épaule. Le jeune homme se retourna, pensant que Danglars ou Monte-Cristo avait oublié quelque chose à lui dire et revenait à la charge au moment du départ.

Mais au lieu de l'un ou de l'autre, il n'aperçut qu'une figure étrange, hâlée par le soleil, encadrée dans une barbe de modèle, des yeux brillants comme des escarboucles, et un sourire railleur. Un mouchoir à carreaux rouges coiffait cette tête aux cheveux grisâtres et terreux.

Le jeune homme tressaillit et se recula vivement.

— Que voulez-vous ? dit-il.

— Pardon, notre bourgeois, répondit l'homme en portant la main à son mouchoir rouge, je vous dérange peut-être, mais c'est que j'ai à vous parler.

— Voyons, dit Andrea avec assez de force pour que le domestique ne s'aperçût point de son trouble, que voulez-vous ? dites vite, mon ami.

— Eh bien ! je veux que tu me laisses monter dans ta belle voiture et que tu me reconduises.

Andrea pâlit, mais ne répondit point.

— Oh ! mon Dieu oui, dit l'homme au mouchoir rouge en regardant le jeune homme avec des yeux provocateurs, c'est une idée que j'ai comme cela, entends-tu, mon petit Benedetto ?

À ce nom, le jeune homme réfléchit sans doute, car il s'approcha de son groom et lui dit :

— Cet homme a été chargé par moi d'une commission dont il a à me rendre compte. Allez à pied jusqu'à la barrière ; là, vous prendrez un cabriolet afin de n'être point trop en retard.

Le valet, surpris, s'éloigna.

Andrea poussa son cheval jusqu'à la dernière maison du village sans dire un seul mot à son compagnon. Une fois hors d'Auteuil, Andrea regarda autour de lui pour s'assurer sans doute que nul ne pouvait ni les voir ni les entendre, et alors, arrêtant son cheval et se croisant les bras devant l'homme au mouchoir rouge :

— Ah çà ! lui dit-il, pourquoi venez-vous me troubler dans ma tranquillité ?

— Mais toi-même, mon garçon, pourquoi te défies-tu de moi ?

— Et en quoi me suis-je défié de vous ?

— En quoi ? tu le demandes ? tu me dis que tu vas voyager en Piémont et en Toscane, et pas du tout, tu viens à Paris.

— En quoi cela vous gêne-t-il ?

— En rien ; au contraire, j'espère même que cela va m'aider.

— Ah ! ah ! dit Andrea, c'est-à-dire que vous spéculez sur moi.

— Allons ! voilà les gros mots qui arrivent.

— C'est que vous auriez tort, maître Caderousse, je vous en préviens.

— Hé, mon Dieu ! ne te fâche pas, le petit ; tu dois pourtant savoir ce que c'est que le malheur : eh bien, le malheur, ça rend jaloux.

— Voyons, dit Andrea ; que vous faut-il ?

— Tu ne me tutoies plus, c'est mal, Benedetto, un ancien camarade. Prends garde, tu vas me rendre exigeant.

Cette menace fit tomber la colère du jeune homme ; le vent de la contrainte venait de souffler dessus.

Il remit son cheval au trot.

— Voyons, que te faut-il ?

— Je crois qu'avec cent francs par mois...

— En voilà deux cents, dit Andrea.

Et il mit dans la main de Caderousse dix louis d'or.

— Bon ! fit Caderousse.

— Présente-toi tous les premiers du mois, et tu en trouveras autant.

On traversa la barrière sans accident.

À la première rue transversale, Andrea arrêta son cheval, et Caderousse sauta à terre.

Et il s'enfonça dans la ruelle, où il disparut.

— Hélas ! dit Andrea en poussant un soupir, on ne peut donc pas être complètement heureux dans ce monde !

33

Projets de mariage

Le lendemain, en sortant de la Chambre, Danglars, qui avait donné de violentes marques d'agitation pendant la séance, remonta dans sa voiture et ordonna au cocher de le conduire avenue des Champs-Élysées, n° 30.

Monte-Cristo était chez lui ; seulement il était avec quelqu'un, et il priait Danglars d'attendre un instant au salon.

Un instant après, Monte-Cristo parut.

— Pardon, dit-il, cher baron, mais un de mes bons amis, l'abbé Busoni, vient d'arriver à Paris : il y avait fort longtemps que nous étions séparés, et je n'ai pas eu le courage de le quitter tout aussitôt ; j'espère qu'en faveur du motif vous m'excuserez de vous avoir fait attendre.

— Comment donc, dit Danglars, c'est tout simple, c'est moi qui ai mal pris mon moment, et je vais me retirer.

— Point du tout, asseyez-vous donc, au contraire. Mais qu'avez-vous donc ? vous avez l'air tout soucieux ; en vérité, vous m'effrayez ; un capitaliste chagrin est comme les comètes, il présage toujours quelque grand malheur au monde.

— J'ai, mon cher monsieur, dit Danglars, que la mauvaise chance est sur moi depuis plusieurs jours, et que je n'apprends que des sinistres.

— Ah ! mon Dieu ! dit Monte-Cristo, est-ce que vous avez eu une rechute à la Bourse ?

— Non, j'en suis guéri, pour quelques jours du moins ; il s'agit tout bonnement pour moi d'une banqueroute à Trieste.

— Vraiment ! est-ce que votre banqueroutier serait par hasard Jacopo Manfredi ?

— Justement ! Figurez-vous un homme qui faisait depuis je ne sais combien de temps pour huit ou neuf cent mille francs par an d'affaires avec moi. Jamais un mécompte, jamais un retard ; un gaillard qui payait comme un prince... qui paye. Je me mets en avance d'un million avec lui, et ne voilà-t-il pas mon diable de Jacopo Manfredi qui suspend ses paiements ! Avec mon affaire d'Espagne, cela me fait une gentille fin de mois.

— Mais est-ce vraiment une perte, votre affaire d'Espagne ?

— Certainement, sept cent mille francs hors de ma caisse, rien que cela.

— Comment diable avez-vous fait une pareille école, vous, un vieux loup-cervier ?

— Hé ! c'est la faute de ma femme ; elle a rêvé que don Carlos était entré en Espagne : elle croit aux rêves. Sur sa conviction, je lui permets de jouer ; il est vrai que ce n'est pas mon argent, mais le sien qu'elle joue. Cependant, n'importe, vous conviendrez que, lorsque sept cent mille francs sortent de la poche de la femme, le mari s'en aperçoit toujours bien un peu. Comment ne saviez-vous pas cela ? mais la chose a fait un bruit énorme.

— Si fait, j'en avais entendu parler, mais j'ignorais les détails. En sorte que c'est dix-sept cent mille francs à peu près que vous perdez ce mois-ci ?

— Il n'y a pas d'à peu près, c'est juste mon chiffre.

— Diable ! Mais, puisque nous en sommes à parler d'affaires, dites-moi donc un peu ce que je puis faire pour M. Cavalcanti.

— Mais lui donner de l'argent s'il a un crédit sur vous et que ce crédit vous paraisse bon.

— Excellent ! il s'est présenté ce matin avec un bon de quarante mille francs payable à vue sur vous, signé Busoni, et renvoyé par vous à moi avec votre endos. Vous comprenez que je lui ai compté à l'instant même ses quarante billets carrés.

Monte-Cristo fit un signe de tête qui indiquait toute son adhésion.

— Mais ce n'est pas tout, continua Danglars ; il a ouvert à son fils un crédit chez moi.

— Combien, sans indiscrétion, donne-t-il au jeune homme ?

— Cinq mille francs par mois.

— Soixante mille francs par an. Je m'en doutais bien, dit Monte-Cristo en haussant les épaules ; ce sont des pleutres que les Cavalcanti. Que veut-il qu'un jeune homme fasse avec cinq mille francs par mois ?

— Mais vous comprenez que, si le jeune homme a besoin de quelques mille francs de plus...

— N'en faites rien, le père vous les laisserait pour votre compte. Vous ne connaissez pas tous les millionnaires ultramontains, ce sont de véritables harpagons. Et par qui lui est ouvert ce crédit ?

— Oh ! par la maison Fenzi, l'une des meilleures de Florence.

— Je ne veux pas dire que vous perdrez, tant s'en faut ; mais tenez-vous cependant dans les termes de la lettre.

— Vous n'auriez donc pas confiance dans ce Cavalcanti ?

— Moi, je lui donnerais dix millions sur sa signature.

— Et avec cela, comme il est simple ! Je l'aurais pris pour un major, rien de plus.

— Et vous lui eussiez fait honneur ; car, vous avez raison, il ne paye pas de mine.

— Le jeune homme est mieux, dit Danglars.

— Oui. Un peu timide, peut-être ; mais en somme, il m'a paru convenable.

— Tous ces Italiens de qualité ont l'habitude de se marier entre eux, n'est-ce pas ?

— D'habitude ils font ainsi, c'est vrai ; mais Cavalcanti est un original qui ne fait rien comme les autres. On ne m'ôtera pas de l'idée qu'il envoie son fils en France pour qu'il y trouve une femme.

— Vous croyez ?

— J'en suis sûr.

— Et vous avez entendu parler de sa fortune ?

— Écoutez, je le connais à peine ; je crois l'avoir vu trois fois dans ma vie. Ce que j'en sais, c'est par l'abbé Busoni et par lui-même ; il me parlait ce matin de ses projets sur son fils, et me laissait entrevoir que, las de voir dormir des fonds considérables en Italie, qui est un pays mort, il voudrait trouver un moyen, soit en France, soit en Angleterre, de faire fructifier ses millions. Mais remarquez bien toujours que, quoique j'aie la plus grande confiance dans l'abbé Busoni, personnellement, moi, je ne réponds de rien.

— N'importe, merci du client que vous m'avez envoyé ; c'est un fort beau nom à inscrire sur mes registres, et mon caissier, à qui j'ai expliqué ce que c'était que les Cavalcanti, en est tout fier. À propos, et ceci est un simple détail de touriste, quand ces gens-là marient leurs fils, leur donnent-ils des dots ?

— Hé ! mon Dieu ! c'est selon. Admettons qu'Andrea se marie selon les vues de son père, il lui donnera peut-être un, deux, trois millions. Si c'était avec la fille d'un banquier, par exemple, peut-être prendrait-il un intérêt dans la maison du beau-père de son fils.

— Ce garçon-là trouvera une princesse bavaroise ou péruvienne ; il voudra une couronne fermée, un Eldorado traversé par le Potose.

— Non, tous ces grands seigneurs de l'autre côté des monts épousent fréquemment de simples mortelles ; ils sont comme Jupiter, ils aiment à croiser les races. Ah çà ! mais est-ce que vous voulez marier Andrea, mon cher monsieur Danglars, que vous me faites toutes ces questions-là ?

— Ma foi, dit Danglars, cela ne me paraîtrait pas une mauvaise spéculation ; et je suis un spéculateur, moi.

— Ce n'est pas avec Mlle Danglars, que je présume ; vous ne voudriez pas faire égorger ce pauvre Andrea par Albert ?

— Albert ! dit Danglars en haussant les épaules ; ah ! bien oui, il se soucie pas mal de cela.

— Mais il est fiancé avec votre fille, je crois ?

— C'est-à-dire que, M. de Morcerf et moi, nous avons quelquefois causé de ce mariage ; mais Mme de Morcerf et Albert...

— N'allez-vous pas me dire que celui-ci n'est pas un bon parti ?

— Hé ! hé ! Mlle Danglars vaut bien M. de Morcerf, ce me semble !

— Mais enfin, dit le comte, si Albert n'est point aussi riche que Mlle Danglars, vous ne pouvez nier qu'il porte un beau nom ?

— Les Morcerf !... Tenez, mon cher comte, reprit Danglars, vous êtes connaisseur en blason ?

— Un peu.

— Eh bien ! regardez la couleur du mien ; elle est plus solide que celle du blason de Morcerf.

— Pourquoi cela ?

— Parce que, moi, si je ne suis pas baron de naissance, je m'appelle Danglars au moins, tandis que lui ne s'appelle pas Morcerf.

— Comment, il ne s'appelle pas Morcerf ?

— Écoutez, mon cher comte, continua Danglars, M. de Morcerf est mon ami, ou plutôt ma connaissance depuis trente ans ; eh bien ! quand j'étais petit commis, moi, Morcerf était simple pêcheur.

— Et alors on l'appelait... ?

— Fernand Mondego.

— Vous en êtes sûr ?

— Pardieu ! il m'a vendu assez de poisson pour que je le connaisse.

— Alors, pourquoi lui donniez-vous votre fille ?

— Parce que Fernand et Danglars étant deux parvenus, tous deux anoblis, tous deux enrichis, se valent au fond, sauf certaines choses cependant qu'on a dites de lui et qu'on n'a jamais dites de moi.

— Quoi donc ?

— Rien.

— Ah ! oui, je comprends ; ce que vous me dites là me rafraîchit la mémoire à propos du nom de Fernand Mondego. J'ai entendu prononcer ce nom-là en Grèce.

— À propos de l'affaire d'Ali-Pacha ?

— Justement.

— Voilà le mystère, reprit Danglars, et j'avoue que j'eusse donné bien des choses pour le découvrir.

— Ce n'était pas difficile, si vous en aviez eu grande envie.

— Comment cela ?

— Sans doute, vous avez bien quelque correspondant en Grèce ?

— Pardieu !

— À Janina ?

— J'en ai partout...

— Eh bien ! écrivez à votre correspondant de Janina, et demandez-lui quel rôle a joué dans la catastrophe d'Ali-Tebelin un Français nommé Fernand.

— Vous avez raison ! s'écria Danglars en se levant vivement, j'écrirai aujourd'hui même.

Danglars s'élança hors de l'appartement, et ne fit qu'un bond jusqu'à sa voiture.

34

L'invitation

Le même jour, une calèche de voyage, entrant dans la rue du Helder, franchissait la porte du n° 27, et s'arrêtait dans la cour.

Au bout d'un instant la portière s'ouvrait, et Mme de Morcerf en descendait, appuyée au bras de son fils.

À peine Albert eut-il reconduit sa mère chez elle, que, commandant un bain et ses chevaux, après s'être mis seulement aux mains de son valet de chambre, il se fit conduire aux Champs-Élysées, chez le comte de Monte-Cristo.

Le comte le reçut avec son sourire habituel.

— Soyez le bienvenu.

— Je suis arrivé depuis une heure.

— De Dieppe ?

— Du Tréport.

— Ah ! c'est vrai !

— Et ma première visite est pour vous.

— C'est charmant de votre part, dit Monte-Cristo, comme s'il eût dit tout autre chose.

— Eh bien ! voyons, quelles nouvelles ?

— Des nouvelles ? vous demandez cela à moi, à un étranger ?

— Je m'entends : quand je demande quelles nouvelles, je demande si vous avez fait quelque chose pour moi ?

— M'aviez-vous donc chargé de quelque commission ? dit Monte-Cristo en jouant l'inquiétude.

— Allons ! allons, dit Albert, ne simulez pas l'indifférence. Vous avez sinon travaillé pour moi, du moins pensé à moi.

— Cela est possible, dit Monte-Cristo. J'ai, en effet, pensé à vous.

— Vraiment ! contez-moi cela, je vous prie.

— Voyons, sérieusement, reprit le comte en changeant d'intonation, avez-vous envie de rompre ?

— Je donnerais cent mille francs pour cela.

— Eh bien ! soyez heureux : M. Danglars est prêt à en donner le double pour atteindre au même but.

— Est-ce bien vrai ce bonheur-là ? dit Albert, qui cependant en disant cela ne put empêcher qu'un imperceptible nuage passât sur son front. Mais, mon cher comte, M. Danglars a donc des raisons ?

— Ah ! te voilà bien, nature orgueilleuse et égoïste ! à la bonne heure, je retrouve l'homme qui veut trouer l'amour-propre d'autrui à coups de hache, et qui crie quand on troue le sien avec une aiguille.

— Non ! mais c'est qu'il me semble que M. Danglars...

— Devait être enchanté de vous, n'est-ce pas ? Eh bien ! M. Danglars est un homme de mauvais goût, c'est convenu, et il est encore plus enchanté d'un autre...

— De qui donc ?

— Je ne sais pas, moi ; étudiez, regardez, saisissez les allusions à leur passage, et faites-en votre profit.

— Bon, je comprends ; écoutez : ma mère... non ! pas ma mère, je me trompe, mon père a eu l'idée de donner un bal.

— Un bal dans ce moment-ci de l'année ?

— Les bals d'été sont à la mode.

— Ils n'y seraient pas que la comtesse n'aurait qu'à vouloir, elle les y mettrait.

— Pas mal ; vous comprenez, ce sont des bals pur-sang ; ceux qui restent à Paris dans le mois de juillet sont de vrais Parisiens. Voulez-vous vous charger d'une invitation pour MM. Cavalcanti ?

— Dans combien de jours a lieu votre bal ?

— Samedi.

— M. Cavalcanti père sera parti.

— Mais M. Cavalcanti fils demeure. Voulez-vous vous charger d'amener M. Cavalcanti fils ?

— Écoutez, vicomte, je ne le connais pas. Il m'a été recommandé par un brave abbé qui peut lui-même avoir été trompé. Invitez-le directement, à merveille ; mais ne me dites pas de vous le présenter. S'il allait plus tard épouser Mlle Danglars, vous m'accuseriez de manège, et vous voudriez vous couper la gorge avec moi ; d'ailleurs, je ne sais pas si j'irai moi-même.

— Où ?

— À votre bal.

— Pourquoi n'y viendriez-vous point ?

— D'abord parce que vous ne m'avez pas encore invité.

— Je viens exprès pour vous apporter votre invitation moi-même.

— Oh ! c'est charmant, mais je puis en être empêché.

— Quand je vous aurai dit une chose, vous serez assez aimable pour nous sacrifier tous les empêchements.

— Dites.

— Ma mère vous en prie.

— Puisque Mme de Morcerf m'en prie.

— Vous êtes charmant.

Albert prit son chapeau et se leva ; le comte le reconduisit jusqu'à la porte.

35

Le bal

On était arrivé aux plus chaudes journées de juillet, lorsque vint se présenter à son tour, dans l'ordre des temps, ce samedi où devait avoir lieu le bal de M. de Morcerf.

Il était dix heures du soir ; les grands arbres du jardin de l'hôtel du comte se détachaient en vigueur sur un ciel où glissaient, découvrant une tenture d'azur parsemée d'étoiles d'or, les dernières vapeurs d'un orage qui avait grondé menaçant toute la journée.

Au moment où la comtesse de Morcerf rentrait dans ses salons après avoir donné ses derniers ordres, les salons commençaient à se remplir d'invités qu'attirait la charmante hospitalité de la comtesse.

Mme Danglars entrait par une porte au moment même où Mercédès entrait par l'autre.

La comtesse détacha Albert au-devant de Mme Danglars ; Albert s'avança, fit à la baronne sur sa toilette les compliments mérités, et lui prit le bras pour la conduire à la place qu'il lui plairait de choisir.

Albert regarda autour de lui.

— Vous cherchez ma fille ? dit en souriant la baronne.

— Je l'avoue, dit Albert ; auriez-vous eu la cruauté de ne pas nous l'amener ?

— Rassurez-vous, elle a rencontré Mlle de Villefort et a pris son bras ; tenez, les voici qui nous suivent toutes les deux en robes blanches ; mais dites-moi donc... ?

— Que cherchez-vous à votre tour ? demanda Albert en souriant.

— Est-ce que vous n'aurez pas ce soir le comte de Monte-Cristo ?

— Ah ! rassurez-vous, madame, nous aurons l'homme à la mode, nous sommes des privilégiés.

— Tenez, laissez-moi ici, et allez saluer Mme de Villefort, dit la baronne : je vois qu'elle meurt d'envie de vous parler.

Albert salua Mme Danglars et s'avança vers Mme de Villefort, qui ouvrit la bouche à mesure qu'il approchait.

— Je parie, dit Albert en l'interrompant, que je sais ce que vous allez me dire ?

— Ah ! par exemple ! dit Mme de Villefort.

— Vous alliez me demander si le comte de Monte-Cristo était arrivé ou allait venir.

— Pas du tout. J'allais vous demander si vous aviez des nouvelles de M. Franz.

— Oui, hier.

— Que vous disait-il ?

— Qu'il partait en même temps que sa lettre.

— Bien. Maintenant, le comte ?

— Le comte viendra, soyez tranquille.

En ce moment, un beau jeune homme aux yeux vifs, aux cheveux noirs, à la moustache luisante, vint saluer respectueusement Mme de Villefort. Albert lui tendit la main.

— Madame, dit Albert, j'ai l'honneur de vous présenter M. Maximilien Morrel, capitaine aux spahis, l'un de nos bons et surtout de nos braves officiers.

— J'ai déjà eu le plaisir de rencontrer monsieur à Auteuil, chez M. le comte de Monte-Cristo, répondit Mme de Villefort en se détournant avec une froideur marquée.

Cette réponse, et surtout le ton dont elle était faite serrèrent le cœur du pauvre Morrel ; mais une compensation lui était ménagée : en se retournant, il vit dans l'encoignure de la porte une belle et blanche figure dont les yeux bleus dilatés, et sans expression apparente, s'attachaient sur lui, tandis que le bouquet de myosotis montait lentement à ses lèvres.

Ce salut fut si bien compris, que Morrel, avec la même expression de regard, approcha à son tour son mouchoir de sa bouche ; et les deux statues vivantes, dont le cœur battait si rapidement sous le marbre apparent de leur visage, séparées l'une de l'autre par toute la largeur de la salle, un instant oublièrent le monde dans cette muette contemplation.

Elles eussent pu rester plus longtemps ainsi perdues l'une dans l'autre, sans que personne remarquât leur oubli de toutes choses : le comte de Monte-Cristo venait d'entrer.

Nous l'avons déjà dit, le comte, soit prestige factice, soit prestige naturel, attirait l'attention partout où il se présentait. Quoi qu'il en soit, il s'avança, sous le poids des regards et à travers l'échange des petits saluts, jusqu'à Mme de Morcerf. Elle se retourna vers lui avec un sourire composé, au moment même où il s'inclinait devant elle.

Sans doute elle crut que le comte allait lui parler ; sans doute, de son côté, le comte crut qu'elle allait lui adresser la parole ; mais des deux côtés, ils restèrent muets ; et, après un échange de saluts, Monte-Cristo se dirigea vers Albert, qui venait à lui la main ouverte.

— Vous avez vu ma mère ? demanda Albert.

— Je viens d'avoir l'honneur de la saluer, dit le comte, mais je n'ai point aperçu monsieur votre père.

— Tenez ! il cause là-bas politique dans ce petit groupe de célébrités.

En ce moment le comte sentit qu'on lui posait la main sur le bras ; il se retourna, c'était Danglars.

— Ah ! c'est vous, baron ? dit-il.

— Pourquoi m'appelez-vous baron ? dit Danglars ; vous savez bien que je ne tiens pas à mon titre. Ce n'est pas comme vous, vicomte ; vous y tenez, n'est-ce pas, vous ?

— Certainement, répondit Albert, attendu que, si je n'étais pas vicomte, je ne serais plus rien, tandis que vous, vous pouvez sacrifier votre titre de baron, vous resterez encore millionnaire.

— Ce qui me paraît le plus beau titre sous la royauté de Juillet, reprit Danglars.

— Malheureusement, dit Monte-Cristo, on n'est pas millionnaire à vie comme on est baron, pair de France ou académicien ; témoin les millionnaires Frank et Poulmann, de Francfort, qui viennent de faire banqueroute.

— Ah ! mon Dieu ! ils ont tiré sur moi pour deux cent mille francs.

— Eh bien ! vous voilà prévenu, leur signature vaut cinq pour cent.

— Oui, mais je suis prévenu trop tard, dit Danglars, j'ai fait honneur à leur signature.

— Bon ! dit Monte-Cristo, voilà deux cent mille francs qui sont allés rejoindre...

— Chut ! dit Danglars ; ne parlez donc pas de ces choses-là... (Puis, s'approchant de Monte-Cristo :)... surtout devant M. Cavalcanti fils, ajouta le banquier, qui, en prononçant ces mots, se tourna en riant du côté du jeune homme.

Morcerf avait quitté le comte pour aller parler à sa mère. Danglars le quitta pour saluer Cavalcanti fils. Monte-Cristo se trouva un instant seul.

Cependant la chaleur commençait à devenir excessive. Les valets circulaient dans les salons avec des plateaux chargés de fruits et de glaces.

Monte-Cristo essuya avec son mouchoir son visage mouillé de sueur ; mais il se recula quand le plateau passa devant lui, et ne prit rien pour se rafraîchir.

Mme de Morcerf ne perdait pas du regard Monte-Cristo. Elle vit passer le plateau sans qu'il y touchât.

— Albert, dit-elle, avez-vous remarqué une chose ?

— Laquelle ? ma mère.

— C'est que le comte n'a encore rien pris.

— Oui ; mais en quoi cela peut-il vous préoccuper ?

— Vous le savez, Albert, les femmes sont singulières. Peut-être, ayant toujours habité les climats brûlants, est-il moins sensible qu'un autre à la chaleur.

— Je ne crois pas, car il se plaignait d'étouffer, et il demandait pourquoi, puisqu'on a déjà ouvert les fenêtres, on n'a pas aussi ouvert les jalousies.

— En effet.

Et elle sortit du salon. Un instant après les persiennes s'ouvrirent, et l'on put voir tout le jardin illuminé avec les lanternes et le souper servi sous la tente.

Mercédès reparut. Elle alla droit au groupe dont son mari formait le centre.

— N'enchaînez pas ces messieurs ici, monsieur le comte, dit-elle, ils aimeront autant, s'ils ne jouent pas, respirer au jardin qu'étouffer dans ce salon.

— Ah ! madame, dit un vieux général fort galant, nous n'irons pas seuls au jardin.

— Soit, dit Mercédès, je vais donc donner l'exemple.

Et se retournant vers Monte-Cristo :

— Monsieur le comte, dit-elle, faites-moi l'honneur de m'offrir votre bras.

Le comte chancela presque à ces simples paroles ; puis il regarda un moment Mercédès. Il offrit son bras à la comtesse ; elle s'y appuya, ou pour mieux dire, elle l'effleura de sa petite main, et tous deux descendirent un des escaliers du perron bordé de rhododendrons et de camélias.

Derrière eux, et par l'autre escalier, s'élancèrent dans le jardin avec de bruyantes exclamations de plaisir, une vingtaine de promeneurs.

Ils firent ainsi le tour du jardin sans prononcer une seule parole.

— Monsieur, reprit tout à coup la comtesse après dix minutes de promenade silencieuse, est-il vrai que vous ayez tant vu, tant voyagé, tant souffert ?

— J'ai beaucoup souffert, oui, madame, répondit Monte-Cristo.

— Mais vous êtes heureux, maintenant ?

— Sans doute, répondit le comte, car personne ne m'entend me plaindre.

— N'êtes-vous point marié ? demanda la comtesse.

— Moi, marié ! répondit Monte-Cristo en tressaillant, qui a pu vous dire cela ?

— On ne me l'a pas dit, mais plusieurs fois on vous a vu conduire à l'Opéra une jeune et belle personne.

— C'est une esclave que j'ai achetée à Constantinople, madame, une fille de prince dont j'ai fait ma fille, n'ayant pas d'autre affection au monde.

— Vous vivez seul ainsi ?

— Je vis seul.

— Comment pouvez-vous vivre ainsi, sans rien qui vous attache à la vie !

— Ce n'est pas ma faute, madame. À Malte, j'ai aimé une jeune fille, et j'allais l'épouser, quand la guerre est venue et m'a enlevé loin d'elle comme un tourbillon. J'avais cru qu'elle m'aimait assez pour m'attendre, pour demeurer fidèle même à mon tombeau. Quand je suis revenu, elle était mariée. C'est l'histoire de tout homme qui a passé par l'âge de vingt ans. J'avais peut-être le cœur plus faible que les autres, et j'ai souffert plus qu'ils n'eussent fait à ma place, voilà tout.

La comtesse s'arrêta un moment, comme si elle eût eu besoin de cette halte pour respirer.

— Oui, dit-elle, et cet amour vous est resté au cœur... On n'aime bien qu'une fois... Et lui avez-vous pardonné ce qu'elle vous a fait souffrir ?

— À elle, oui.

— Mais à elle seulement ? vous haïssez toujours ceux qui vous ont séparé d'elle ?

— Moi, pas du tout ; pourquoi les haïrais-je ?

Albert accourait en ce moment.

— Oh ! ma mère, dit-il, un grand malheur !

— Quoi ? qu'est-il arrivé ?

— M. de Villefort ici !

— Eh bien ?

— Il vient chercher sa femme et sa fille.

— Et pourquoi cela !

— Parce que Mme la marquise de Saint-Méran est arrivée à Paris, apportant la nouvelle que M. de Saint-Méran est mort en quittant Marseille, au premier relais. Mlle Valentine, aux premiers mots, et quelques précautions qu'ait prises son père, a tout deviné : ce coup l'a terrassée comme la foudre, et elle est tombée évanouie.

— Et qu'est M. de Saint-Méran à Mlle de Villefort ? demanda le comte.

— Son grand-père maternel. Il venait pour hâter le mariage de Franz et de sa petite-fille.

— Ah ! vraiment !

— Voilà Franz retardé.

Et ils regagnèrent le salon, que venaient de quitter Valentine et M. et Mme de Villefort.

36

Mme de Saint-Méran

Le lendemain, en entrant chez sa grand-mère, Valentine trouva celle-ci au lit : elle paraissait en proie à une violente irritation nerveuse.

— Oh ! mon Dieu ! bonne maman, souffrez-vous ? s'écria Valentine en apercevant ces symptômes d'agitation.

— Non, ma fille, non, dit Mme de Saint-Méran, mais j'attendais avec impatience que tu fusses arrivée pour envoyer chercher ton père.

— Mon père ! demanda Valentine inquiète.

— Oui, je veux lui parler.

Valentine n'osa point s'opposer au désir de son aïeule, dont d'ailleurs elle ignorait la cause, et un instant après Villefort entra.

— Monsieur, dit Mme de Saint-Méran, sans employer aucune circonlocution, et comme si elle eût paru craindre que le temps lui manquât, il est question, m'avez-vous écrit, d'un mariage pour cette enfant ?

— Oui, madame, répondit Villefort ; c'est même plus qu'un projet, c'est une convention.

— Eh bien ! monsieur, dit après quelques secondes de réflexion Mme de Saint-Méran, il faut vous hâter, car j'ai peu de temps à vivre.

— Vous, madame ! vous, bonne maman ! s'écrièrent ensemble M. de Villefort et Valentine.

— Je sais ce que je dis, reprit la marquise ; il faut donc vous hâter, afin que, n'ayant plus sa mère, elle ait au moins sa grand-mère pour bénir son mariage.

— Il sera fait selon votre désir, madame, dit Villefort, et cela d'autant mieux que votre désir est d'accord avec le mien ; et aussitôt l'arrivée de M. d'Épinay à Paris.

— Quand revient M. d'Épinay ?

— Nous l'attendons d'un moment à l'autre.

— C'est bien ; aussitôt qu'il sera arrivé, prévenez-moi. Hâtons-nous, hâtons-nous. Puis je voudrais aussi voir un notaire pour m'assurer que tout notre bien revient à Valentine.

— Oh ! ma mère, murmura Valentine, en appuyant ses lèvres sur le front brûlant de l'aïeule, vous voulez donc me faire mourir ? Mon Dieu ! vous avez la fièvre. Ce n'est pas un notaire qu'il faut appeler, c'est un médecin.

— Un médecin ! dit-elle en haussant les épaules ; je ne souffre pas ; j'ai soif, voilà tout.

— Que buvez-vous, bonne maman ?

— Comme toujours, tu sais bien, mon orangeade. Mon verre est là sur cette table ; passe-le-moi, Valentine.

Valentine versa l'orangeade de la carafe dans un verre et le prit pour le donner à sa grand-mère.

La marquise le vida d'un seul trait.

Puis elle se retourna sur son oreiller en répétant :

— Le notaire ! le notaire !

M. de Villefort sortit, Valentine s'assit près du lit de sa grand-mère. Deux heures à peu près s'écoulèrent ainsi.

Mme de Saint-Méran dormait d'un sommeil ardent et agité. On annonça le notaire.

Quoique cette annonce eût été faite très bas, Mme de Saint-Méran se souleva sur son oreiller.

— Le notaire ? dit-elle ; qu'il vienne ! qu'il vienne !

Le notaire était à la porte, il entra.

— Va-t'en, Valentine, dit Mme de Saint-Méran, et laisse-moi avec monsieur.

— Mais, ma mère...

— Va, va.

La jeune fille baisa son aïeule au front et sortit, le mouchoir sur les yeux.

À la porte, elle trouva le valet de chambre qui lui dit que le médecin attendait au salon.

Valentine descendit rapidement. Le médecin était un ami de la famille, et en même temps un des hommes les plus habiles de l'époque : il aimait beaucoup Valentine, qu'il avait vue venir au monde.

— Oh ! dit Valentine, cher monsieur d'Avrigny, nous vous attendions avec bien de l'impatience.

— Ce n'est ni votre père, ni Mme de Villefort qui sont malades ?

— Non, dit-elle, c'est pour ma pauvre grand-mère. Vous savez le malheur qui nous est arrivé, n'est-ce pas ?

— Je ne sais rien, dit M. d'Avrigny.

— Hélas ! dit Valentine en comprimant ses sanglots, mon grand-père est mort. D'une attaque d'apoplexie foudroyante.

— D'une apoplexie ? répéta le médecin.

— Oui. De sorte que ma pauvre grand-mère est frappée de l'idée que son mari, qu'elle n'avait jamais quitté, l'appelle, et qu'elle va aller le rejoindre. Oh ! monsieur d'Avrigny, je vous recommande bien ma pauvre grand-mère !

— Où est-elle ?

— Dans sa chambre, avec le notaire.

— Et qu'éprouve votre grand-mère ?

— Une excitation nerveuse singulière, un sommeil agité et étrange ; ce matin elle m'a fait grand'peur, je l'ai crue folle ; et mon père lui-même a paru fortement impressionné.

— Nous allons voir, dit M. d'Avrigny ; ce que vous me dites là me semble étrange.

Le notaire descendait, on vint prévenir Valentine que sa grand'mère était seule.

— Montez, dit-elle au docteur.

Le docteur serra la main à Valentine, et, tandis qu'il montait chez sa grand-mère, la jeune fille descendit le perron.

Nous n'avons pas besoin de dire quelle portion du jardin était la promenade favorite de Valentine. À mesure qu'elle avançait, il lui semblait entendre une voix qui prononçait son nom.

37

La promesse

C'était Morrel, qui depuis la veille ne vivait plus : il avait deviné qu'il allait, à la suite de ce retour de Mme de Saint-Méran et de la mort du marquis, se passer quelque chose chez Villefort qui intéresserait son amour pour Valentine.

— Vous à cette heure ?

— Oui, pauvre amie, répondit Morrel. Je viens chercher et apporter de mauvaises nouvelles.

— C'est donc la maison du malheur ! dit Valentine ; parlez, Maximilien ; mais, en vérité, la somme de douleurs est déjà bien suffisante.

— Chère Valentine, dit Morrel, essayant de se remettre de sa propre émotion pour parler convenablement, écoutez-moi bien, je vous prie ; car tout ce que je vais vous dire est solennel. À quelle époque compte-t-on vous marier ?

— Écoutez, dit à son tour Valentine, je ne veux rien vous cacher, Maximilien. Ce matin on a parlé de mon mariage, et ma grand-mère le désire à tel point que le retour seul de M. d'Épinay le retarde, et que le lendemain de son arrivée le contrat sera signé.

Un pénible soupir ouvrit la poitrine du jeune homme, et il regarda longuement et tristement la jeune fille.

— Hélas ! M. d'Épinay est arrivé à Paris ce matin.

Valentine poussa un cri.

— Voyons, maintenant, répondez-moi comme à un homme à qui votre réponse va donner la mort ou la vie : que comptez-vous faire ?

Valentine baissa la tête ; elle était accablée.

— Écoutez-moi, ma chère, mon adorée Valentine, j'ai mis ma vie en vous ; du moment où vous vous éloignez de moi, Valentine, je reste seul au monde. Voilà ce que je ferai : j'attendrai jusqu'à la dernière seconde que vous soyez mariée, et quand mon malheur sera certain, sans remède, sans espérance, j'écrirai une lettre confidentielle à mon beau-frère, une autre lettre au préfet de police, pour leur donner avis de mon dessein, et du coin de quelque bois, je me ferai sauter la cervelle, aussi vrai que je suis le fils du plus honnête homme qui ait jamais vécu en France.

Un tremblement convulsif agita les membres de Valentine ; elle lâcha la grille qu'elle tenait des deux mains, ses bras retombèrent à ses côtés, et deux grosses larmes roulèrent sur ses joues.

Le jeune homme demeura devant elle, sombre et résolu.

Valentine tomba à genoux en étreignant son cœur qui se brisait.

— Maximilien, dit-elle, Maximilien, mon ami, mon frère sur la Terre, mon véritable époux au Ciel, je t'en prie, fais comme moi, vis avec la souffrance ; un jour peut-être nous serons réunis.

— Adieu, Valentine, répéta Morrel.

— Mon Dieu, dit Valentine en levant ses deux mains au ciel avec une expression sublime, Vous le voyez, j'ai prié, supplié, imploré ; il n'a écouté ni mes prières, ni mes supplications, ni mes pleurs. Eh bien ! continua-t-elle en essuyant ses larmes et en reprenant sa fermeté, eh bien ! je ne veux pas mourir de remords, j'aime mieux mourir de honte. Vous vivrez, Maximilien, et je ne serai à personne qu'à vous. Oui, Maximilien, je te suivrai, je quitterai la maison paternelle, tout. Oh ! ingrate que je suis, s'écria Valentine en sanglotant, tout, même mon grand-père que j'oubliais !

— Non, dit Maximilien, tu ne le quitteras pas. M. Noirtier a paru éprouver, dis-tu, de la sympathie pour moi ; eh bien ! avant de fuir, tu lui diras tout ! puis, aussitôt mariés, il viendra avec nous : au lieu d'un enfant, il en aura deux.

— Oh ! regarde, Maximilien, regarde quelle est ta puissance sur moi, tu me fais presque croire à ce que tu me dis, et cependant ce que tu me dis est insensé, car mon père me maudira, lui ; car je le connais, lui, le cœur inflexible, jamais il ne pardonnera. Aussi, écoutez-moi, Maximilien, si par artifice, par prière, par accident, que sais-je, moi ? si enfin par un moyen quelconque je puis retarder le mariage, vous attendrez, n'est-ce pas ?

— Je me fie à vous, Valentine, dit Morrel, tout ce que vous ferez sera bien fait ; seulement si l'on passe outre à vos prières, si votre père, si Mme de Saint-Méran exigent que M. d'Épinay soit appelé demain à signer le contrat...

— Alors vous avez ma parole, Morrel.

— Au lieu de signer...

— Je viens vous rejoindre et nous fuyons.

— Mais comment savoir... ?

— Par moi-même. Je vous écrirai. Mon Dieu ! ce mariage, Maximilien, m'est aussi odieux qu'à vous !

— Bien ! bien ! merci, ma Valentine adorée ! reprit Morrel. Alors tout est dit, une fois que je sais l'heure, j'accours ici, vous franchissez ce mur dans mes bras, la chose vous sera facile ; une voiture nous attendra à la porte de l'enclos, vous y montez avec moi, je vous conduis chez ma sœur.

— Soit, dit Valentine, à votre tour je vous dirai : Maximilien, ce que vous ferez sera bien fait.

— Oh !

— Eh bien, êtes-vous content de votre femme ? dit tristement la jeune fille.

— Ma Valentine adorée, c'est bien peu dire que oui.

— Au revoir, dit Valentine, s'arrachant à ce bonheur, au revoir.

Le bruit d'un baiser innocent et perdu retentit, et Valentine s'enfuit sous les tilleuls.

Morrel écouta les derniers bruits de sa robe frôlant les charmilles, de ses pieds faisant crier le sable, leva les yeux au ciel avec un ineffable sourire, pour remercier le Ciel de ce qu'il permettait qu'il fût aimé ainsi, et disparut à son tour.

Le jeune homme rentra chez lui et attendit pendant tout le reste de la soirée et pendant toute la journée du lendemain, sans rien recevoir. Enfin ce ne fut que le surlendemain vers dix heures du matin, comme il allait s'acheminer vers M. Deschamps notaire, qu'il reçut par la poste un petit billet qu'il reconnut pour être de Valentine, quoiqu'il n'eût jamais vu son écriture.

Il était conçu en ces termes :

Larmes, supplications, prières n'ont rien fait. Hier, pendant deux heures, j'ai été à l'église Saint-Philippe-du-Roule, et pendant deux heures j'ai prié Dieu du fond de l'âme ; Dieu est insensible comme les hommes, et la signature du contrat est fixée à ce soir neuf heures.

Je n'ai qu'une parole comme je n'ai qu'un cœur, Morrel, et cette parole vous est engagée, ce cœur est à vous.

Ce soir donc, à neuf heures moins un quart, à la grille.

Votre femme,

VALENTINE DE VILLEFORT.

Le jeune homme relut vingt fois dans la journée la lettre de Valentine. À chaque fois qu'il relisait cette lettre, Maximilien se renouvelait à lui-même le serment de rendre Valentine heureuse.

Enfin l'heure s'approcha.

Morrel entra dans le clos comme huit heures sonnèrent à Saint-Philippe-du-Roule.

Le cheval et le cabriolet furent cachés derrière une petite masure en ruine dans laquelle Morrel avait l'habitude de se cacher.

La maison restait sombre, et ne présentait aucun des caractères d'une maison qui s'ouvre pour un événement aussi important que l'est une signature de contrat de mariage.

L'horloge sonna neuf heures et demie.

C'était déjà une demi-heure d'attente de plus que Valentine n'avait fixée elle-même.

Ce fut le moment le plus terrible pour le cœur du jeune homme, sur lequel chaque seconde tombait comme un marteau de plomb.

Enfin la demie avait sonné à son tour ; il était impossible de se leurrer plus longtemps, tout était supposable. Les tempes de Maximilien battaient avec force ; des nuages passaient devant ses yeux ; il enjamba le mur et sauta de l'autre côté.

Il était chez Villefort. Il songea aux suites que pouvait avoir une pareille action, mais il n'était pas venu jusque-là pour reculer.

Il rasa quelque temps le mur, et, traversant l'allée d'un seul bond, il s'élança dans un massif.

Morrel gagna la lisière du massif et s'apprêtait à traverser le plus rapidement possible le parterre, complètement découvert, quand un son de voix encore assez éloigné parvint jusqu'à lui.

À ce bruit, il fit un pas en arrière. Déjà à moitié sorti du feuillage, il s'y enfonça complètement et demeura immobile et muet, enfoui dans son obscurité.

Morrel vit apparaître Villefort suivi d'un homme vêtu de noir. Ils n'avaient pas fait quatre pas que, dans cet homme vêtu de noir, Morrel avait reconnu le docteur d'Avrigny.

— Ah ! cher docteur, dit le procureur du roi, voici le Ciel qui se déclare décidément contre notre maison. Quelle horrible mort ! quel coup de foudre !

— Mon cher monsieur de Villefort, derrière le malheur qui vient de vous arriver, il en est un autre plus grand encore, peut-être.

— Oh ! mon Dieu ! murmura Villefort en joignant les mains, qu'allez-vous me dire ?

— Mme de Saint-Méran était bien âgée sans doute, mais elle jouissait d'une santé excellente.

— Le chagrin l'a tuée, dit Villefort ; oui, le chagrin, docteur ! Cette habitude de vivre depuis quarante ans près du marquis...

— Ce n'est pas le chagrin, mon cher Villefort, dit le docteur. Le chagrin peut tuer, quoique les cas soient rares, mais il ne tue pas en un jour, mais il ne tue pas en une heure, mais il ne tue pas en dix minutes.

— Oh ! mon Dieu ! docteur, dit-il, songez-vous bien à ce que vous me dites là ?

— Mme de Saint-Méran est morte empoisonnée.

— Oh ! c'est impossible ! je rêve ! mon Dieu ! C'est effroyable d'entendre dire des choses pareilles à un homme comme vous !

— Mon cher monsieur de Villefort, répondit le docteur ébranlé, mon premier devoir est l'humanité. J'eusse sauvé Mme de Saint-Méran si la science eût eu le pouvoir de le faire, mais elle est morte, je me dois aux vivants. Ensevelissons au plus profond de nos cœurs ce terrible secret. Je permettrai, si les yeux de quelques-uns s'ouvrent là-dessus, qu'on impute à mon ignorance le silence que j'aurai gardé. Cependant, monsieur, cherchez activement, car peut-être cela ne s'arrêtera-t-il point là...

— Oh ! merci, merci, docteur ! dit Villefort avec une joie indicible, je n'ai jamais eu de meilleur ami que vous.

Et comme s'il eût craint que le docteur d'Avrigny ne revînt sur cette concession, il entraîna le docteur du côté de la maison.

Morrel, comme s'il eût eu besoin de respirer, sortit sa tête du taillis.

« Dieu me protège d'une manifeste mais terrible façon ! Mais Valentine ! pauvre amie ! résistera-t-elle à tant de douleurs ? »

À l'extrémité du bâtiment, il vit s'ouvrir une des trois fenêtres aux rideaux blancs. Une bougie placée sur la cheminée jeta au-dehors quelques rayons de sa pâle lumière, et une ombre vint un instant s'accouder au balcon.

Morrel frissonna : il crut se voir appeler par l'ombre de la fenêtre ; il atteignit les marches du perron qu'il monta rapidement, et poussa la porte, qui s'ouvrit sans résistance devant lui.

Par bonheur, il ne vit personne.

Ce fut alors que cette connaissance qu'il avait prise par Valentine du plan intérieur de la maison lui servit ; il arriva sans accident au haut de l'escalier, et comme arrivé là il s'orientait, un sanglot dont il reconnut l'expression lui indiqua le chemin qu'il avait à suivre : une porte entrebâillée laissait arriver à lui le reflet d'une lumière et le son de la voix gémissante. Il poussa cette porte et entra.

Au fond d'une alcôve, sous le drap blanc qui recouvrait sa tête et dessinait sa forme, gisait la morte. À côté du lit, à genoux, et la tête ensevelie dans les coussins d'une large bergère, Valentine, frissonnante et soulevée par les sanglots, étendait au-dessus de sa tête, qu'on ne voyait pas, ses deux mains jointes et raidies.

Morrel poussa un soupir, murmura un nom, et la tête noyée dans les pleurs se releva et demeura tournée vers lui. Valentine le vit et ne témoigna point d'étonnement.

— Ami, dit-elle, comment êtes-vous ici ? Hélas ! je vous dirais : « Soyez le bienvenu », si ce n'était pas la mort qui vous eût ouvert la porte de cette maison.

— Valentine, dit Morrel d'une voix tremblante et les mains jointes, j'étais là depuis huit heures ; et je ne vous voyais point venir, l'inquiétude m'a pris, j'ai sauté par-dessus le mur...

— Mais venir jusqu'ici, c'est nous perdre, mon ami, dit Valentine sans effroi et sans colère.

— Pardonnez-moi, répondit Morrel du même ton, je vais me retirer.

— Non, dit Valentine, on vous rencontrerait, restez.

— Mais si l'on venait ?

Elle se leva.

— Venez, dit-elle.

— Où cela ? demanda Maximilien.

— Chez mon grand-père.

— Moi, chez M. Noirtier !

— Oui, répondit la jeune fille ; d'ailleurs ce sera court, venez.

Valentine traversa le corridor et descendit un petit escalier qui conduisait chez Noirtier. Morrel la suivit sur la pointe du pied. Arrivés sur le palier de l'appartement, ils trouvèrent le vieux domestique.

— Barrois, dit Valentine, fermez la porte et ne laissez entrer personne.

Elle passa la première.

Noirtier, encore dans son fauteuil, attentif au moindre bruit, instruit par son vieux serviteur de tout ce qui se passait, fixait des regards avides sur l'entrée de la chambre ; il vit Valentine, et son œil brilla.

— Cher père, dit-elle d'une voix brève, écoute-moi bien : tu sais que bonne maman Saint-Méran est morte il y a une heure, et que maintenant, excepté toi, je n'ai plus personne qui m'aime au monde ?

Une expression de tendresse infinie passa dans les yeux du vieillard.

Valentine prit Maximilien par la main.

— Alors, lui dit-elle, regarde bien monsieur.

Le vieillard fixa son œil scrutateur et légèrement étonné sur Morrel.

— C'est M. Maximilien Morrel. Eh bien ! bon papa, je l'aime et ne serai qu'à lui ! Si l'on me force d'en épouser un autre, je me laisserai mourir ou je me tuerai.

Les yeux du paralytique exprimaient tout un monde de pensées tumultueuses.

— Tu aimes M. Maximilien Morrel, n'est-ce pas, bon papa ? demanda la jeune fille.

— Oui, fit le vieillard immobile.

— Et tu veux nous protéger, nous qui sommes aussi tes enfants, contre la volonté de mon père ?

Noirtier attacha son regard intelligent sur Morrel, comme pour lui dire :

— C'est selon.

Maximilien comprit.

— Mademoiselle, dit-il, vous avez un devoir sacré à remplir dans la chambre de votre aïeule ; voulez-vous me permettre d'avoir l'honneur de causer un instant avec M. Noirtier ?

— Oui, oui, c'est cela, fit l'œil du vieillard.

Valentine se releva, approcha un siège pour Morrel, recommanda à Barrois de ne laisser entrer personne ; et après avoir tendrement embrassé son grand-père et dit adieu tristement à Morrel, elle partit.

— D'abord, dit Morrel, permettez-moi, monsieur, de vous raconter qui je suis, comment j'aime Mlle Valentine, et quels sont mes desseins à son égard.

— J'écoute, fit Noirtier.

Sa figure, empreinte d'une noblesse et d'une austérité remarquables, imposait à Morrel, qui commença son récit en tremblant.

Il raconta alors comment il avait connu, comment il avait aimé Valentine, et comment Valentine, dans son isolement et son malheur, avait accueilli l'offre de son dévouement. Il lui dit quelle était sa naissance, sa position, sa fortune.

— Maintenant, dit Morrel quand il eut fini cette première partie de son récit, maintenant que je vous ai dit, monsieur, mon amour et mes espérances, dois-je vous dire nos projets ?

— Oui, fit le vieillard.

— Eh bien ! voilà ce que nous avions résolu.

Et alors il raconta tout à Noirtier, comment un cabriolet attendait dans l'enclos, comment il comptait enlever Valentine, la conduire chez sa sœur, l'épouser, et, dans une respectueuse attente, espérer le pardon de M. de Villefort.

— Non, dit Noirtier.

— Mais que faire alors, monsieur ? demanda Morrel. De qui nous viendra le secours que nous attendons du Ciel ?

Le vieillard sourit des yeux comme il avait l'habitude de sourire quand on lui parlait du Ciel.

— Du hasard ? reprit Morrel.

— Non.

— De vous ?

— Oui.

— De vous ? Mais le contrat ?

Le même sourire reparut.

— Voulez-vous donc me dire qu'il ne sera pas signé ?

— Oui, dit Noirtier.

— Ainsi le contrat ne sera même pas signé ! s'écria Morrel. Oh ! pardonnez, monsieur ! à l'annonce d'un grand bonheur, il est bien permis de douter ; le contrat ne sera pas signé ?

— Non, dit le paralytique.

Morrel fit signe qu'il était prêt à obéir.

— Maintenant, continua Morrel, permettez-vous, monsieur, que votre fils vous embrasse comme l'a fait tout à l'heure votre fille ?

Il n'y avait pas à se tromper à l'expression des yeux de Noirtier.

Le jeune homme posa sur le front du vieillard ses lèvres au même endroit où la jeune fille avait posé les siennes.

Puis il salua une seconde fois le vieillard et sortit.

Sur le carré il trouva le vieux serviteur prévenu par Valentine ; celui-ci le guida par les détours d'un corridor sombre qui le conduisit à une petite porte donnant sur le jardin.

Arrivé là, Morrel gagna la grille ; par la charmille, il fut en un instant au haut du mur, et par son échelle, en une seconde, il fut dans l'enclos à la luzerne, où son cabriolet l'attendait toujours.

Il y monta, et brisé par tant d'émotions, mais le cœur plus libre, il rentra vers minuit rue Meslay, se jeta sur son lit, et dormit comme s'il eût été plongé dans une profonde ivresse.

38

Le caveau de la famille Villefort

À deux jours de là, une foule considérable se trouvait rassemblée, vers dix heures du matin, à la porte de M. de Villefort, et l'on avait vu s'avancer une longue file de voitures de deuil et de voitures particulières tout le long du faubourg Saint-Honoré et de la rue de la Pépinière.

Dans chacune des voitures qui suivaient le deuil, la conversation était à peu près pareille : on s'étonnait de ces deux morts si rapprochées et si rapides.

Au bout d'une heure de marche à peu près, on arriva à la porte du cimetière. Il faisait un temps calme, mais sombre, et par conséquent assez en harmonie avec la funèbre cérémonie qu'on y venait accomplir. Le caveau de la famille de Villefort formait un carré de pierres blanches d'une hauteur de vingt pieds environ ; une séparation intérieure divisait en deux compartiments la famille Saint-Méran et la famille Villefort, et chaque compartiment avait sa porte d'entrée.

Les deux cercueils entrèrent dans le caveau de droite : c'était celui de la famille Saint-Méran. Villefort, Franz et quelques proches parents pénétrèrent seuls dans le sanctuaire.

Comme les cérémonies religieuses avaient été accomplies à la porte, et qu'il n'y avait pas de discours à prononcer, les assistants se séparèrent aussitôt : Château-Renaud, Albert et Morrel se retirèrent de leur côté, et Debray et Beauchamp du leur.

Au moment où Franz allait quitter M. de Villefort :

— Monsieur le baron, avait dit celui-ci, quand vous reverrai-je ?

— Quand vous voudrez, monsieur, avait répondu Franz.

— Le plus tôt possible.

— Je suis à vos ordres, monsieur ; vous plaît-il que nous revenions ensemble ?

— Si cela ne vous cause aucun dérangement.

— Aucun.

Villefort et Franz revinrent au faubourg Saint-Honoré.

Le procureur du roi, sans parler ni à sa femme ni à sa fille, fit passer le jeune homme dans son cabinet, et lui montrant une chaise :

— Monsieur d'Épinay, lui dit-il, je dois vous rappeler, et le moment n'est peut-être pas si mal choisi qu'on pourrait le croire au premier abord, car l'obéissance aux morts est la première offrande qu'il faut déposer sur le cercueil... je dois donc vous rappeler le vœu qu'exprimait avant-hier Mme de Saint-Méran sur son lit d'agonie : c'est que le mariage de Valentine ne souffre pas de retard. Le notaire m'a montré hier les actes qui permettent de rédiger d'une manière définitive le contrat de mariage.

— Monsieur, répondit d'Épinay, ce n'est pas le moment peut-être pour Mlle Valentine, plongée comme elle l'est dans la douleur, de songer à un époux. En vérité, je craindrais...

— Valentine, interrompit M. de Villefort, n'aura pas de plus vif désir que celui de remplir les dernières intentions de sa grand-mère ; ainsi les obstacles ne viendront pas de ce côté, je vous en réponds.

— En ce cas, monsieur, répondit Franz, comme ils ne viendront pas non plus du mien, vous pouvez faire à votre convenance : ma parole est engagée, et je l'acquitterai non seulement avec plaisir, mais encore avec bonheur.

— Alors, dit Villefort, rien ne nous arrête plus ; le contrat devait être signé il y a trois jours, nous le trouverons donc tout préparé ; on peut le signer aujourd'hui.

— Mais le deuil ? dit en hésitant Franz.

— Soyez tranquille, monsieur, reprit Villefort ; ce n'est point dans ma maison que les convenances sont négligées : Mlle de Villefort pourra se retirer pendant trois mois dans sa terre de Saint-Méran. Là, dans huit jours, si vous le voulez bien, le mariage civil sera conclu. Vous pourrez alors revenir à Paris, tandis que votre femme passera le temps de son deuil avec sa belle-mère.

— Comme il vous plaira, monsieur, dit Franz.

— Alors, reprit M. de Villefort, prenez la peine d'attendre une demi-heure ; Valentine va descendre au salon. J'enverrai chercher le notaire, nous lirons et signerons le contrat séance tenante, et dès ce soir Mme de Villefort conduira Valentine à sa terre, où dans huit jours nous irons les rejoindre.

En un instant tout le monde fut réuni au salon.

Valentine était si pâle que l'on voyait les veines bleues de ses tempes se dessiner autour de ses yeux et courir le long de ses joues.

Franz ne pouvait se défendre d'une émotion assez vive.

M. de Villefort était, comme toujours, impassible.

Le notaire, après avoir, avec la méthode ordinaire aux gens de loi, rangé les papiers sur la table, avoir pris place dans son fauteuil et avoir relevé ses lunettes, se retourna vers Franz.

— C'est vous, dit-il, qui êtes M. Franz de Quesnel, baron d'Épinay ? demanda-t-il, quoiqu'il le sût parfaitement.

— Oui, monsieur, répondit Franz.

À peine achevait-il ces paroles, que la porte du salon s'ouvrit et que Barrois parut.

— Messieurs, dit-il, M. Noirtier de Villefort désire parler sur-le-champ à M. Franz de Quesnel, baron d'Épinay.

Franz se leva et suivit Valentine, qui déjà descendait l'escalier avec la joie d'un naufragé qui met la main sur une roche.

M. de Villefort les suivit tous deux.

39

Le procès-verbal

Noirtier attendait, vêtu de noir, et installé dans son fauteuil.

Lorsque les trois personnes qu'il comptait voir venir furent entrées, il regarda la porte que son valet de chambre ferma aussitôt.

Il fit de l'œil signe à Valentine de s'approcher.

En un moment, grâce aux moyens dont elle avait l'habitude de se servir dans les conversations avec son père, elle eut trouvé le mot *clef*.

Alors elle consulta le regard du paralytique, qui se fixa sur le tiroir d'un petit meuble placé entre les deux fenêtres.

Elle ouvrit le tiroir et trouva effectivement une clef.

Quand elle eut cette clef et que le vieillard lui eut fait signe que c'était bien celle-là qu'il demandait, les yeux du paralytique se dirigèrent vers un vieux secrétaire oublié depuis bien des années, et qui ne renfermait, croyait-on, que des paperasses inutiles.

Valentine l'ouvrit, et en tira une liasse.

— Est-ce ce que vous désirez, bon père ? dit-elle.

— Oui, fit Noirtier.

— À qui faut-il remettre ces papiers ? à M. Franz d'Épinay ?

— Oui.

Franz reçut les papiers des mains de Barrois, et jetant les yeux sur la couverture, il lut :

— *Pour être déposé après ma mort chez mon ami le général Durand, qui lui-même en mourant léguera ce paquet à son fils, avec injonction de le conserver comme renfermant un papier de la plus grande importance.*

— Eh bien ! monsieur, demanda Franz, que voulez-vous que je fasse de ce papier ?

— Vous désirez peut-être que monsieur le lise ? demanda Valentine.

— Oui, répondit le vieillard.

— Vous entendez, monsieur le baron, mon grand-père vous prie de lire ce papier, dit Valentine.

Franz défit l'enveloppe, et un grand silence se fit dans la chambre. Au milieu de ce silence, il lut :

— *Extrait des procès-verbaux d'une séance du club bonapartiste de la rue Saint-Jacques, tenue le 5 février 1815.*

Franz s'arrêta.

— Le 5 février 1815, dit-il, c'est le jour où mon père a été assassiné !

Valentine et Villefort restèrent muets ; l'œil seul du vieillard dit clairement :

— Continuez.

— Mais c'est en sortant de ce club, continua Franz, que mon père a disparu !

Il reprit :

— *Les soussignés Louis-Jacques Beaurepaire, lieutenant-colonel d'artillerie ; Étienne Duchampy, général de brigade ; et Claude Lecharpal, directeur des Eaux et Forêts,*

« *Déclarent que, le 4 février 1815, une lettre arriva de l'île d'Elbe, qui recommandait à la bienveillance et à la confiance des membres du club bonapartiste le général Flavien de Quesnel, qui, ayant servi l'Empereur depuis 1804 jusqu'en 1814, devait être tout dévoué à la dynastie napoléonienne, malgré le titre de baron que Louis XVIII venait d'attacher à sa terre d'Épinay.*

« *En conséquence, un billet fut adressé au général de Quesnel, qui le priait d'assister à la séance du lendemain 5. Le billet annonçait au général que, s'il voulait se tenir prêt, on le viendrait prendre à neuf heures du soir.*

« *À neuf heures, le président du club se présenta chez le général : le général était prêt ; le président lui dit qu'une des conditions de son introduction était qu'il ignorerait éternellement le lieu de la réunion, et qu'il se laisserait bander les yeux en jurant de ne point chercher à soulever le bandeau.*

« *Le général de Quesnel accepta la condition, et promit sur l'honneur de ne pas chercher à voir où on le conduirait.*

« *La voiture s'arrêta devant une allée de la rue Saint-Jacques. On traversa l'allée, on monta un étage, et l'on entra dans la chambre des délibérations.*

« *La séance était commencée. Arrivé au milieu de la salle, le général fut invité à ôter son bandeau. Il se rendit aussitôt à l'invitation, et parut fort étonné de voir un si grand nombre de figures de connaissance dans une société dont il n'avait pas même soupçonné l'existence jusqu'alors.*

« *Il fut alors donné communication au général de cette même lettre de l'île d'Elbe qui le recommandait au club comme un homme sur le concours duquel on pouvait compter.*

« *La lecture terminée, il demeura silencieux et le sourcil froncé.*

« *"Eh bien ! demanda le président, que dites-vous de cette lettre, monsieur le général ?*

« — Je dis qu'il y a bien peu de temps, répondit-il, qu'on a prêté serment au roi Louis XVIII, pour le violer déjà au bénéfice de l'ex-empereur."

« Cette fois la réponse était trop claire pour que l'on pût se tromper à ses sentiments.

« "Monsieur, dit le président, on vous a prié de vous rendre au sein de l'assemblée, on ne vous y a point traîné de force ; on vous a proposé de vous bander les yeux, vous avez accepté. Vous êtes un homme trop grave et trop sensé pour ne pas comprendre les conséquences de la situation où nous nous trouvons les uns en face des autres, et votre franchise même nous dicte les conditions qu'il nous reste à vous faire : vous allez donc jurer sur l'honneur de ne rien révéler de ce que vous avez entendu."

. « Le général prononça le serment exigé, mais d'une voix si basse, qu'à peine si on l'entendit : aussi plusieurs membres exigèrent-ils qu'il le répétât à voix plus haute et plus distincte – ce qui fut fait.

« Le président se leva, désigna trois membres de l'assemblée pour l'accompagner, et monta en voiture avec le général, après lui avoir bandé les yeux.

« "Où voulez-vous que nous vous reconduisions ? demanda le président.

« — Partout où je pourrai être délivré de votre présence, répondit M. d'Épinay.

« — Monsieur, reprit alors le président, prenez garde, vous n'êtes plus ici dans l'assemblée."

« Mais au lieu de comprendre ce langage, M. d'Épinay répondit :

« "Vous êtes toujours aussi brave dans une voiture que dans votre club, par la raison, monsieur, que quatre hommes sont toujours plus forts qu'un seul."

« Le président fit arrêter la voiture.

« On était juste à l'endroit du quai des Ormes où se trouve l'escalier qui descend à la rivière.

« "Pourquoi faites-vous arrêter ici ? demanda M. d'Épinay.

« — Parce que, monsieur, dit le président, vous avez insulté un homme, et que cet homme ne veut pas faire un pas de plus sans vous demander réparation."

« On ouvrit la voiture : les quatre hommes descendirent...

Franz s'interrompit encore une fois ; il essuya une sueur froide qui coulait sur son front.

Noirtier regardait Villefort avec une expression presque sublime de mépris et d'orgueil.

Franz continua :

— Un des témoins alla chercher une lanterne dans un bateau à charbon, et à la lueur de cette lanterne on examina les armes.

« On posa la lanterne à terre : les deux adversaires se mirent de chaque côté ; le combat commença.

« M. le général passait pour une des meilleures lames de l'armée ; mais il fut pressé si vivement dès les premières bottes, qu'il rompit.

« Trois fois le général recula, se trouvant trop engagé, et revint à la charge.

« À la troisième fois, il tomba.

« Le général d'Épinay entra en agonie et expira cinq minutes après...

Franz lut ces derniers mots d'une voix si étranglée, qu'à peine on put les entendre, et après les avoir lus, il s'arrêta, passant sa main sur ses yeux comme pour en chasser un nuage.

Mais après un instant de silence il continua :

— Le général a donc succombé dans un duel loyal, et non dans un guet-apens, comme on pourrait le dire.

« En foi de quoi nous avons signé le présent pour établir la vérité des faits, de peur qu'un moment n'arrive où quelqu'un des acteurs de cette scène terrible ne se trouve accusé de

251

meurtre avec préméditation ou de forfaiture aux lois de l'honneur.

« *Signé : Beauregard, Duchampy et Lecharpal.*

Quand Franz eut terminé cette lecture si terrible pour un fils ; quand Valentine, pâle d'émotion, eut essuyé une larme ; quand Villefort, tremblant et blotti dans un coin, eut essayé de conjurer l'orage par des regards suppliants adressés au vieillard implacable :

— Monsieur, dit d'Épinay à Noirtier, puisque vous connaissez cette terrible histoire dans tous ses détails, ne me refusez pas une dernière satisfaction, dites-moi le nom du président du club, que je connaisse enfin celui qui a tué mon pauvre père.

Noirtier regarda le dictionnaire.

Franz le prit avec un tremblement nerveux, et prononça successivement les lettres de l'alphabet jusqu'à l'M.

À cette lettre, le vieillard fit signe que oui.

Valentine cachait sa tête entre ses mains.

Enfin Franz arriva au mot MOI.

— Oui ! fit le vieillard.

— Vous ! s'écria Franz, dont les cheveux se dressèrent sur sa tête ; vous, monsieur Noirtier, c'est vous qui avez tué mon père ?

— Oui, répondit Noirtier en fixant sur le jeune homme un majestueux regard.

Franz tomba sans force sur un fauteuil.

Villefort ouvrit la porte et s'enfuit, car l'idée lui venait d'étouffer ce peu d'existence qui restait encore dans le cœur du terrible vieillard.

40

Les progrès de Cavalcanti fils

Cependant M. Cavalcanti père était parti pour aller reprendre son service, non pas dans l'armée de S.M. l'empereur d'Autriche, mais à la roulette des bains de Lucques, dont il était un des plus assidus courtisans.

M. Andrea avait hérité à ce départ de tous les papiers qui constataient qu'il avait bien l'honneur d'être le fils du marquis Bartolomeo et de la marquise Leonora Corsinari.

Andrea avait pris en une quinzaine de jours une assez bonne position : on l'appelait M. le comte ; on disait qu'il avait cinquante mille livres de rente, et on parlait des trésors immenses de monsieur son père, enfouis, disait-on, dans les carrières de Saravezza.

On en était là dans ce cercle de la société parisienne où nous avons introduit nos lecteurs, lorsque Monte-Cristo vint un soir faire visite à M. Danglars. M. Danglars était sorti, mais on proposa au comte de l'introduire près de la baronne qui était visible – ce qu'il accepta.

Lorsque Monte-Cristo entra dans le boudoir, où la baronne suivait d'un œil assez inquiet des dessins que lui passait sa fille après les avoir regardés avec M. Cavalcanti fils, ce fut en souriant qu'après avoir été quelque peu bouleversée par son nom, la baronne reçut le comte.

Près de la baronne, à peu près couchée sur une causeuse, Eugénie se tenait assise, et Cavalcanti debout.

Mlle Danglars était toujours la même, c'est-à-dire belle, froide et railleuse.

Eugénie salua froidement le comte, et profita des premières préoccupations de la conversation pour se retirer dans son salon d'étude, d'où bientôt deux voix s'exhalant rieuses et bruyantes, mêlées aux premiers accords d'un piano, firent savoir à Monte-Cristo que Mlle Danglars venait de préférer à la sienne et à celle de M. Cavalcanti la société de Mlle Louise d'Armilly, sa maîtresse de chant.

Bientôt le banquier rentra. Son premier regard fut pour Monte-Cristo, c'est vrai, mais le second fut pour Andrea.

— Est-ce que ces demoiselles ne vous ont pas invité à faire de la musique avec elles ? demanda Danglars à Andrea.

— Hélas ! non, monsieur, répondit Andrea avec un soupir plus remarquable encore que les autres.

Danglars s'avança aussitôt vers la porte de communication et l'ouvrit.

— Eh bien ! demanda le banquier à sa fille, nous sommes donc exclus, nous autres ?

Alors il mena le jeune homme dans le petit salon. Bientôt après, le comte entendit la voix d'Andrea résonner aux accords du piano, accompagnant une chanson corse.

Pendant que le comte écoutait en souriant cette chanson qui lui faisait oublier Andrea pour lui rappeler Benedetto, Mme Danglars vantait à Monte-Cristo la force d'âme de son mari, qui le matin encore avait, dans une faillite milanaise, perdu trois ou quatre cent mille francs.

— Oh ! madame, dit le comte, M. Danglars connaît si bien la Bourse, qu'il rattrapera toujours là ce qu'il pourra perdre ailleurs. Tenez, on parle d'un beau coup qui a été fait hier sur les bons de Naples.

— Je n'en ai pas ; mais en vérité, c'est assez parler Bourse comme cela, monsieur le comte, nous avons l'air de deux agents de change. Parlons un peu de ces pauvres Villefort, si tourmentés en ce moment par la fatalité. Vous saviez qu'ils allaient marier leur fille...

— À M. Franz d'Épinay... Est-ce que le mariage est manqué ?

— Hier matin, à ce qu'il paraît, Franz leur a rendu leur parole.

— Ah ! vraiment... Et connaît-on les causes de cette rupture ?

— Non.

— Que m'annoncez-vous là, madame !... et M. de Villefort, comment accepte-t-il ce malheur ?

— Comme toujours, en philosophe.

En ce moment, Danglars rentra seul.

— Eh bien ! dit la baronne, vous laissez M. Cavalcanti avec votre fille ?

— Et Mlle d'Armilly, dit le banquier, pour qui la prenez-vous donc ?

— Mais voyez, dit la baronne, à quoi vous vous exposez. Si M. de Morcerf venait par hasard, et qu'il trouvât ce jeune homme près de votre fille, il pourrait être mécontent.

— Lui ! oh ! mon Dieu ! vous vous trompez ; il ne l'aime point assez pour cela. D'ailleurs, que m'importe qu'il soit mécontent ou non !

— M. le vicomte Albert de Morcerf ! annonça le valet de chambre.

La baronne se leva vivement. Elle allait passer au salon d'étude pour avertir sa fille, quand Danglars l'arrêta par le bras.

— Laissez, dit-il.

Elle le regarda étonnée.

Albert entra. Il salua la baronne avec aisance, Danglars avec familiarité, Monte-Cristo avec affection ; puis, se retournant vers la baronne :

— Voulez-vous me permettre, madame, lui dit-il, de vous demander comment se porte Mlle Danglars ?

— Fort bien, monsieur, répondit vivement Danglars ; elle fait en ce moment de la musique dans son petit salon avec M. Cavalcanti.

Albert conserva son air calme et indifférent : peut-être éprouvait-il quelque dépit intérieur ; mais il sentait le regard de Monte-Cristo fixé sur lui.

— M. Cavalcanti a une très belle voix de ténor, dit-il, et Mlle Eugénie un magnifique soprano, sans compter qu'elle joue du piano comme Thalberg. Ce doit être un charmant concert.

— Le fait est, dit Danglars, qu'ils s'accordent à merveille.

Albert parut n'avoir pas remarqué cette équivoque, si grossière cependant, que Mme Danglars en rougit.

— Me sera-t-il permis, répéta Morcerf, de présenter mes hommages à Mlle Danglars ?

— Oh ! attendez, attendez, je vous en supplie, dit le banquier en arrêtant le jeune homme ; entendez-vous la délicieuse cavatine, ta, ta, ta, ti, ta, ti, ta, ta ; c'est ravissant, cela va être fini... une seule seconde, parfait ! bravo ! bravi ! brava !

Danglars fut démonté par le flegme du jeune homme. Il prit Monte-Cristo à part.

— Eh bien ! lui dit-il, que dites-vous de notre amoureux ?

— Dame ! il me paraît froid, c'est incontestable ; mais que voulez-vous ? vous êtes engagé !

— Sans doute, je suis engagé, mais de donner ma fille à un homme qui l'aime et non à un homme qui ne l'aime pas.

— Oh ! dit Monte-Cristo, je ne sais si c'est mon amitié pour lui qui m'aveugle, mais je vous assure, moi, que M. de Morcerf est un jeune homme charmant, qui rendra votre fille heureuse, et qui arrivera tôt ou tard à quelque chose ; car enfin la position de son père est excellente.

— Hum ! fit Danglars.

— Pourquoi ce doute ?

— Il y a toujours le passé... ce passé obscur.

— Mais le passé du père ne regarde pas le fils.

— Si fait ! si fait !

— Voyons, ne vous montez pas la tête ; vous ne pouvez rompre ainsi ; les Morcerf comptent sur ce mariage.

— Alors qu'ils s'expliquent. Vous devriez glisser deux mots de cela au père, mon cher comte.

— Volontiers, si vous le désirez.

— Mais que pour cette fois cela se fasse d'une manière explicite et définitive.

— Eh bien ! la démarche sera faite.

— Je ne vous dirai pas que je l'attends avec plaisir, mais enfin je l'attends : un banquier, vous le savez, doit être esclave de sa parole.

— Bravi ! bravo ! brava ! cria Morcerf, parodiant le banquier et applaudissant la fin du morceau.

Danglars commençait à regarder Albert de travers, lorsqu'on vint lui dire deux mots tout bas.

— Je reviens, dit le banquier à Monte-Cristo : attendez-moi, j'aurai peut-être quelque chose à vous dire tout à l'heure.

Et il sortit.

La baronne profita de l'absence de son mari pour repousser la porte du salon d'étude de sa fille, et l'on vit se dresser comme un ressort M. Andrea, qui était assis devant le piano avec Mlle Eugénie.

Albert salua en souriant Mlle Danglars, qui, sans paraître aucunement troublée, lui rendit un salut aussi froid que d'habitude.

Cavalcanti parut évidemment embarrassé ; il salua Morcerf, qui lui rendit son salut de l'air le plus impertinent du monde.

Alors Albert commença de se confondre en éloges sur la voix de Mlle Danglars.

— Voyons, dit Mme Danglars, assez de musique et de compliments comme cela, venez prendre le thé.

— Viens, Louise, dit Mlle Danglars à son amie.

On passa dans le salon voisin, où effectivement le thé était préparé.

Au moment où l'on commençait à laisser, à la manière anglaise, les cuillers dans les tasses, la porte se rouvrit, et Danglars reparut visiblement fort agité.

Monte-Cristo surtout remarqua cette agitation et interrogea le banquier du regard.

— Eh bien ! dit Danglars, je viens de recevoir mon courrier de Grèce.

— Ah ! ah ! fit le comte, c'est pour cela qu'on vous avait appelé ?

— Oui.

Danglars se pencha à l'oreille du comte.

— Vous m'avez donné un excellent conseil, dit-il, et il y a toute une histoire horrible sur ces deux mots : Fernand et Janina.

— Ah bah ! fit Monte-Cristo.

— Oui, je vous conterai cela ; mais emmenez le jeune homme, je serais trop embarrassé de rester maintenant avec lui.

— C'est ce que je fais, il m'accompagne. Maintenant, faut-il toujours que je vous envoie le père ?

— Plus que jamais.

— Bien.

Le comte fit un signe à Albert.

Tous deux saluèrent les dames et sortirent.

M. Cavalcanti demeura maître du champ de bataille.

41

On nous écrit de Janina

Franz était sorti de la chambre de Noirtier si chancelant et si égaré, que Valentine elle-même avait eu pitié de lui.

Villefort, qui n'avait articulé que quelques mots sans suite, et qui s'était enfui dans son cabinet, reçut deux heures après la lettre suivante :

Après ce qui a été révélé ce matin, M. Noirtier de Villefort ne peut supposer qu'une alliance soit possible entre sa famille et celle de M. Franz d'Épinay. M. Franz d'Épinay a horreur de songer que M. de Villefort, qui paraissait connaître les événements racontés ce matin, ne l'ait pas prévenu dans cette pensée.

Quiconque eût vu en ce moment le magistrat ployé sous le coup n'eût pas cru qu'il le prévoyait ; en effet, jamais il n'eût pensé que son père eût poussé la franchise, ou plutôt la rudesse, jusqu'à raconter une pareille histoire.

Il est vrai que jamais M. Noirtier, assez dédaigneux de l'opinion de son fils, ne s'était préoccupé d'éclaircir le fait aux yeux de Villefort, et que celui-ci avait toujours cru que le général de Quesnel, ou le baron d'Épinay, selon qu'on voudra l'appeler ou du nom qu'il s'était fait ou du nom qu'on lui avait fait, était mort assassiné et non tué loyalement en duel.

Mme de Villefort se contenta de dire au notaire que M. Noirtier, ayant eu au commencement de la conférence une espèce d'attaque d'apoplexie, le contrat était naturellement remis à quelques jours.

Tandis que ce mariage se rompait chez les Villefort, M. le comte de Morcerf avait reçu la visite de Monte-Cristo, et, pour montrer son empressement à Danglars, il endossait son grand uniforme de lieutenant général, et demandait ses meilleurs chevaux.

Ainsi paré, il se rendit rue de la Chaussée-d'Antin et se fit annoncer à Danglars, qui faisait son relevé de fin de mois.

Ce n'était pas le moment où, depuis quelque temps, il fallait prendre le banquier pour le trouver de bonne humeur.

— Baron, dit-il, me voici. Depuis longtemps nous tournons autour de nos paroles d'autrefois...

Morcerf s'attendait, à ces mots, à voir s'épanouir la figure du banquier ; mais au contraire, cette figure devint plus impassible et plus froide encore. Voilà pourquoi Morcerf s'était arrêté au milieu de sa phrase.

— Quelles paroles, monsieur le comte ? demanda le banquier comme s'il cherchait vainement dans son esprit l'explication de ce que le général voulait dire.

— Oh ! dit le comte, vous êtes formaliste, mon cher monsieur, et vous me rappelez que le cérémonial doit se faire selon tous les rites. Très bien ! Monsieur le baron, j'ai l'honneur de vous demander la main de Mlle Eugénie

Danglars, votre fille, pour mon fils le vicomte Albert de Morcerf.

Mais Danglars, au lieu d'accueillir ces paroles avec une faveur que Morcerf pouvait espérer de lui, fronça le sourcil :

— Monsieur le comte, dit-il, avant de vous répondre, j'aurais besoin de réfléchir.

— De réfléchir ! reprit Morcerf de plus en plus étonné ; n'avez-vous donc pas eu le temps de réfléchir depuis tantôt huit ans que nous causâmes de ce mariage pour la première fois ?

— Monsieur le comte, vous devez être à bon droit surpris de ma réserve, je comprends cela ; croyez bien qu'elle m'est commandée par des circonstances vraiment impérieuses.

— J'ai le droit, dit Morcerf en faisant un violent effort sur lui-même, j'ai le droit d'exiger que vous vous expliquiez. Est-ce ma fortune qui n'est pas suffisante ? Sont-ce mes opinions qui, étant contraires aux vôtres... ?

— Non, ne cherchez plus, je suis vraiment honteux de vous faire cet examen de conscience ; restons-en là, croyez-moi. Prenons le terme moyen du délai, qui n'est ni une rupture, ni un engagement.

— Ainsi, monsieur, il me faudra subir tranquillement ce refus ?

— Pénible surtout pour moi, monsieur.

— C'est bien, monsieur, n'en parlons plus, dit Morcerf.

Et froissant ses gants avec rage, il sortit de l'appartement.

Le lendemain en se réveillant, Danglars demanda les journaux : on les lui apporta aussitôt. Il en écarta trois ou quatre et prit *L'Impartial*.

C'était celui dont Beauchamp était le rédacteur-gérant.

Il brisa rapidement l'enveloppe, l'ouvrit avec une précipitation nerveuse, et, arrivant aux faits divers, s'arrêta avec son méchant sourire sur un entrefilet commençant par ces mots : *On nous écrit de Janina.*

— Bon ! dit-il après avoir lu, voici un petit bout d'article sur le colonel Fernand qui, selon toute probabilité, me dispensera de donner des explications à M. le comte de Morcerf.

Au même moment, c'est-à-dire comme neuf heures du matin sonnaient, Albert de Morcerf, vêtu de noir, boutonné méthodiquement, se faisait conduire chez Beauchamp ; Beauchamp était à son journal. Albert se fit conduire au journal.

Beauchamp était dans un cabinet sombre et poudreux, comme sont de fondation les bureaux de journaux.

On lui annonça Albert de Morcerf. Il fit répéter deux fois l'annonce ; puis, mal convaincu encore, il cria :

— Entrez !

Albert parut.

— Par ici, par ici, mon cher Albert ! dit-il, en tendant la main au jeune homme ; qui diable vous amène ?

— Beauchamp, dit Albert, c'est de votre journal que je viens vous parler.

— Vous, Morcerf ? Que désirez-vous ?

— Je désire une rectification sur un fait qui porte atteinte à l'honneur d'un membre de ma famille.

— Quel fait ? Cela ne se peut pas.

— Le fait qu'on vous a écrit de Janina.

— De Janina ?

— Oui, de Janina. En vérité vous avez l'air d'ignorer ce qui m'amène ?

— Sur mon honneur !... Baptiste ! un journal d'hier ! cria Beauchamp.

— C'est inutile, je vous apporte le mien.

Beauchamp lut en bredouillant :

— *On nous écrit de Janina*, etc.

— Vous comprenez que le fait est grave, dit Morcerf quand Beauchamp eut fini.

— Cet officier est donc votre parent ? demanda le journaliste.

— C'est mon père, tout simplement, dit Albert ; M. Fernand Mondego, comte de Morcerf, un vieux militaire qui a vu vingt champs de bataille, et dont on voudrait couvrir les nobles cicatrices avec la fange impure ramassée dans le ruisseau.

— C'est votre père, dit Beauchamp, alors c'est autre chose ; je conçois votre indignation, mon cher Albert.

— Vous démentirez ce fait, n'est-ce pas, Beauchamp ? répéta Morcerf avec une colère croissante, quoique toujours concentrée.

— Oui, dit Beauchamp, quand je me serai assuré que le fait est faux.

— Monsieur ! dit Albert, je vais donc avoir l'honneur de vous envoyer mes témoins ; vous discuterez avec eux le lieu et les armes.

— Parfaitement, mon cher monsieur.

— Et ce soir, s'il vous plaît, ou demain au plus tard, nous nous rencontrerons.

— Non pas ! non pas ! Je serai sur le terrain quand il faudra. Je consens à me couper la gorge avec vous, mais je veux trois semaines ; dans trois semaines vous me retrouverez pour vous dire : « Oui, le fait est faux », et je l'efface, ou bien : « Oui, le fait est vrai », et je sors les épées du fourreau, ou les pistolets de la boîte, à votre choix.

— Eh bien ! dans trois semaines, soit ! dit Morcerf. Mais songez-y, dans trois semaines il n'y aura plus ni délai ni subterfuge qui puisse vous dispenser...

— Monsieur Albert de Morcerf, dit Beauchamp en se levant, je ne puis vous jeter par les fenêtres que dans trois semaines, et vous, vous n'avez le droit de me pourfendre qu'à cette époque. Nous sommes le 29 du mois d'août, au 21 donc du mois de septembre !

Et Beauchamp, saluant gravement le jeune homme, lui tourna le dos et passa dans son imprimerie.

42

La chambre du boulanger retiré

Le soir même du jour où le comte de Morcerf était sorti de chez Danglars avec une honte et une fureur que rend concevables le refus du banquier, M. Andrea Cavalcanti, les cheveux frisés et luisants, les moustaches aiguisées, les gants blancs dessinant les ongles, était entré, presque debout sur son phaéton, dans la cour du banquier de la rue de la Chaussée-d'Antin.

Au bout de dix minutes de conversation au salon, il avait trouvé moyen de conduire Danglars dans une embrasure de fenêtre, et là, après un adroit préambule, il avait exposé les tourments de sa vie depuis le départ de son noble père. Depuis ce départ, il avait, disait-il, dans la famille du banquier, où l'on avait bien voulu le recevoir comme un fils, il avait trouvé toutes les garanties de bonheur qu'un homme doit toujours rechercher avant les caprices de la passion, et, quant à la passion elle-même, il avait eu le bonheur de la rencontrer dans les beaux yeux de Mlle Danglars.

Danglars ressentit cette espèce d'étouffement joyeux que ressentent ou l'avare qui retrouve un trésor perdu, ou l'homme prêt à se noyer qui rencontre sous ses pieds la terre solide au lieu du vide dans lequel il allait s'engloutir.

— Eh bien ! monsieur, dit Andrea, puis-je espérer... ?

— Monsieur Andrea, dit Danglars, espérez, et croyez bien que, si nul obstacle de votre part n'arrête la marche de cette affaire, elle est conclue.

— Ah ! vous me pénétrez de joie, monsieur. Maintenant, dit Andrea avec son plus charmant sourire, j'ai fini de parler au beau-père et je m'adresse au banquier.

— Que lui voulez-vous, voyons ? dit en riant Danglars à son tour.

— C'est après-demain que j'ai quelque chose comme quatre mille francs à toucher chez vous ; mais le comte de Monte-Cristo a compris que le mois dans lequel j'allais entrer amènerait peut-être un surcroît de dépenses et voici un bon de vingt mille francs qu'il m'a offert. Il est signé de sa main, comme vous voyez ; cela vous convient-il ?

— Apportez-m'en comme celui-là pour un million, et je vous les prends, dit Danglars, en mettant le bon dans sa poche ; dites-moi votre heure pour demain, et mon garçon de caisse passera chez vous avec un reçu de vingt-quatre mille francs.

— Mais à dix heures du matin, si vous voulez bien ; le plus tôt sera le mieux, je voudrais aller demain à la campagne.

— Soit, à dix heures ; à l'hôtel des Princes, toujours ?

— Oui.

Le lendemain, avec une exactitude qui faisait honneur à la ponctualité du banquier, les vingt-quatre mille francs étaient chez le jeune homme, qui sortit effectivement, laissant deux cents francs pour Caderousse.

Cette sortie avait, de la part d'Andrea, pour but principal d'éviter son dangereux ami ; aussi rentra-t-il le soir le plus tard possible.

Mais à peine eut-il mis le pied sur le pavé de la cour, qu'il trouva devant lui le concierge de l'hôtel, qui l'attendait la casquette à la main.

— Monsieur, dit-il, cet homme est venu.

— Quel homme ?

— Celui à qui Votre Excellence fait cette petite rente.

— Ah ! oui, dit Andrea, cet ancien serviteur de mon père. Eh bien ! vous lui avez donné les deux cents francs que j'avais laissés pour lui ?

— Oui, Excellence, mais il n'a pas voulu les prendre.

Andrea pâlit ; seulement, comme il faisait nuit, personne ne le vit pâlir.

— Comment ! il n'a pas voulu les prendre ?

— Non ! il voulait parler à Votre Excellence. J'ai répondu que vous étiez sorti. Il m'a donné cette lettre qu'il avait apportée toute cachetée.

— Voyons, dit Andrea.

Il lut à la lanterne de son phaéton :

Tu sais où je demeure ; je t'attends demain à neuf heures du matin.

Andrea interrogea le cachet pour voir s'il avait été forcé ; or, le cachet était parfaitement intact.

— Très bien, dit-il. Pauvre homme ! c'est une bien excellente créature.

Et il laissa le concierge édifié par ces paroles, et ne sachant pas lequel il devait le plus admirer, du jeune maître ou du vieux serviteur.

En deux bonds le jeune homme fut dans sa chambre et eut brûlé la lettre de Caderousse, dont il fit disparaître jusqu'aux cendres.

Cinq minutes après, Andrea sortait de l'hôtel, prenait un cabriolet, et se faisait conduire à l'auberge du *Cheval Rouge*, à Picpus.

Le lendemain, il sortit de l'auberge du *Cheval Rouge* sans être remarqué, descendit le faubourg Saint-Antoine, prit le boulevard jusqu'à la rue Ménilmontant, et, s'arrêtant à la porte de la troisième maison à gauche, chercha à qui il pouvait, en l'absence du concierge, demander des renseignements.

— Que cherchez-vous, mon joli garçon ? demanda la fruitière d'en face.

— M. Pailletin, s'il vous plaît, ma grosse maman, répondit Andrea.

— Un boulanger retiré ? demanda la fruitière.

— Justement, c'est cela.

— Au fond de la cour, à gauche, au troisième.

Andrea prit le chemin indiqué et, au troisième, trouva une patte de lièvre qu'il agita avec un sentiment de mauvaise humeur.

Une seconde après, la figure de Caderousse apparut au grillage pratiqué dans la porte.

— Ah ! tu es exact, dit-il.

Et il tira les verrous.

— Parbleu ! dit Andrea en entrant.

— Allons, allons, dit Caderousse, ne te fâche pas, le petit. Voyons, tiens, j'ai pensé à toi, regarde un peu le bon déjeuner que nous aurons !

Andrea sentit en effet, en respirant, une odeur de cuisine dont les arômes grossiers ne manquaient pas d'un certain charme pour un estomac affamé.

— Si c'est pour déjeuner avec toi que tu m'as dérangé, que le diable t'emporte !

— Mon fils, dit sentencieusement Caderousse, en mangeant l'on cause : et puis, ingrat que tu es, tu n'as donc pas de plaisir à voir un peu ton ami ? moi, j'en pleure de joie.

Caderousse, en effet, pleurait réellement ; seulement, il eût été difficile de dire si c'était la joie ou les oignons qui

269

opéraient sur la glande lacrymale de l'ancien aubergiste du *Pont du Gard*.

— Pourquoi exiges-tu que je vienne déjeuner avec toi ? demanda Andrea.

— C'est humiliant de recevoir ainsi de l'argent éphémère qui peut me manquer du jour au lendemain. Tu vois bien que je suis obligé de faire des économies pour le cas où ta prospérité ne durerait pas. Je sais bien qu'elle est immense, ta prospérité, scélérat ; tu vas épouser la fille de Danglars.

— Comment, de Danglars ?

— C'est bon, *Benedetto mio*, on sait ce que l'on dit. En attendant, assieds-toi et mangeons.

Caderousse donna l'exemple et se mit à déjeuner de bon appétit, et en faisant l'éloge de tous les mets qu'il servait à son hôte. Celui-ci sembla prendre son parti, déboucha bravement les bouteilles et attaqua la bouillabaisse et la morue gratinée à l'ail et à l'huile.

— Ah ! dit Caderousse, tu trouves cela bon, coquin ?

— Si bon que je ne comprends pas comment un homme qui fricasse et qui mange de si bonnes choses peut trouver que la vie est mauvaise.

— Vois-tu, dit Caderousse, c'est que tout mon bonheur est gâté par une seule pensée.

— Laquelle ?

— C'est que je vis aux dépens d'un ami, moi qui ai toujours bravement gagné ma vie moi-même. Tu me croiras si tu veux, à la fin de chaque mois j'ai des remords ; et puis il m'est venu une idée.

Andrea frémit ; il frémissait toujours aux idées de Caderousse.

— Voyons, poursuivit Caderousse : peux-tu, toi, sans débourser un sou, me faire avoir une quinzaine de mille francs ?... non, ce n'est pas assez de quinze mille francs, je ne veux pas redevenir honnête homme à moins de trente mille francs.

— Non, répondit sèchement Andrea, non, je ne le puis pas.

— Tu ne m'as pas compris, à ce qu'il paraît, répondit froidement Caderousse d'un air calme ; je t'ai dit : sans débourser un sou.

— Ne veux-tu pas que je vole pour gâter toute mon affaire, et la tienne avec la mienne, et qu'on nous reconduise là-bas ?

— Oh ! moi, dit Caderousse, ça m'est bien égal qu'on me reprenne ; je suis un drôle de corps, sais-tu ? je m'ennuie parfois des camarades ; ce n'est pas comme toi, sans cœur, qui voudrais ne jamais les revoir !

Andrea fit plus que frémir cette fois, il pâlit.

— Voyons, Caderousse, pas de bêtises, dit-il.

— Eh non ! sois donc tranquille, mon petit Benedetto ; mais indique-moi donc un petit moyen de gagner ces trente mille francs sans te mêler de rien ; tu me laisseras faire, voilà tout !

— Eh bien ! je verrai, je chercherai, dit Andrea.

— Mais en attendant, tu pousseras mon mois à cinq cents francs, n'est-ce pas, le petit ? J'ai une manie, je voudrais prendre une bonne.

— Eh bien ! tu auras tes cinq cents francs, dit Andrea ; mais c'est lourd pour moi, mon pauvre Caderousse... tu abuses...

— Bah ! dit Caderousse, puisque tu puises dans des coffres qui n'ont point de fond.

— Ça, mon protecteur est excellent pour moi.

— Ce cher protecteur ! dit Caderousse. Ainsi donc, il te fait par mois... ?

— Cinq mille francs, dit Andrea. C'est bien vite dépensé ; aussi, je suis comme toi, je voudrais bien avoir un capital. Malheureusement, il faut que j'attende.

— Que tu attendes quoi ? demanda Caderousse.

— Sa mort.

— Comment cela ?

— Parce qu'il m'a porté sur son testament.

— Pour combien ?

— Pour cinq cent mille !

— Rien que cela ! merci du peu.

— Caderousse, tu es mon ami ?

— Comment donc ! à la vie, à la mort.

— Eh bien ! je vais te dire un secret.

— Dis.

— Eh bien ! je crois... Je crois que j'ai retrouvé mon père.

— Et ce père, c'est... ?

— Eh bien ! Caderousse, c'est le comte de Monte-Cristo.

— Bah !

— Oui ; tu comprends alors, tout s'explique. Il ne peut pas m'avouer tout haut, à ce qu'il paraît, mais il me fait reconnaître par M. Cavalcanti, à qui il donne cinquante mille francs pour ça.

— Cinquante mille francs pour être ton père ! Moi, j'aurais accepté pour moitié prix ; comment n'as-tu pas pensé à moi, ingrat ?

— Est-ce que je savais cela ? presque tout s'est fait tandis que nous étions là-bas.

— Ah ! c'est vrai.

— Voilà ! Dis encore que j'ai des secrets pour toi !

— Non, et ta confiance t'honore à mes yeux. Et ton prince de père, il est donc riche, richissime ?

— Dame ! je le vois bien, moi qui suis reçu chez lui à toute heure.

Caderousse demeura pensif un instant. Il était facile de voir qu'il retournait dans son esprit quelque profonde pensée.

Puis soudain :

— Que j'aimerais à voir tout cela ! s'écria-t-il, et comme tout cela doit être beau !

— Le fait est, dit Andrea, que c'est magnifique !

— Et ne demeure-t-il pas avenue des Champs-Élysées ?

— Numéro 30.

— Ah ! dit Caderousse, numéro 30 ?

— Oui, une belle maison isolée, entre cour et jardin ; tu ne connais que cela.

— Tu as raison, tu m'as fait venir l'eau à la bouche ; tâche au moins de me faire comprendre ce que cela peut être.

— Dame ! il me faudrait de l'encre et du papier pour faire un plan.

— En voilà ! dit vivement Caderousse.

Et il alla chercher sur un vieux secrétaire une feuille de papier blanc, de l'encre et une plume.

— Tiens, dit Caderousse, trace-moi tout cela sur le papier, mon fils.

Andrea prit la plume avec un imperceptible sourire et fit le tracé du jardin, de la cour et de la maison.

Ils se séparèrent. Caderousse referma sa porte avec soin, et se mit à étudier, en profond architecte, le plan que lui avait laissé Andrea.

— Ce cher Benedetto, dit-il, je crois qu'il ne serait pas fâché d'hériter, et que celui qui avancera le jour où il doit palper ses cinq cent mille francs ne sera pas son plus méchant ami.

43

L'effraction

Le lendemain du jour où avait eu lieu la conversation que nous venons de rapporter, le comte de Monte-Cristo était parti pour Auteuil avec Ali, plusieurs domestiques et des chevaux qu'il voulait essayer. Ce qui avait déterminé ce départ auquel il ne songeait même pas la veille, c'était l'arrivée de Bertuccio, qui, revenu de Normandie, rapportait des nouvelles de la maison et de la corvette. La maison était prête, et la corvette, arrivée depuis huit jours, était déjà en état de reprendre la mer.

— C'est bien, dit Monte-Cristo, je reste ici un jour ou deux ; arrangez-vous en conséquence.

Comme Bertuccio allait sortir, Baptistin ouvrit la porte ; il tenait une lettre sur un plateau de vermeil.

Le comte ouvrit la lettre et lut :

M. de Monte-Cristo est prévenu que cette nuit même un homme s'introduira dans sa maison des Champs-Élysées.

On sait M. le comte de Monte-Cristo assez brave pour ne pas recourir à l'intervention de la police, intervention qui pourrait compromettre fortement celui qui lui donne cet avis. Beaucoup de gens et des précautions apparentes éloigneraient certainement le malfaiteur et feraient perdre à M. de Monte-Cristo cette occasion de connaître un ennemi que le hasard a fait découvrir à la personne qui donne cet avis au comte, avis qu'elle n'aurait peut-être pas la possibilité de renouveler si, cette première entreprise échouant, le malfaiteur en tentait une autre.

Le premier mouvement du comte fut de croire à une ruse de voleurs. Il allait donc faire porter la lettre à un commissaire de police, quand tout à coup l'idée lui vint que ce pouvait être en effet quelque ennemi particulier à lui, que lui seul pouvait reconnaître, et dont, le cas échéant, lui seul pouvait tirer parti.

Le comte rappela Baptistin, qui était sorti de la chambre après avoir apporté la lettre.

— Vous allez retourner à Paris, dit-il ; vous ramènerez ici les domestiques qui restent. J'ai besoin de tout mon monde à Auteuil.

Baptistin s'inclina.

Le comte dîna avec sa tranquillité et sa sobriété habituelles, et après le dîner, faisant signe à Ali de le suivre, il sortit par la petite porte, gagna le bois de Boulogne comme s'il se promenait, prit sans affectation le chemin de Paris, et, à la nuit tombante, se trouva en face de sa maison des Champs-Élysées.

Il courut à la petite porte avec Ali, entra précipitamment, et, par l'escalier de service dont il avait la clef, rentra dans sa chambre à coucher sans ouvrir ou déranger un seul rideau.

Il était neuf heures et demie à peu près ; Monte-Cristo fit glisser un de ces panneaux mobiles qui lui permettaient de voir d'une pièce dans l'autre. Il avait à sa portée ses pistolets et sa carabine, et Ali, debout près de lui, tenait à la main une petite hache arabe.

Onze heures trois quarts sonnèrent à l'horloge des Invalides ; le vent d'ouest apportait sur ses humides bouffées la lugubre vibration des trois coups.

Comme le dernier coup s'éteignait, le comte crut entendre un léger bruit du côté du cabinet ; ce premier bruit fut suivi d'un second, puis d'un troisième. Au quatrième, le comte savait à quoi s'en tenir : une main ferme et exercée était occupée à couper les quatre côtés d'une vitre avec un diamant.

Un carreau craqua sans tomber. Par l'ouverture pratiquée, un bras passa, qui chercha l'espagnolette. Une seconde après, la fenêtre tourna sur ses gonds et un homme entra.

L'homme était seul.

— Voilà un hardi coquin, murmura le comte.

En ce moment il sentit qu'Ali lui touchait doucement l'épaule ; il se retourna : Ali lui montrait la fenêtre de la chambre où ils étaient, et qui donnait sur la rue. Monte-Cristo vit un autre homme qui se détachait d'une porte, et, montant sur une borne, semblait chercher à voir ce qui se passait chez le comte.

Il fit signe à Ali de ne pas perdre des yeux l'homme de la rue, et revint à celui du cabinet.

Le coupeur de vitres était entré et s'orientait, les bras tendus en avant.

— Tiens ! fit tout à coup Monte-Cristo en se reculant avec un mouvement de surprise, c'est...

Ali leva sa hache.

— Ne bouge pas, lui dit Monte-Cristo tout bas, et laisse là ta hache, nous n'avons plus besoin d'armes ici.

Aussitôt Ali détacha de la muraille de l'alcôve un vêtement noir et un chapeau triangulaire. Pendant ce temps,

Monte-Cristo ôtait rapidement sa redingote, son gilet et sa chemise, et l'on pouvait, grâce au rayon de lumière filtrant par la fente du panneau, reconnaître sur la poitrine du comte une souple et fine tunique de mailles d'acier. Cette tunique disparut bientôt sous une longue soutane, comme les cheveux du comte sous une perruque à tonsure ; le chapeau triangulaire, placé sur la perruque, acheva de changer le comte en abbé.

Alors Monte-Cristo tira d'une armoire une bougie tout allumée, et il ouvrit doucement la porte, ayant soin que la lumière qu'il tenait à la main donnât tout entière sur son visage.

La porte tourna si doucement, que le voleur n'entendit pas le bruit ; mais, à son grand étonnement, il vit tout à coup la chambre s'éclairer.

Il se retourna.

— Hé ! bonsoir, cher monsieur Caderousse ! dit Monte-Cristo ; que diable venez-vous donc faire ici à une pareille heure ?

— L'abbé Busoni ! s'écria Caderousse.

Et ne sachant comment cette étrange apparition était venue jusqu'à lui, il laissa tomber son trousseau de fausses clefs et resta immobile et comme frappé de stupeur.

Le comte alla se placer entre Caderousse et la fenêtre, coupant ainsi au voleur terrifié son seul moyen de retraite.

— L'abbé Busoni ! répéta Caderousse en fixant sur le comte des yeux hagards.

— Nous voulons donc voler le comte de Monte-Cristo ? continua le prétendu abbé.

— Monsieur l'abbé, je ne sais...

Caderousse s'étranglait avec sa cravate ; il cherchait un angle où se cacher, un trou par où disparaître.

— Allons, dit le comte, je vois que vous êtes toujours le même, monsieur l'assassin.

— Monsieur l'abbé, puisque vous savez tout, vous savez que ce n'est pas moi, que c'est la Carconte : ç'a été reconnu au procès, puisqu'ils ne m'ont condamné qu'aux galères.

— Vous avez donc fini votre temps, que je vous retrouve en train de vous y faire ramener ?

— Non, monsieur l'abbé, j'ai été délivré par quelqu'un.

— Qui cela ?

— Un Anglais, Lord Wilmore.

— Cet Anglais vous protégeait donc ?

— Non pas moi, mais un jeune Corse qui était mon compagnon de chaîne.

— Comment se nommait ce jeune Corse ?

— Benedetto.

— Alors ce jeune homme s'est évadé avec vous ?

— Oui.

— Et qu'est devenu ce Benedetto ?

— Je n'en sais rien !

— Vous mentez ! dit l'abbé Busoni avec un accent d'irrésistible autorité.

— Monsieur l'abbé !...

— Vous mentez ! cet homme est encore votre ami, et vous vous servez de lui comme un complice, peut-être. Depuis que vous avez quitté Toulon, comment avez-vous vécu ? Répondez.

— Comme j'ai pu.

— Vous mentez ! reprit une troisième fois l'abbé avec un accent impératif.

Caderousse, terrifié, regarda le comte.

— Vous avez vécu, reprit celui-ci, de l'argent qu'il vous a donné.

— Eh bien ! c'est vrai, dit Caderousse, Benedetto est devenu un fils de grand seigneur.

— Comment peut-il être fils d'un grand seigneur ?

— Fils naturel.

— Et comment nommez-vous ce grand seigneur ?

— Le comte de Monte-Cristo, celui-là même chez qui nous sommes.

— Benedetto, le fils du comte ! reprit Monte-Cristo étonné à son tour. Et quel nom porte, en attendant, ce jeune homme ?

— Il s'appelle Andrea Cavalcanti.

— Alors c'est ce jeune homme que mon ami le comte de Monte-Cristo reçoit chez lui, et qui va épouser Mlle Danglars ?

— Justement.

— Et vous souffrez cela, misérable ! vous qui connaissez sa vie et sa flétrissure ?

— Monsieur l'abbé ! dit Caderousse en se rapprochant.

— Je dirai tout.

— À qui ?

— À M. Danglars.

— Tron-de-l'air ! s'écria Caderousse en tirant un couteau tout ouvert de son gilet et en frappant le comte au milieu de la poitrine, tu ne diras rien, l'abbé !

Au grand étonnement de Caderousse, le poignard, au lieu de pénétrer dans la poitrine du comte, rebroussa émoussé.

En même temps, le comte saisit de la main gauche le poignet de l'assassin et le tordit avec une telle force, que le couteau tomba de ses doigts raidis, et que Caderousse poussa un cri de douleur.

Mais le comte, sans s'arrêter à ce cri, continua de tordre le poignet du bandit jusqu'à ce que, le bras disloqué, il tombât d'abord à genoux, puis ensuite la face contre terre.

Le comte appuya son pied sur sa tête et dit :

— Je ne sais ce qui me retient de te briser le crâne, scélé-rat !

— Ah ! grâce ! grâce ! cria Caderousse.

Le comte retira son pied.

— Relève-toi ! dit-il.

Caderousse se releva.

— Tudieu ! quel poignet vous avez, monsieur l'abbé ! dit Caderousse, caressant son bras tout meurtri par les tenailles de chair qui l'avaient étreint ; tudieu ! quel poignet !

— Silence. Dieu me donne la force de dompter une bête féroce comme toi ; c'est au nom de ce Dieu que j'agis ; souviens-toi de cela, misérable, et t'épargner en ce moment, c'est encore servir les desseins de Dieu.

— Ouf ! fit Caderousse tout endolori.

— Prends cette plume et ce papier, et écris ce que je vais te dicter.

Caderousse, subjugué par cette puissance supérieure, s'assit et écrivit.

— *Monsieur, l'homme que vous recevez chez vous et à qui vous destinez votre fille est un ancien forçat, échappé avec moi du bagne de Toulon ; il portait le n° 59, et moi le n° 58.*

« *Il se nommait Benedetto ; mais il ignore lui-même son véritable nom, n'ayant jamais connu ses parents.*

« Signe ! continua le comte.

— Mais vous voulez donc me perdre ?

— Si je voulais te perdre, imbécile, je te traînerais jusqu'au premier corps de garde ; d'ailleurs, à l'heure où le billet sera rendu à son adresse, il est probable que tu n'auras plus rien à craindre. Signe donc.

Caderousse signa.

— L'adresse : *À M. le baron Danglars, banquier, rue de la Chaussée-d'Antin.*

Caderousse écrivit l'adresse.

L'abbé prit le billet.

— Maintenant, dit-il, c'est bien, va-t'en.

— Par où ?

— Par où tu es venu.

— Vous méditez quelque chose contre moi, monsieur l'abbé ?

— Allons, va-t'en ! dit le comte en montrant du doigt la fenêtre à Caderousse.

Caderousse enjamba la fenêtre et mit le pied sur l'échelle. Ce ne fut que lorsqu'il sentit le sol du jardin sous son pied qu'il fut rassuré.

Monte-Cristo rentra dans sa chambre à coucher, et jetant un coup d'œil rapide du jardin à la rue, il vit d'abord Caderousse qui allait planter son échelle à l'extrémité de la muraille, afin de sortir à une autre place que celle par laquelle il était entré ; puis, passant du jardin à la rue, il vit l'homme qui semblait attendre courir parallèlement dans la rue et se placer derrière l'angle même près duquel Caderousse allait descendre.

Mais, une fois lancé sur cette pente, il ne put s'arrêter. Vainement il vit un homme s'élancer dans l'ombre au moment où il était à moitié chemin ; vainement il vit un bras se lever au moment où il touchait la terre ; avant qu'il n'eût pu se mettre en défense, ce bras le frappa si furieusement dans le dos, qu'il lâcha l'échelle en criant :

— Au secours !

Un second coup lui arriva presque aussitôt dans le flanc. Enfin, comme il se roulait sur la terre, son adversaire le saisit aux cheveux et lui porta un troisième coup dans la poitrine.

Cette fois Caderousse voulut crier encore, mais il ne put pousser qu'un gémissement et laissa couler en gémissant les trois ruisseaux de sang qui sortaient de ses trois blessures.

L'assassin, voyant qu'il ne criait plus, lui souleva la tête par les cheveux ; Caderousse avait les yeux fermés et la bouche tordue. L'assassin le crut mort, laissa retomber la tête et disparut.

Alors Caderousse, le sentant s'éloigner, se redressa sur son coude, et d'une voix mourante cria dans un suprême effort :

— À l'assassin ! je meurs ! à moi, monsieur l'abbé, à moi !

Ce lugubre appel perça l'ombre de la nuit. La porte de l'escalier dérobé s'ouvrit, puis la petite porte du jardin, et Ali et son maître accoururent avec des lumières.

44

La main de Dieu

Caderousse continuait de crier d'une voix lamentable :

— Monsieur l'abbé, au secours ! au secours !

— Nous voici ! du courage.

— Ah ! c'est fini. Vous arrivez trop tard ; vous arrivez pour me voir mourir.

Et il s'évanouit.

Ali et son maître prirent le blessé et le transportèrent dans une chambre. Là, Monte-Cristo fit signe à Ali de le déshabiller, et il reconnut les trois terribles blessures dont il était atteint.

— Mon Dieu ! dit-il, Votre vengeance se fait parfois attendre ; mais je crois alors qu'elle ne descend du ciel que plus complète.

Ali regarda son maître comme pour lui demander ce qu'il y avait à faire.

— Va chercher M. le procureur du roi Villefort, qui demeure faubourg Saint-Honoré, et amène-le ici. En passant, tu réveilleras le concierge, et tu lui diras d'aller chercher un médecin.

Ali obéit et laissa le faux abbé seul avec Caderousse toujours évanoui.

Lorsque le malheureux rouvrit les yeux, le comte, assis à quelques pas de lui, le regardait avec une sombre expression de pitié, et ses lèvres qui s'agitaient semblaient murmurer une prière.

— Un chirurgien, monsieur l'abbé, un chirurgien ! dit Caderousse.

— On en est allé chercher un, répondit l'abbé.

— Je sais bien que c'est inutile, quant à la vie ; mais il pourra me donner des forces peut-être, et je veux avoir le temps de faire ma déclaration.

— Sur quoi ?

— Sur mon assassin.

— Vous le connaissez donc ?

— Si je le connais ! oui, je le connais, c'est Benedetto.

— Ce jeune Corse ?

— Oui. Après m'avoir donné le plan de la maison du comte espérant sans doute que je le tuerais, et qu'il deviendrait ainsi son héritier, ou qu'il me tuerait, et qu'il serait ainsi débarrassé de moi, il m'a attendu dans la rue et m'a assassiné.

— Voulez-vous que j'écrive votre déposition ? vous la signerez.

— Oui... oui..., dit Caderousse, dont les yeux brillaient à l'espoir de cette vengeance posthume.

Monte-Cristo écrivit :

Je meurs assassiné par le Corse Benedetto, mon compagnon de chaîne à Toulon, sous le n° 59.

— Dépêchez-vous ! dépêchez-vous ! dit Caderousse, je ne pourrais plus signer.

Monte-Cristo présenta la plume à Caderousse, qui rassembla ses forces, signa et retomba sur son lit en disant :

— Vous raconterez le reste, monsieur l'abbé, vous direz qu'il se fait appeler Andrea Cavalcanti, qu'il loge à l'hôtel des Princes, que... vous direz tout cela, n'est-ce pas, monsieur l'abbé ?

— Tout cela, oui, et bien d'autres choses encore.

Le comte n'avait cessé de suivre les progrès de l'agonie. Il comprit que cet élan de vie était le dernier ; Caderousse, fermant les yeux, tomba renversé en arrière, avec un dernier cri et avec un dernier soupir.

Le sang s'arrêta aussitôt aux lèvres de ses larges blessures.

Il était mort.

— *Un !* dit mystérieusement le comte, les yeux fixés sur le cadavre.

Dix minutes après, le médecin et le procureur du roi arrivèrent, amenés l'un par le concierge, l'autre par Ali, et furent reçus par l'abbé Busoni, qui priait près du mort.

45

Beauchamp

Le délai demandé par Beauchamp était presque écoulé. Où était-il ? personne n'en savait rien.

Un matin, Albert fut réveillé par un valet de chambre, qui lui annonça Beauchamp.

Albert se frotta les yeux, ordonna qu'on le fît attendre dans le petit salon-fumoir du rez-de-chaussée, s'habilla vivement et descendit.

Il trouva Beauchamp se promenant de long en large.

— La démarche que vous tentez en vous présentant chez moi de vous-même, et sans attendre la visite que je comptais vous faire aujourd'hui, me semble d'un bon augure, monsieur.

— Albert, dit Beauchamp avec une tristesse qui frappa le jeune homme de stupeur, asseyons-nous d'abord, et causons.

— Mais il me semble, au contraire, monsieur, qu'avant de nous asseoir, vous avez à me répondre.

— Albert, dit le journaliste, il y a des circonstances où la difficulté est justement dans la réponse.

— Eh bien ! eh bien ! demanda Morcerf avec impatience ; que veut dire cela ?

— Cela veut dire que j'arrive de Janina.

— Vous avez été à Janina ? dit-il.

— Albert, si vous aviez été un étranger, un inconnu, vous comprenez que je ne me serais pas donné une pareille peine ; mais j'ai cru que je vous devais cette marque de considération.

— Mon Dieu ! que de circonlocutions, Beauchamp ! Vous avez peur d'avouer que votre correspondant vous avait trompé ?

— Oh ! ce n'est point cela, murmura le journaliste ; au contraire...

Albert pâlit affreusement ; il essaya de parler, mais la parole expira sur ses lèvres.

— Mon ami, dit Beauchamp du ton le plus affectueux, croyez que je serais heureux de vous faire mes excuses, et que ces excuses ; mais, hélas !...

— Mais quoi ?

— La note avait raison, mon ami.

— Comment ? cet officier français...

— Pardonnez-moi de vous dire ce que je vous dis, mon ami : cet homme, c'est votre père !

Albert fit un mouvement furieux pour se lancer sur Beauchamp ; mais celui-ci le retint bien plus encore avec un doux regard qu'avec sa main étendue.

— Tenez, mon ami, dit-il en tirant un papier de sa poche, voici la preuve.

Albert ouvrit le papier : c'était une attestation de quatre habitants notables de Janina, constatant que le colonel Fernand Mondego, colonel instructeur au service du vizir Ali-Tebelin, avait livré le château de Janina moyennant deux mille bourses.

Les signatures étaient légalisées par le consul.

Albert chancela et tomba écrasé sur un fauteuil. Après un moment de silence muet et douloureux, son cœur se gonfla, les veines de son cœur s'enflèrent, un torrent de larmes jaillit de ses yeux.

Beauchamp, qui avait regardé avec une profonde pitié le jeune homme, cédant au paroxysme de sa douleur, s'approcha de lui.

— Je suis accouru à vous pour vous dire : Albert, les fautes de nos pères dans ces temps d'action et de réaction ne peuvent atteindre les enfants. Ces preuves, que je possède seul, voulez-vous qu'elles disparaissent ? Dites, le voulez-vous, Albert ?

Albert s'élança au cou de Beauchamp.

— Ah ! noble cœur ! s'écria-t-il.

— Tenez, dit Beauchamp en présentant les papiers à Albert.

— Cher ami ! excellent ami ! murmura Albert tout en brûlant les papiers.

— Que tout cela s'oublie comme un mauvais rêve, dit Beauchamp.

— Oui, oui, dit Albert, et qu'il n'en reste que l'éternelle amitié que je voue à mon sauveur !

Mais le jeune homme sortit bientôt de cette joie inopinée et pour ainsi dire factice, et retomba plus profondément dans sa tristesse.

— Mais d'où venait cette première note insérée dans votre journal ? s'écria Albert ; il y a derrière tout cela une haine inconnue, un ennemi invisible.

— Eh bien ! dit Beauchamp, raison de plus. Du courage, Albert ! réservez vos forces pour le moment où l'éclat se ferait.

— Oh ! mais vous croyez donc que nous ne sommes pas au bout ? dit Albert épouvanté.

— Moi, je ne crois rien, mon ami ; mais enfin, tout est possible. À propos...

— Quoi ? demanda Albert en voyant que Beauchamp hésitait.

— Épousez-vous toujours Mlle Danglars ?

— Non, dit Albert, le mariage est rompu.

— Bien, dit Beauchamp.

Puis, voyant que le jeune homme allait retomber dans sa mélancolie :

— Tenez, Albert, lui dit-il, si vous m'en croyez, nous allons sortir : un tour au Bois en phaéton ou à cheval vous distraira ; puis nous reviendrons déjeuner quelque part, et vous irez à vos affaires et moi aux miennes.

— Volontiers, dit Albert, mais sortons à pied : il me semble qu'un peu de fatigue me ferait du bien.

— Soit, dit Beauchamp.

Et les deux amis, sortant à pied, suivirent le boulevard. Arrivés à la Madeleine :

— Tenez, dit Beauchamp, puisque nous voilà sur la route, allons un peu voir M. de Monte-Cristo, il vous distraira.

— Soit, dit Albert, allons chez lui.

Monte-Cristo poussa un cri de joie en voyant les deux jeunes gens ensemble.

— Ah ! ah ! dit-il ; eh bien ! j'espère que tout est fini, éclairci, arrangé ?

— Oui, dit Beauchamp. Ainsi donc ne parlons plus de cela.

— Que faites-vous ? dit Albert ; vous mettez de l'ordre dans vos papiers, ce me semble ?

— Dans mes papiers ? Dieu merci, non ! Il y a toujours dans mes papiers un ordre merveilleux, attendu que je n'ai pas de papiers, mais dans les papiers de M. Cavalcanti.

— De M. Cavalcanti ? demanda Beauchamp.

— Eh oui ! Ne savez-vous pas que ce jeune homme va épouser Mlle Danglars en mon lieu et place ; ce qui, continua Albert en essayant de sourire, comme vous pouvez bien vous en douter, mon cher Beauchamp, m'affecte cruellement.

— Mais qu'avez-vous donc, Albert ? vous avez l'air tout attristé ; est-ce que, sans vous en douter, vous êtes amoureux de Mlle Danglars, par exemple ?

— Pas que je sache, dit Albert en souriant tristement.

Beauchamp se mit à regarder les tableaux.

— Mais enfin, continua Monte-Cristo, vous n'êtes pas dans votre état ordinaire. Voyons, qu'avez-vous ? dites.

— J'ai la migraine, dit Albert.

— Eh bien ! mon cher vicomte, dit Monte-Cristo, j'ai en ce cas un remède infaillible à vous proposer, remède qui m'a réussi à moi chaque fois que j'ai éprouvé quelque contrariété.

— Lequel ? demanda le jeune homme.

— Le déplacement.

— En vérité ? dit Albert.

— Voulez-vous que nous nous déplacions ensemble ?

— Volontiers.

— Alors, c'est convenu ?

— Oui, mais où cela ?

— À la mer, vicomte, à la mer.

— J'accepte.

— Eh bien ! vicomte, il y aura ce soir dans ma cour un briska de voyage, dans lequel on peut s'étendre comme dans son lit. Monsieur Beauchamp, on y tient à quatre très facilement. Voulez-vous venir avec nous ?

— Merci, je viens de la mer.

— Qu'importe ! venez toujours ! dit Albert.

— Non, cher Morcerf, vous devez comprendre que, du moment où je refuse, c'est que la chose est impossible. D'ailleurs, il est important, ajouta-t-il en baissant la voix, que je reste à Paris, ne fût-ce que pour surveiller la boîte du journal.

— Ah ! vous êtes un bon et excellent ami, dit Albert ; oui, vous avez raison, veillez, surveillez, Beauchamp ; et tâchez de découvrir l'ennemi à qui cette révélation a dû le jour.

Albert et Beauchamp se séparèrent : leur dernière poignée de main renfermait tout le sens que leurs lèvres ne pouvaient exprimer devant un étranger.

— Excellent garçon que ce Beauchamp ! dit Monte-Cristo après le départ du journaliste, n'est-ce pas, Albert ?

— Oh ! oui, un homme de cœur, je vous en réponds ; aussi je l'aime de toute mon âme. Mais, maintenant que nous voilà seuls, quoique la chose me soit à peu près égale, où allons-nous ?

— En Normandie, si vous voulez bien.

— À merveille. C'est ce qu'il me faut ; je préviens ma mère, et je suis à vos ordres.

— Allez donc, dit Monte-Cristo ; à ce soir. Soyez ici à cinq heures.

— À cinq heures.

Albert fut exact. Le voyage, sombre à son commencement, s'éclaircit bientôt par l'effet physique de la rapidité. Morcerf n'avait pas idée d'une pareille vitesse.

On arriva au milieu de la nuit à la porte d'un beau parc. Il était deux heures et demie du matin : on conduisit Morcerf à son appartement. Il trouva un bain et un souper prêts. Albert prit son bain, soupa et se coucha. Toute la nuit, il fut bercé par le bruit mélancolique de la houle. En se levant, il alla droit à sa fenêtre, l'ouvrit et se trouva sur une petite terrasse où l'on avait devant soi la mer, c'est-à-dire l'immensité, et derrière soi un joli parc donnant sur une petite forêt.

Dans une anse d'une certaine grandeur se balançait une petite corvette à la carène étroite, et portant à la corne un pavillon aux armes de Monte-Cristo.

Là, comme dans tous les endroits où s'arrêtait Monte-Cristo, ne fût-ce que pour y passer deux jours, la vie y était organisée au thermomètre du plus haut confortable.

Vers le soir du troisième jour, Albert dormait sur un fauteuil près de la fenêtre, tandis que le comte faisait avec son architecte le plan d'une serre qu'il voulait établir dans sa maison, lorsque le bruit d'un cheval écrasant les cailloux de la route fit lever la tête au jeune homme ; il regarda par la fenêtre, et, avec une surprise des plus désagréables, aperçut dans la cour son valet de chambre.

— Florentin ici ! s'écria-t-il en bondissant sur son fauteuil ; est-ce que ma mère est malade ?

Et il se précipita vers la porte de la chambre.

Monte-Cristo le suivit des yeux et le vit aborder le valet qui, tout essoufflé encore, tira de sa poche un petit paquet cacheté. Le petit paquet contenait un journal et une lettre.

— De qui cette lettre ? demanda vivement Albert.

— De M. Beauchamp, répondit Florentin.

Albert ouvrit la lettre en frissonnant : aux premières lignes, il poussa un cri et saisit le journal avec un tremblement visible.

Tout à coup ses yeux s'obscurcirent, ses jambes semblèrent se dérober sous lui, et, prêt à tomber, il s'appuya sur Florentin, qui étendait le bras pour le soutenir.

— Il faut que je parte.

Et il reprit le chemin de la chambre où il avait laissé Monte-Cristo.

— Comte, dit-il, merci de votre bonne hospitalité, dont j'aurais voulu jouir plus longtemps ; mais il faut que je retourne à Paris.

— Qu'est-il donc arrivé ?

— Un grand malheur. Mais permettez-moi de partir, il s'agit d'une chose bien autrement précieuse que ma vie. Pas de question, comte, je vous en supplie, mais un cheval !

— Ali, un cheval pour M. de Morcerf ! qu'on se hâte : il est pressé !

Ces paroles rendirent la vie à Albert ; il s'élança hors de la chambre ; le comte le suivit.

— Merci ! murmura le jeune homme en sautant en selle. Vous trouverez peut-être mon départ étrange, inexplicable, insensé. Eh bien ! ajouta-t-il en lui jetant le journal, lisez ceci, mais quand je serai parti seulement, afin que vous ne voyiez pas ma rougeur.

Et tandis que le comte ramassait le journal, il enfonça les éperons qu'on venait d'attacher à ses bottes dans le ventre du cheval, qui, étonné qu'il existât un cavalier qui crût avoir besoin vis-à-vis de lui d'un pareil stimulant, partit comme un trait d'arbalète.

Le comte suivit des yeux avec un sentiment de compassion infinie le jeune homme, et ce ne fut que lorsqu'il eut complètement disparu que, reportant ses regards sur le journal, il lut ce qui suit :

Cet officier français au service d'Ali, pacha de Janina, dont parlait il y a trois semaines le journal L'Impartial, *et qui non seulement livra les châteaux de Janina, mais encore vendit son bienfaiteur aux Turcs, s'appelait en effet, à cette époque, Fernand, comme l'a dit notre honorable confrère ; mais depuis, il a ajouté à son nom de baptême un titre de noblesse et un nom de terre.*

Il s'appelle aujourd'hui M. le comte de Morcerf, et fait partie de la Chambre des pairs.

Ainsi donc, ce secret terrible, que Beauchamp avait enseveli avec tant de générosité, reparaissait comme un fantôme armé, et un autre journal, cruellement renseigné, avait publié, le surlendemain du départ d'Albert pour la Normandie, les quelques lignes qui avaient failli rendre fou le malheureux jeune homme.

46

Le jugement

À huit heures du matin, Albert tomba chez Beauchamp comme la foudre.

— Eh bien ! lui dit Albert.

— Eh bien ! mon pauvre ami, répondit Beauchamp, je vous attendais.

Et Beauchamp raconta au jeune homme ce qu'il n'avait pas pu lui écrire, car les choses étaient postérieures au départ de son courrier.

Le même jour, à la Chambre des pairs, une grande agitation s'était manifestée ; chacun s'entretenait du sinistre événement qui allait occuper l'attention publique et la fixer sur un des membres les plus connus de l'illustre corps.

Seul le comte de Morcerf ne savait rien ; il ne recevait pas le journal où se trouvait la nouvelle diffamatoire, et avait passé la matinée à écrire des lettres et à essayer un cheval.

Il arriva donc à son heure accoutumée, sans remarquer les hésitations des huissiers et les demi-saluts de ses collègues.

Lorsque Morcerf entra, la séance était déjà ouverte depuis plus d'une demi-heure.

Il était évident que la Chambre tout entière brûlait d'entamer le débat. Enfin un des honorables pairs, ennemi déclaré du comte de Morcerf, monta à la tribune avec une solennité qui annonçait que le moment attendu était arrivé.

Aux premiers mots de Janina et du colonel Fernand, le comte de Morcerf pâlit horriblement.

L'orateur conclut en demandant qu'une enquête fût ordonnée, assez rapide pour confondre, avant qu'elle eût eu le temps de grandir, la calomnie, et pour rétablir M. de Morcerf dans la position que l'opinion publique lui avait faite depuis longtemps.

Le président mit l'enquête aux voix ; on vota par assis et levé, et il fut décidé que l'enquête aurait lieu.

On demanda au comte combien il lui fallait de temps pour préparer sa justification.

— Je demande, dit-il, que l'enquête ait lieu le plus tôt possible, et je fournirai à la Chambre toutes les pièces nécessaires à l'efficacité de cette enquête.

Le président agita la sonnette.

— La Chambre est-elle d'avis, demanda-t-il, que cette enquête ait lieu aujourd'hui même ?

— Oui, fut la réponse unanime de l'assemblée.

On nomma une commission de douze membres pour examiner les pièces à fournir par Morcerf. L'heure de la première séance de cette commission fut fixée à huit heures du soir, dans les bureaux de la Chambre.

Cette décision prise, Morcerf demanda la permission de se retirer.

Albert écoutait Beauchamp en frémissant tantôt d'espoir, tantôt de colère, parfois de honte ; car, par la confidence de Beauchamp, il savait que son père était coupable.

— Le soir arriva, continua Beauchamp. Tout Paris était dans l'attente de l'événement.

« M. de Morcerf entra sur le dernier coup de huit heures. Il tenait à la main quelques papiers, et sa contenance semblait calme.

« En ce moment un huissier entra et remit une lettre au président.

« "Vous avez la parole, monsieur de Morcerf", dit le président tout en décachetant la lettre.

« Le comte commença son apologie, et je vous affirme, Albert, continua Beauchamp, qu'il fut d'une éloquence et d'une habileté extraordinaires. Il produisit des pièces qui prouvaient que le vizir de Janina l'avait, jusqu'à sa dernière heure, honoré de toute sa confiance, puisqu'il l'avait chargé d'une négociation de vie et de mort avec l'empereur lui-même. Malheureusement, dit-il, sa négociation avait échoué, et quand il était revenu pour défendre son bienfaiteur, il était mort ; mais, dit le comte, en mourant, Ali-Pacha, tant était grande sa confiance, lui avait confié sa maîtresse favorite et sa fille.

« Cependant le président jeta négligemment les yeux sur sa lettre qu'on venait de lui apporter ; il la lut, la relut encore, et fixant les yeux sur M. de Morcerf :

« "Monsieur le comte, dit-il, vous venez de nous dire que le vizir de Janina vous avait confié sa femme et sa fille ?

« — Oui, monsieur, répondit Morcerf ; mais en cela, comme dans tous le reste, le malheur me poursuivait. À mon retour, Vasiliki et sa fille Haydée avaient disparu.

« — Vous les connaissiez ?

« — Mon intimité avec le pacha et la suprême confiance qu'il avait dans ma fidélité m'avaient permis de les voir plus de vingt fois.

« — Avez-vous quelque idée de ce qu'elles sont devenues ?

« — Oui, monsieur ; j'ai entendu dire qu'elles avaient succombé à leur chagrin et peut-être à leur misère."

« Le président fronça imperceptiblement le sourcil.

« "Messieurs, dit-il, et vous, monsieur le comte, vous ne seriez point fâchés, je présume, d'entendre un témoin très important, à ce qu'il assure, et qui vient se produire de lui-même.

« — Et quel est ce témoin ? demanda le comte d'une voix dans laquelle il était facile de remarquer une profonde altération.

« — Nous allons le savoir, monsieur", répondit le président.

« On appela l'huissier.

« "Huissier, demanda le président, y a-t-il quelqu'un qui attende dans le vestibule ?

« — Oui, monsieur le président. Une femme accompagnée d'un serviteur.

« — Faites entrer cette femme", dit le président.

« Cinq minutes après, l'huissier reparut ; tous les yeux étaient fixés sur la porte, et moi-même, dit Beauchamp, je partageais l'attente et l'anxiété générales.

« Derrière l'huissier marchait une femme enveloppée d'un grand voile. Le président pria l'inconnue d'écarter son voile, et l'on put voir alors que cette femme était vêtue à la grecque ; elle était d'une suprême beauté.

« "Madame, dit le président, vous avez écrit à la commission pour lui donner des renseignements sur l'affaire de Janina, et vous avez avancé que vous aviez été témoin oculaire des événements.

« — Et je le fus en effet.

« — Quelle importance avaient donc pour vous ces événements, et qui êtes-vous ?

« — Il s'agissait de la vie ou de la mort de mon père, répondit la jeune fille, et je m'appelle Haydée, fille d'Ali-

Tebelin, pacha de Janina, et de Vasiliki, sa femme bien-aimée.

« — Madame, reprit le président, après s'être incliné avec respect, permettez-moi une simple question : pouvez-vous justifier l'authenticité de ce que vous dites ?

« — Je le puis, monsieur, dit Haydée en tirant de dessous son voile un sachet de satin parfumé, car voici l'acte de ma naissance ; voici l'acte de la vente qui fut faite de ma personne et de celle de ma mère au marchand arménien El-Kobbir, par l'officier franc qui, dans son infâme marché avec la Porte, s'était réservé, pour sa part de butin, la fille et la femme de son bienfaiteur, qu'il vendit pour la somme de mille bourses, c'est-à-dire pour quatre cent mille francs à peu près. »

« Haydée, toujours calme, tendit au président l'acte de vente rédigé en langue arabe.

« Comme on avait pensé que quelques-unes des pièces produites seraient rédigées en arabe, en romaïque ou en turc, l'interprète de la Chambre avait été prévenu ; on l'appela.

« *Moi, El-Kobbir, marchand d'esclaves et fournisseur du harem de Sa Hautesse, reconnais avoir reçu, pour la remettre au sublime empereur, du seigneur franc comte de Monte-Cristo, une émeraude évaluée deux mille bourses, pour prix d'une jeune esclave chrétienne âgée de onze ans, du nom de Haydée, et fille reconnue du défunt seigneur Ali-Tebelin, pacha de Janina, et de Vasiliki, sa favorite ; laquelle m'avait été vendue, il y a sept ans, avec sa mère, morte en arrivant à Constantinople, par un colonel franc au service du vizir Ali-Tebelin, nommé Fernand Mondego.*

« *La susdite vente m'avait été faite pour le compte de Sa Hautesse, dont j'avais mandat, moyennant la somme de mille bourses.*

« *Fait à Constantinople, avec autorisation de Sa Hautesse, l'année 1247 de l'Hégire.*

« *Signé* EL-KOBBIR.

« À cette lecture et à cette vue succéda un silence terrible ; le comte n'avait plus que le regard, et ce regard, attaché comme malgré lui sur Haydée, semblait de flamme et de sang.

« "Madame, dit le président, ne peut-on interroger le comte de Monte-Cristo, lequel est à Paris près de vous, à ce que je crois ?

« — Monsieur, répondit Haydée, le comte de Monte-Cristo, mon autre père, est en Normandie depuis trois jours.

« — Ainsi, demanda le président, M. le comte de Monte-Cristo n'est pour rien dans votre démarche ?

« — Il l'ignore complètement, monsieur, et même je n'ai qu'une crainte, c'est qu'il la désapprouve quand il l'apprendra ; cependant c'est un beau jour pour moi, continua la jeune fille en levant au ciel un regard tout ardent de flammes, que celui où je trouve enfin l'occasion de venger mon père !"

« Le comte, pendant tout ce temps, n'avait point prononcé une seule parole ; ses collègues le regardaient et sans doute plaignaient cette fortune brisée sous le souffle parfumé d'une femme ; son malheur s'écrivait peu à peu en traits sinistres sur son visage.

« "Monsieur le comte de Morcerf, dit le président, la justice de la cour est suprême et égale pour tous comme celle de Dieu ; elle ne vous laissera pas écraser par vos ennemis sans vous donner les moyens de les combattre. Voulez-vous des enquêtes nouvelles ? voulez-vous que j'ordonne un voyage de deux membres de la Chambre à Janina ? Parlez."

« Morcerf ne répondit rien.

300

« "La fille d'Ali-Tebelin, dit le président, a donc déclaré bien réellement la vérité ? Vous avez donc fait bien réellement toutes les choses dont on vous accuse ?"

« Le comte jeta autour de lui un regard dont l'expression désespérée eût touché des tigres, mais ne pouvait désarmer des juges. Alors, avec un brusque mouvement, il arracha les boutons de cet habit fermé qui l'étouffait, et sortit de la salle comme un sombre insensé.

« "Messieurs, dit le président quand le silence fut établi, M. le comte de Morcerf est-il convaincu de félonie, de trahison et d'indignité ?

« — Oui !" répondirent d'une voix unanime tous les membres de la commission d'enquête.

47

La provocation

Albert tenait sa tête entre ses deux mains, il releva son visage, rouge de honte et baigné de larmes, et saisissant le bras de Beauchamp :

— Ami, lui dit-il, ma vie est finie : il me reste à chercher quel homme me poursuit de son inimitié ; puis, quand je le connaîtrai, je tuerai cet homme, ou cet homme me tuera ; or, je compte sur votre amitié pour m'aider, Beauchamp.

— Soit ! dit Beauchamp ; je vais vous raconter ce que je n'ai pas voulu vous dire en revenant de Janina.

— Parlez.

— Voilà ce qui s'est passé, Albert. J'ai été chez le premier banquier de la ville pour prendre des informations ; au premier mot que j'ai dit de l'affaire, avant même que le nom de votre père eût été prononcé :

« "Ah ! dit-il, très bien, je devine ce qui vous amène.

« — Comment cela, et pourquoi ?

« — Parce qu'il y a quinze jours j'ai été interrogé sur le même sujet.

« — Par qui ?

« — Par un banquier de Paris, mon correspondant.

« — Que vous nommez ?

« — M. Danglars. »

— Lui ! s'écria Albert !

— Informez-vous, Albert ; informez-vous, dis-je, et si la chose est vraie...

— Oh ! oui ! si la chose est vraie, s'écria le jeune homme, il me paiera tout ce que j'ai souffert.

— Prenez garde, Morcerf, c'est un homme déjà vieux.

— Oh ! n'ayez pas peur ; d'ailleurs, vous m'accompagnerez, Beauchamp : les choses solennelles doivent être traitées devant témoin.

— Eh bien ! alors, quand de pareilles résolutions sont prises, Albert, il faut les mettre à exécution à l'instant même. Partons.

On envoya chercher un cabriolet de place. En entrant dans l'hôtel du banquier, on aperçut le phaéton et le domestique de M. Andrea Cavalcanti à la porte.

— Ah ! parbleu, voilà qui va bien ! dit Albert avec une voix sombre. Si M. Danglars ne veut pas se battre avec moi, je lui tuerai son gendre. Cela doit se battre, un Cavalcanti !

On annonça le jeune homme au banquier, qui, au nom d'Albert, sachant ce qui s'était passé la veille, fit défendre sa porte. Mais il était trop tard, il avait suivi le laquais ; il entendit l'ordre donné, força la porte et pénétra, suivi de Beauchamp, jusque dans le cabinet du banquier.

— Alors, que me voulez-vous donc, monsieur ?

— Je veux, dit Morcerf, s'approchant sans paraître faire attention à Cavalcanti qui était adossé à la cheminée... je veux vous proposer un rendez-vous dans un coin écarté, où personne ne nous dérangera pendant dix minutes, je ne vous en demande pas davantage ; où, de deux hommes qui se seront rencontrés, il en restera un sous les feuilles.

Danglars pâlit, Cavalcanti fit un mouvement.

— Monsieur, répondit Danglars, pâle de colère et de peur, je vous avertis que, lorsque j'ai le malheur de rencontrer sur mon chemin un dogue enragé, je le tue, et que, loin de me croire coupable, je pense avoir rendu un service à la société. Tiens ! est-ce ma faute, à moi, si votre père est déshonoré ?

— Oui, misérable, s'écria Morcerf, c'est ta faute !

Danglars fit un pas en arrière.

— Oui, vous. Qui a écrit pour demander des renseignements sur mon père ?

— Il me semble que tout le monde peut écrire à Janina.

— Une seule personne a écrit cependant, et cette personne, c'est vous !

— J'ai écrit, sans doute ; il me semble que, lorsqu'on marie sa fille à un jeune homme, on peut prendre des renseignements sur la famille de ce jeune homme ; c'est non seulement un droit, mais encore un devoir.

— Vous avez écrit, monsieur, dit Albert, sachant parfaitement la réponse qui vous viendrait.

— Moi ! Ah ! je vous jure que jamais je n'y eusse pensé à écrire à Janina. Est-ce que je connaissais la catastrophe d'Ali-Pacha, moi ?

— Alors, quelqu'un vous a donc poussé à écrire ?

— Certainement.

— Qui cela ?... achevez... dites.

— Pardieu ! rien de plus simple ; je parlais du passé de votre père, je disais que la source de sa fortune était toujours restée obscure. La personne m'a demandé où votre père avait fait cette fortune. J'ai répondu : « En Grèce. » Alors elle m'a dit : « Eh bien ! écrivez à Janina. »

— Et qui vous a donné ce conseil ?

— Parbleu ! le comte de Monte-Cristo, votre ami.

— Le comte de Monte-Cristo vous a dit d'écrire à Janina ?

— Oui, et j'ai écrit. Voulez-vous voir ma correspondance ? je vous la montrerai.

Albert sentit la rougeur lui monter au front ; il n'y avait plus de doute, Monte-Cristo savait tout, puisqu'il avait acheté la fille d'Ali-Pacha ; or, sachant tout, il avait conseillé à Danglars d'écrire à Janina. Puis il avait mené Albert en Normandie, au moment où il savait que le grand éclat devait se faire. Il n'y avait pas à en douter, tout cela était un calcul, et, sans aucun doute, Monte-Cristo s'entendait avec les ennemis de son père.

Albert prit Beauchamp dans un coin et lui communiqua toutes ces idées.

— Vous avez raison, dit celui-ci ; M. Danglars n'est dans ce qui est arrivé que pour la partie brutale et matérielle ; c'est à M. de Monte-Cristo que vous devez demander une explication.

Albert se retourna.

— Monsieur, dit-il à Danglars, vous comprenez que je ne prends pas encore de vous un congé définitif ; il me reste à savoir si vos inculpations sont justes, et je vais de ce pas m'en assurer chez M. le comte de Monte-Cristo.

Et, saluant le banquier, il sortit avec Beauchamp, sans paraître autrement s'occuper de Cavalcanti.

Danglars les reconduisit jusqu'à la porte, et, à la porte, renouvela à Albert l'assurance qu'aucun motif de haine personnelle ne l'animait contre M. le comte de Morcerf.

Beauchamp et Morcerf se firent conduire avenue des Champs-Élysées, n° 30.

Albert ne fit qu'un bond de la loge du concierge au perron. Ce fut Baptistin qui le reçut.

Le comte venait d'arriver effectivement, mais il était au bain et avait défendu de recevoir qui que ce fût au monde.

— Mais après le bain ? demanda Morcerf.

— Monsieur dînera.

— Et après le dîner ?

— Il ira à l'Opéra.

— Fort bien, répliqua Albert ; voilà tout ce que je voulais savoir.

Puis, se retournant vers Beauchamp :

— Si vous aviez rendez-vous ce soir, remettez-le à demain. Vous comprenez que je compte sur vous pour aller à l'Opéra. Si vous le pouvez, amenez-moi Château-Renaud.

Beauchamp profita de la permission et quitta Albert après lui avoir promis de le venir prendre à huit heures moins un quart.

Rentré chez lui, Albert prévint Franz, Debray et Morrel du désir qu'il avait de les voir le soir même à l'Opéra. À huit heures moins dix minutes, Beauchamp arriva ; il avait vu Château-Renaud, lequel avait promis de se trouver à l'orchestre avant le lever du rideau.

Tous deux montèrent dans le coupé d'Albert, qui, n'ayant aucune raison de cacher où il allait, dit tout haut :

— À l'Opéra.

Château-Renaud était à sa stalle : prévenu de tout par Beauchamp, Albert n'avait aucune explication à lui donner.

Comme Albert, pour la centième fois, interrogeait sa montre, au commencement du deuxième acte, la porte de la loge s'ouvrit, et Monte-Cristo, vêtu de noir, entra et s'appuya à la rampe pour regarder dans la salle. Morrel le suivait, cherchant des yeux sa sœur et son beau-frère. Il les aperçut dans une loge du second rang, et leur fit signe.

Le comte, en jetant son coup d'œil circulaire dans la salle, aperçut Albert, mais l'expression qu'il remarqua sur ce visage bouleversé lui conseilla sans doute de ne point l'avoir remarqué.

Puis la même tête reparut aux carreaux d'une première loge en face de la sienne. Le comte sentait venir à lui la tempête, et lorsqu'il entendit la clef tourner dans la serrure de sa loge, quoiqu'il parlât en ce moment même à Morrel avec son visage le plus riant, le comte savait à quoi s'en tenir, et il s'était préparé à tout.

La porte s'ouvrit.

Seulement alors, Monte-Cristo se retourna et aperçut Albert livide et tremblant ; derrière lui étaient Beauchamp et Château-Renaud.

— Tiens ! s'écria-t-il avec cette bienveillante politesse qui distinguait d'habitude son salut des banales civilités du monde, voilà mon cavalier arrivé au but. Bonsoir, monsieur de Morcerf.

Et le visage de cet homme si singulièrement maître de lui-même exprimait la plus parfaite cordialité.

Morrel alors se rappela seulement la lettre qu'il avait reçue du vicomte, et dans laquelle, sans autre explication, celui-ci le priait de se trouver à l'Opéra, et il comprit qu'il allait se passer quelque chose de terrible.

— Nous ne venons point ici pour échanger d'hypocrites politesses ou de faux-semblants d'amitié, dit le jeune homme ; nous venons vous demander une explication, monsieur le comte.

La voix tremblante du jeune homme avait peine à passer entre ses dents serrées.

— Bien ! bien ! dit flegmatiquement Monte-Cristo, vous me cherchez querelle, monsieur, je vois cela ; mais un conseil, vicomte, et retenez-le bien : c'est une coutume mauvaise que de faire du bruit en provoquant. Le bruit ne va pas à tout le monde, monsieur de Morcerf.

Albert comprit l'allusion et fit un geste pour lancer son gant au visage du comte ; mais Morrel lui saisit le poignet, tandis que Beauchamp et Château-Renaud, craignant que la scène ne dépassât la limite d'une provocation, le retenaient par-derrière.

Monte-Cristo, sans se lever, en inclinant sa chaise, étendit la main seulement, et saisissant entre les doigts crispés du jeune homme le gant humide et écrasé :

— Monsieur, dit-il avec un accent terrible, je tiens votre gant pour jeté. Maintenant, sortez de chez moi, ou j'appelle mes domestiques et je vous fais jeter à la porte.

Ivre, effaré, les yeux sanglants, Albert fit deux pas en arrière.

Morrel en profita pour refermer la porte.

— Il ne me reste donc, dit Beauchamp, qu'à fixer les arrangements du combat.

— Cela m'est parfaitement indifférent, monsieur, dit le comte de Monte-Cristo. Dites à votre client que, quoique insulté, je lui laisse le choix des armes, et que j'accepterai tout sans discussion.

— Au pistolet, à huit heures du matin, au bois de Vincennes, dit Beauchamp.

— C'est bien, monsieur, dit Monte-Cristo.

Beauchamp sortit.

— Allons, dit Monte-Cristo en se retournant vers Morrel, je compte sur vous, n'est-ce pas ?

— Certainement, dit Morrel, et vous pouvez disposer de moi, comte. Quel est votre second témoin ?

— Je ne connais personne à Paris à qui je veuille faire cet honneur, que vous, Morrel, et votre beau-frère Emmanuel. Croyez-vous qu'Emmanuel veuille me rendre ce service ?

— Je vous réponds de lui comme de moi, comte.

— Bien, c'est tout ce qu'il me faut. Demain, à sept heures du matin, chez moi, n'est-ce pas ?

— Nous y serons.

48

La nuit

À la porte, Morrel le quitta en lui renouvelant la promesse d'être chez lui avec Emmanuel le lendemain matin, à sept heures précises.

Puis il monta dans son coupé, toujours calme et souriant. Cinq minutes après il était chez lui.

Seulement il eût fallu ne pas connaître le comte, pour se laisser tromper à l'expression avec laquelle il dit en rentrant à Ali :

— Ali, mes pistolets à crosse d'ivoire.

Ali apporta la boîte à son maître, et celui-ci se mit à examiner ces armes avec une sollicitude bien naturelle à un homme qui va confier sa vie à un peu de fer et de plomb.

Il en était à emboîter l'arme dans sa main et à chercher le point de mire sur une petite plaque de tôle qui lui servait de cible, lorsque la porte de son cabinet s'ouvrit et que Baptistin entra.

Mais avant même qu'il eût ouvert la bouche, le comte aperçut dans la porte demeurée ouverte une femme voilée, debout, dans la pénombre de la pièce voisine, et qui avait suivi Baptistin.

Elle avait aperçu le comte le pistolet à la main ; elle voyait deux épées sur une table ; elle s'élança.

Baptistin consultait son maître du regard.

Le comte fit un signe, Baptistin sortit et referma la porte derrière lui.

— Qui êtes-vous, madame ?

L'inconnue jeta un regard autour d'elle pour s'assurer qu'elle était bien seule ; puis s'inclinant comme si elle eût voulu s'agenouiller, et joignant les mains avec l'accent du désespoir :

— Edmond, dit-elle, vous ne tuerez pas mon fils !

Le comte fit un pas en arrière, jeta un faible cri et laissa tomber l'arme qu'il tenait.

— Quel nom avez-vous prononcé là, madame de Morcerf ? dit-il.

— Le vôtre, s'écria-t-elle en rejetant son voile, le vôtre, que seule peut-être je n'ai pas oublié. Edmond, ce n'est point Mme de Morcerf qui vient à vous, c'est Mercédès. Mon fils vous a deviné aussi, lui : il vous attribue les malheurs qui frappent son père.

— Madame, dit Monte-Cristo, vous confondez : ce ne sont point des malheurs, c'est un châtiment. Ce n'est pas moi qui frappe M. de Morcerf, c'est la Providence qui le punit.

— Et pourquoi vous substituez-vous à la Providence ? s'écria Mercédès. Que vous importent, à vous, Edmond, Janina et son vizir ? Quel tort vous a fait Fernand Mondego en trahissant Ali-Tebelin ?

— Cela ne me regarde point, vous avez raison, et si j'ai juré de me venger, ce n'est ni du capitaine franc, ni du comte de Morcerf, c'est du pêcheur Fernand, mari de la Catalane Mercédès.

— Ah ! monsieur, s'écria la comtesse, quelle terrible vengeance pour une faute que la fatalité m'a fait commettre ! Car la coupable, c'est moi, Edmond, c'est moi qui ai manqué de force contre votre absence.

— Mais, s'écria Monte-Cristo, pourquoi étais-je absent ?

— Parce qu'on vous avait arrêté, Edmond, parce que vous étiez prisonnier.

— Et pourquoi étais-je arrêté ? pourquoi étais-je prisonnier ?

— Je l'ignore, dit Mercédès.

— Oui, vous l'ignorez, madame, je l'espère du moins. Eh bien ! je vais vous le dire, moi. J'étais arrêté, j'étais prisonnier, parce que sous la tonnelle de la Réserve, la veille même du jour où je devais vous épouser, un homme, nommé Danglars, avait écrit cette lettre que le pêcheur Fernand se chargea lui-même de mettre à la poste.

Et Monte-Cristo, allant à un secrétaire, fit jaillir un tiroir où il prit un papier qui avait perdu sa couleur première, qu'il mit sous les yeux de Mercédès.

Mercédès lut avec effroi les lignes suivantes :

M. le procureur du roi est prévenu par un ami du trône et de la religion, que le nommé Edmond Dantès, second du navire le Pharaon *arrivé ce matin de Smyrne, après avoir touché à Naples et à Porto-Ferrajo, a été chargé par Murat d'une lettre pour l'usurpateur, et par l'usurpateur d'une lettre pour le comité bonapartiste de Paris.*

On aura la preuve de ce crime en l'arrêtant, car on trouvera cette lettre ou sur lui, ou chez son père, ou dans sa cabine à bord du Pharaon.

— Oh ! mon Dieu ! fit Mercédès en passant sa main sur son front mouillé de sueur ; et cette lettre...

— Je l'ai achetée deux cent mille francs, madame, dit Monte-Cristo ; mais c'est bon marché encore, puisqu'elle me permet de me disculper à vos yeux.

La pauvre femme laissa retomber sa tête et ses mains ; ses jambes plièrent sous elle, et elle tomba à genoux.

— Vengez-vous, Edmond ! s'écria la pauvre mère, mais vengez-vous sur les coupables ; vengez-vous sur lui, vengez-vous sur moi, mais ne vous vengez pas sur mon fils !

Mercédès prononça ces paroles avec une douleur si puissante, avec un accent si désespéré, qu'à ces paroles et à cet accent un sanglot déchira la gorge du comte.

Le lion était dompté ; le vengeur était vaincu.

— Que me demandez-vous ? dit-il ; que votre fils vive ! eh bien ! il vivra !...

— Oh ! s'écria-t-elle en saisissant la main du comte et en la portant à ses lèvres, oh ! merci, merci, Edmond ! te voilà bien tel que je t'ai toujours rêvé, tel que je t'ai toujours aimé. Oh ! maintenant, je puis le dire.

Mercédès tendit la main au comte.

— Edmond, dit Mercédès, je n'ai plus qu'un mot à vous dire.

Le comte sourit amèrement.

— Edmond, continua-t-elle, vous verrez que si mon front est pâli, que si mes yeux sont éteints, que si ma beauté est perdue, que si Mercédès enfin ne ressemble plus à elle-même pour les traits du visage, vous verrez que c'est toujours le même cœur !... Adieu donc, Edmond ; je n'ai plus rien à demander au Ciel... Je vous ai revu... et revu aussi noble et aussi grand qu'autrefois. Adieu, Edmond... adieu et merci !

49

La rencontre

Après le départ de Mercédès, tout retomba dans l'ombre chez Monte-Cristo. Autour de lui et au-dedans de lui sa pensée s'arrêta ; son espoir énergique s'endormit comme fait le corps après une suprême fatigue.

Et à force de s'exagérer d'avance les mauvaises chances du lendemain, auxquelles il s'était condamné en promettant à Mercédès de laisser vivre son fils, le comte s'en vint à se dire :

« Jamais il ne croira que ma mort est un suicide, et cependant il importe pour l'honneur de ma mémoire que le monde sache que j'ai consenti moi-même à arrêter mon bras déjà levé pour frapper. »

Et saisissant une plume, il tira un papier de l'armoire secrète de son bureau, et traça au bas de ce papier, qui n'était autre chose que son testament fait depuis son arrivée à Paris, une espèce de codicille dans lequel il faisait comprendre sa mort aux gens les moins clairvoyants.

Tandis qu'il flottait entre ces sombres incertitudes, mauvais rêves de l'homme éveillé par la douleur, le jour vint blanchir les vitres et éclairer sous ses mains le pâle papier azur sur lequel il venait de tracer cette suprême justification de la Providence.

Il était cinq heures du matin.

Tout à coup un léger bruit parvint à son oreille. Alors le comte se leva, ouvrit doucement la porte du salon, et sur un fauteuil, les bras pendants, sa belle tête pâle et inclinée en arrière, il vit Haydée qui s'était placée en travers de la porte afin qu'il ne pût sortir sans la voir, mais que le sommeil, si puissant contre la jeunesse, avait surprise après la fatigue d'une si longue veille.

« Pauvre Haydée ! elle a voulu me voir, elle a voulu me parler, elle a craint ou deviné quelque chose... Oh ! je ne puis partir sans lui dire adieu, je ne puis mourir sans la confier à quelqu'un... »

Et il regagna doucement sa place, et écrivit au bas des premières lignes :

Je lègue à Maximilien Morrel, capitaine de spahis et fils de mon ancien patron Pierre Morrel, armateur à Marseille, la somme de vingt millions.

Si son cœur est libre et qu'il veuille épouser Haydée, fille d'Ali, pacha de Janina, il accomplira, je ne dirai point ma dernière volonté, mais mon dernier désir.

Le présent testament a déjà fait Haydée héritière du reste de ma fortune, qui, ces vingt millions prélevés, ainsi que les différents legs faits à mes serviteurs, pourra monter encore à soixante millions.

Il achevait d'écrire cette dernière ligne, lorsqu'un cri, poussé derrière lui, lui fit tomber la plume des mains.

— Haydée, dit-il, vous avez lu ?

— Oh ! mon seigneur, dit-elle en joignant les mains, pourquoi écrivez-vous ainsi à une pareille heure ? Pourquoi me léguez-vous toute votre fortune, mon seigneur ? Vous me quittez donc ?

— Je vais faire un voyage, cher ange, dit Monte-Cristo avec une expression de mélancolie et de tendresse infinies, et s'il m'arrivait malheur, je veux que ma fille soit heureuse.

Haydée sourit tristement en secouant la tête.

— Vous pensez à mourir, mon seigneur ? dit-elle.

— C'est une pensée salutaire, mon enfant, a dit le sage.

— Eh bien ! si vous mourez, dit-elle, léguez votre fortune à d'autres, car si vous mourez... je n'aurai plus besoin de rien.

Et, prenant le papier, elle le déchira en quatre morceaux qu'elle jeta au milieu du salon. Puis, cette énergie si peu habituelle à une esclave ayant épuisé ses forces, elle tomba évanouie sur le parquet.

Monte-Cristo se pencha vers elle, la souleva entre ses bras, et voyant ce beau corps inanimé et comme abandonné, l'idée lui vint pour la première fois qu'elle l'aimait peut-être autrement que comme une fille aime son père.

Puis il porta Haydée jusqu'à son appartement, et, rentrant dans son cabinet, qu'il ferma cette fois vivement sur lui, il recopia le testament détruit.

Comme il achevait, le bruit d'un cabriolet entrant dans la cour se fit entendre. Monte-Cristo s'approcha de la fenêtre et vit descendre Maximilien et Emmanuel. Un instant après, Morrel parut sur le seuil. Il avait devancé l'heure de près de vingt minutes.

— Je viens trop tôt peut-être, monsieur le comte, dit-il ; mais je vous avoue franchement que je n'ai pu dormir une minute, et qu'il en a été de même de toute la maison.

— Morrel, lui dit-il d'une voix émue, c'est un beau jour pour moi que celui où je me sens aimé d'un homme comme vous. Bonjour, monsieur Emmanuel.

Puis, frappant un coup sur le timbre :

— Tiens, dit-il à Ali qui apparut aussitôt, fais porter cela chez mon notaire. C'est mon testament, Morrel. Moi mort, vous irez en prendre connaissance.

— Comment ! s'écria Morrel, vous mort ?

— Hé ! ne faut-il pas tout prévoir, cher ami ? M'avez-vous jamais vu tirer le pistolet ?

— Jamais.

— Eh bien ! nous avons le temps, regardez.

Monte-Cristo prit les pistolets, et collant un as de trèfle contre la plaque, en quatre coups il enleva successivement les quatre branches du trèfle.

À chaque coup Morrel pâlissait. Puis, se retournant vers Monte-Cristo :

— Comte, dit-il, au nom du Ciel, ne tuez pas Albert ! le malheureux a une mère !

— C'est juste, dit Monte-Cristo.

— Vous êtes l'offensé, comte.

— Sans doute ; qu'est-ce que cela veut dire ?

— Cela veut dire que vous tirez le premier.

— Et à combien de pas ?

— À vingt.

Un effrayant sourire passa sur les lèvres du comte.

— Aussi, dit le jeune homme, je ne compte que sur votre générosité, mon ami. Cassez-lui un bras, blessez-le, mais ne le tuez pas.

— Morrel, écoutez ceci, dit le comte : M. de Morcerf, je vous l'annonce d'avance, sera si bien ménagé, qu'il reviendra tranquillement avec ses deux amis, tandis que moi... on me rapportera.

— Allons donc !

Maximilien et Emmanuel se regardèrent. Monte-Cristo tira sa montre.

— Partons, dit-il, il est sept heures cinq minutes, et le rendez-vous est pour huit heures juste.

Une voiture attendait tout attelée ; Monte-Cristo y monta avec ses deux témoins. À huit heures sonnantes on était au rendez-vous.

— Nous voici arrivés, dit Morrel en passant la tête par la portière, et nous sommes les premiers.

— Monsieur m'excusera, dit Baptistin, qui avait suivi son maître avec une terreur indicible ; mais je crois apercevoir là-bas une voiture sous les arbres.

Monte-Cristo sauta légèrement en bas de sa calèche et donna la main à Emmanuel et à Maximilien, pour les aider à descendre.

Morrel s'avança vers Beauchamp et Château-Renaud. Les trois jeunes gens se saluèrent, sinon avec affabilité, du moins avec courtoisie.

— Pardon, messieurs, dit Morrel, mais je n'aperçois pas M. de Morcerf.

— Le voilà, dit Beauchamp, il est à cheval ; tenez, il vient ventre à terre et suivi de son domestique.

Albert arrêta son cheval, sauta à terre et jeta la bride au bras de son domestique.

Il était pâle ; ses yeux étaient rougis et gonflés ; on voyait qu'il n'avait pas dormi une seconde de toute la nuit.

— Merci, messieurs, dit-il, d'avoir bien voulu vous rendre à mon invitation ; croyez que je vous suis on ne peut plus reconnaissant de cette marque d'amitié.

— Monsieur Morrel, dit Château-Renaud, vous pouvez annoncer à M. le comte que M. de Morcerf est arrivé, et que nous nous tenons à sa disposition.

— Attendez, messieurs, dit Albert, j'ai deux mots à dire à M. le comte de Monte-Cristo.

— En particulier ? demanda Morrel.

— Non, monsieur, devant tout le monde.

Les témoins d'Albert se regardèrent tout surpris ; Morrel, joyeux de cet incident inattendu, alla chercher le comte qui se promenait dans une contre-allée avec Emmanuel.

— Que me veut-il ? demanda Monte-Cristo.

— Je l'ignore, mais il demande à vous parler.

Le comte s'avança, accompagné de Maximilien et d'Emmanuel.

— Messieurs, dit Albert, approchez-vous ; je désire que pas un mot de ce que je vais avoir l'honneur de dire à M. le comte de Monte-Cristo ne soit perdu ; car ce que je vais avoir l'honneur de lui dire doit être répété par vous à qui voudra l'entendre, si étrange que mon discours vous paraisse.

— J'attends, monsieur, dit le comte.

— Monsieur, dit Albert d'une voix tremblante d'abord, mais qui s'assura de plus en plus ; monsieur, je vous reprochais d'avoir divulgué la conduite de M. de Morcerf en Épire ; car si coupable que fût M. le comte de Morcerf, je ne croyais pas que ce fût vous qui eussiez le droit de le punir. Mais aujourd'hui, monsieur, je sais que ce droit vous est acquis. Aussi je le dis, aussi je le proclame tout haut : oui, monsieur, vous avez eu raison de vous venger de mon père, et moi, son fils, je vous remercie de n'avoir pas fait plus.

La foudre, tombée au milieu des spectateurs de cette scène inattendue, ne les eût pas plus étonnés que cette déclaration d'Albert.

Quant à Monte-Cristo, ses yeux s'étaient lentement levés au ciel avec une expression de reconnaissance infinie, et il ne pouvait assez admirer comment cette nature fougueuse d'Albert s'était tout à coup portée à cette subite humiliation. Aussi reconnut-il l'influence de Mercédès, et comprit-il comment ce noble cœur ne s'était pas opposé au sacrifice qu'elle savait d'avance devoir être inutile.

— Maintenant, monsieur, dit Albert, si vous trouvez que les excuses que je viens de vous faire sont suffisantes, votre main, je vous prie.

Monte-Cristo, l'œil humide, la poitrine haletante, la bouche entrouverte, tendit à Albert une main que celui-ci saisit et pressa avec un sentiment qui ressemblait à un respectueux effroi.

— Messieurs, dit-il, M. de Monte-Cristo veut bien agréer mes excuses. Maintenant, ma faute est réparée. J'espère bien que le monde ne me tiendra point pour lâche parce que j'ai fait ce que ma conscience m'a ordonné de faire. Mais, en tout cas, si l'on se trompait sur mon compte, je tâcherai de redresser les opinions.

50

La mère et le fils

Un quart d'heure après, Albert rentrait à l'hôtel de la rue du Helder.

Arrivé là, il jeta un dernier regard sur toutes ces richesses qui lui avaient fait la vie si douce et si heureuse depuis son enfance.

Puis il fit un inventaire exact et précis de tout, et plaça cet inventaire à l'endroit le plus apparent d'une table, après avoir débarrassé cette table des livres et des papiers qui l'encombraient.

Au commencement de ce travail, son domestique, malgré l'ordre que lui avait donné Albert de le laisser seul, était rentré dans sa chambre.

— Que voulez-vous ? lui demanda Morcerf d'un accent plus triste que courroucé.

— Pardon, monsieur, dit le valet de chambre ; M. le comte de Morcerf m'a fait appeler et je n'ai pas voulu me rendre chez M. le comte sans prendre les ordres de monsieur.

— Pourquoi cela ?

— Parce que, s'il me fait demander, c'est sans doute pour m'interroger sur ce qui s'est passé. Que dois-je répondre ?

— Vous direz que j'ai fait des excuses à M. le comte de Monte-Cristo ; allez.

Le valet s'inclina et sortit.

Albert s'était remis à son inventaire.

Comme il terminait ce travail, le bruit des chevaux piétinant dans la cour et des roues d'une voiture ébranlant les vitres attira son attention ; il s'approcha de la fenêtre et vit son père monter dans sa calèche et partir.

À peine la porte de l'hôtel fut-elle refermée derrière le comte, qu'Albert se dirigea vers l'appartement de sa mère, et comme personne n'était là pour l'annoncer, il pénétra jusqu'à la chambre à coucher de Mercédès, et, le cœur gonflé de ce qu'il voyait et de ce qu'il devinait, il s'arrêta sur le seuil.

Comme si la même âme eût animé ces deux corps, Mercédès faisait chez elle ce qu'Albert venait de faire chez lui.

Albert vit tous ces préparatifs, et s'écriant : « Ma mère ! » il alla jeter ses bras au cou de Mercédès.

— M. de Morcerf a quitté l'hôtel voilà une demi-heure à peu près ; l'occasion, comme vous le voyez, est favorable pour éviter le bruit et l'explication.

— Je vous attends, mon fils, dit Mercédès.

Albert courut aussitôt jusqu'au boulevard, d'où il ramena un fiacre qui devait les conduire hors de l'hôtel ; il se rappelait certaine petite maison garnie dans la rue des Saints-Pères, où sa mère trouverait un logement modeste, mais décent ; il revint donc chercher la comtesse.

Au moment où le fiacre s'arrêtait devant la porte, et comme Albert en descendait, un homme s'approcha de lui et lui remit une lettre.

Albert reconnut l'intendant de Monte-Cristo.

— Du comte, dit Bertuccio.

Albert prit la lettre, l'ouvrit, la lut.

Après l'avoir lue, il chercha des yeux Bertuccio, mais, pendant que le jeune homme lisait, Bertuccio avait disparu.

Alors Albert, les larmes aux yeux, la poitrine toute gonflée d'émotion, rentra chez Mercédès, et, sans prononcer une seule parole, lui présenta la lettre.

Mercédès lut :

Albert,

En vous montrant que j'ai pénétré le projet auquel vous êtes sur le point de vous abandonner, je crois vous montrer aussi que je comprends la délicatesse. Vous voilà libre, vous quittez l'hôtel du comte, et vous allez retirer chez vous votre mère, libre comme vous ; mais réfléchissez-y, Albert, vous lui devez plus que vous ne pouvez lui payer, pauvre noble cœur que vous êtes.

Écoutez, Albert.

Il y a vingt-quatre ans, je revenais bien joyeux et bien fier dans ma patrie. J'avais une fiancée, Albert, une sainte jeune fille que j'adorais, et je rapportais à ma fiancée cent cinquante louis amassés péniblement par un travail sans relâche. Cet argent était pour elle, je le lui destinais, et sachant combien la mer est perfide, j'avais enterré notre trésor dans le petit jardin de la maison que mon père habitait à Marseille, sur les Allées de Meilhan.

Vous êtes un homme généreux, Albert, mais peut-être êtes-vous néanmoins aveuglé par la fierté ou par le ressentiment ; si vous me refusez, si vous demandez à un autre ce que j'ai le droit de vous offrir, je dirai qu'il est peu généreux à vous de refuser la vie de votre mère offerte par un homme dont votre père a fait mourir le père dans les horreurs de la faim et du désespoir.

Cette lecture finie, Albert demeura pâle et immobile en attendant ce que déciderait sa mère.

— J'accepte, dit-elle, il a le droit de payer la dot que j'apporterai dans un couvent !

51

Le suicide

Cependant Monte-Cristo, lui aussi, était rentré en ville.

Arrivé à la porte de sa maison des Champs-Élysées, il marcha vivement au-devant de Bertuccio.

— M. de Morcerf !

— Lequel ? le vicomte, ou le comte ?

— Le comte.

— Faites entrer M. le comte de Morcerf au salon.

Le général arpentait pour la troisième fois le salon dans toute sa longueur, lorsqu'en se retournant il aperçut Monte-Cristo debout sur le seuil.

— Hé ! c'est M. de Morcerf, dit tranquillement Monte-Cristo ; je croyais avoir mal entendu.

— Oui, c'est moi-même, dit le comte avec une effroyable contraction des lèvres qui l'empêchait d'articuler nettement.

— Il ne me reste donc qu'à savoir maintenant, dit Monte-Cristo, la cause qui me procure le plaisir de voir M. le comte de Morcerf de si bonne heure.

— Vous avez eu ce matin une rencontre avec mon fils, monsieur ? dit le général.

— Vous savez cela ? répondit le comte.

— Et je sais aussi que mon fils avait de bonnes raisons pour désirer se battre contre vous et faire tout ce qu'il pouvait pour vous tuer.

— Monsieur, répondit froidement Monte-Cristo, je ne présume pas que vous soyez venu me trouver pour me conter vos petites affaires de famille. Allez dire cela à M. Albert, peut-être saura-t-il que vous répondre.

— Oh ! non, non, répliqua le général avec un sourire aussitôt disparu qu'éclos, non ! vous avez raison, je ne suis pas venu pour cela ! Je suis venu pour vous dire que moi aussi je vous regarde comme mon ennemi ! Je suis venu pour vous dire que je vous hais d'instinct ! et qu'enfin, puisque les jeunes gens de ce siècle ne se battent pas, c'est à nous de nous battre... Est-ce votre avis, monsieur ?

— Parfaitement.

— Tant mieux... Vos préparatifs sont faits alors ? Vous savez que nous nous battrons jusqu'à la mort de l'un de nous deux !

— Jusqu'à la mort de l'un de nous deux, répéta le comte de Monte-Cristo.

— Partons alors, nous n'avons pas besoin de témoins.

— En effet, dit Monte-Cristo, c'est inutile, nous nous connaissons si bien !

— Au contraire, dit le comte, c'est que nous ne nous connaissons pas.

Le comte de Monte-Cristo fit un bond vers le cabinet attenant à sa chambre, et, en moins d'une seconde, arrachant sa cravate, sa redingote et son gilet, il endossa une petite veste de marin et se coiffa d'un chapeau de matelot, sous lequel se déroulèrent ses longs cheveux noirs.

Il revint ainsi, effrayant, implacable, marchant les bras croisés au-devant du général, qui n'avait rien compris à sa disparition, qui l'attendait, et qui, sentant ses dents claquer et ses jambes se dérober sous lui, recula d'un pas et ne s'arrêta qu'en trouvant sur une table un point d'appui pour sa main crispée.

— Edmond Dantès !

Puis, avec des soupirs qui n'avaient rien d'humain, il se traîna jusqu'au péristyle de la maison, traversa la cour en homme ivre, et tomba dans les bras de son valet de chambre en murmurant seulement d'une voix inintelligible :

— À l'hôtel ! à l'hôtel !

À quelques pas de la maison, le comte fit arrêter et descendit.

La porte de l'hôtel était toute grande ouverte ; un fiacre stationnait au milieu de la cour ; le comte regarda ce fiacre avec effroi, mais sans oser interroger personne, et s'élança dans son appartement.

Deux personnes descendaient l'escalier ; il n'eut que le temps de se jeter dans un cabinet pour les éviter.

C'était Mercédès appuyée au bras de son fils ; tous deux quittaient l'hôtel.

Ils passèrent à deux lignes du malheureux, qui, caché derrière la portière de damas, sentit à son visage la tiède haleine de ces paroles prononcées par son fils :

— Du courage, ma mère ! Venez, venez, nous ne sommes plus ici chez nous.

Les paroles s'éteignirent, les pas s'éloignèrent.

Bientôt il entendit claquer la portière en fer du fiacre, puis la voix du cocher, puis le roulement de la lourde machine ébranla les vitres ; alors il s'élança dans sa chambre à coucher pour voir encore une fois tout ce qu'il avait aimé dans le monde ; mais le fiacre partit sans que la tête de Mercédès ou celle d'Albert eût paru à la portière, pour donner au père et à l'époux abandonné le dernier regard, l'adieu et le regret, c'est-à-dire le pardon.

Aussi, au moment même où les roues du fiacre ébranlaient le pavé de la voûte, un coup de feu retentit, et une fumée sombre sortit par une des vitres de cette fenêtre de la chambre à coucher, brisée par la force de l'explosion.

52

Valentine

Morrel, en quittant Monte-Cristo, s'achemina lentement vers la maison de Villefort. Valentine l'attendait. Inquiète, elle lui saisit la main et l'amena devant son grand-père.

Cette inquiétude venait du bruit que l'aventure de Morcerf avait fait dans le monde : on savait (le monde sait toujours) l'aventure de l'Opéra. Valentine, avec son instinct de femme, avait deviné que Morrel serait le témoin de Monte-Cristo. Morrel put lire une indicible joie dans les yeux de sa bien-aimée, quand elle sut que cette terrible affaire avait eu une issue non moins heureuse qu'inattendue.

— Maintenant, dit Valentine, en faisant signe à Morrel de s'asseoir à côté du vieillard et en s'asseyant elle-même sur le tabouret où reposaient ses pieds ; maintenant parlons un peu de nos affaires. Vous savez, Maximilien, que bon papa avait eu un instant l'idée de quitter la maison, et de prendre un appartement hors de l'hôtel de M. de Villefort. Eh bien, bon papa y revient. Il prétend que l'air du faubourg Saint-Honoré ne vaut rien pour moi.

— En effet, dit Morrel ; écoutez, Valentine, M. Noirtier pourrait bien avoir raison ; depuis quinze jours, je trouve que votre santé s'altère.

— Oh ! je ressens un malaise général, voilà tout ; j'ai perdu l'appétit, et il me semble que mon estomac soutient une lutte pour s'habituer à quelque chose.

Noirtier ne perdait pas une des paroles de Valentine.

— Et quel est le traitement que vous suivez pour cette maladie inconnue ?

— Oh ! bien simple, dit Valentine : j'avale tous les matins une cuillerée de la potion qu'on apporte pour mon grand-père ; quand je dis une cuillerée, j'ai commencé par une, et maintenant j'en suis à quatre. Mon grand-père prétend que c'est une panacée ; mais, écoutez donc ! n'est-ce pas le bruit d'une voiture que j'entends dans la cour ?

Elle ouvrit la porte de Noirtier, courut à une fenêtre du corridor, et revint précipitamment.

— Oui, dit-elle, c'est Mme Danglars et sa fille qui viennent nous faire une visite. Adieu, je me sauve, car on viendrait me chercher ici : ou plutôt, au revoir, restez près de bon papa, monsieur Maximilien, je vous promets de ne pas les retenir.

C'étaient, en effet, Mme Danglars et sa fille que Valentine avait vues ; on les avait conduites à la chambre de Mme de Villefort, qui avait dit qu'elle recevrait chez elle.

Les deux femmes entrèrent au salon avec cette espèce de raideur officielle qui fait présager une communication.

Entre gens du même monde, une nuance est bientôt saisie. Mme de Villefort répondit à cette solennité par de la solennité.

En ce moment Valentine entra, et les révérences recommencèrent.

— Chère amie, dit la baronne, tandis que les deux jeunes filles se prenaient les mains, je venais avec Eugénie vous annoncer la première le très prochain mariage de ma fille avec le prince Cavalcanti.

— Alors permettez que je vous fasse mes sincères compliments, répondit Mme de Villefort. M. le prince Cavalcanti paraît un jeune homme plein de rares qualités.

— Écoutez, dit la baronne en souriant ; si nous parlons comme deux amies, je dois vous dire que le prince annonce un fort bon cœur, beaucoup de finesse d'esprit ; et, quant aux convenances, M. Danglars prétend que la fortune est majestueuse : c'est son mot.

Plongée dans cette espèce de contemplation intérieure, Valentine avait depuis un instant cessé de prendre part à la conversation ; il lui eût même été impossible de répéter ce qui avait été dit depuis quelques minutes, quand tout à coup la main de Mme Danglars, en s'appuyant sur son bras, la tira de sa rêverie.

— Qu'y a-t-il, madame ? dit Valentine en tressaillant au contact des doigts de Mme Danglars, comme elle eût tressailli à un contact électrique.

— Il y a, ma chère Valentine, dit la baronne, que vous souffrez sans doute ? Vous avez rougi et pâli successivement trois ou quatre fois dans l'espace d'une minute.

— En effet ! s'écria Eugénie, tu es bien pâle !

— Oh ! ne t'inquiète pas, Eugénie ; je suis comme cela depuis quelques jours.

Et si peu rusée qu'elle fût, la jeune fille comprit que c'était une occasion de sortir. Valentine embrassa Eugénie, salua Mme Danglars déjà levée pour se retirer, et sortit.

— Cette pauvre enfant, dit Mme de Villefort quand Valentine eut disparu, elle m'inquiète sérieusement, et je ne serais pas étonnée quand il lui arriverait quelque accident grave.

Cependant Valentine, dans une espèce d'exaltation dont elle ne se rendait pas compte, avait atteint le petit escalier ; elle entendait déjà la voix de Morrel, lorsque tout à coup un nuage passa devant ses yeux, son pied raidi manqua la marche, ses mains n'eurent plus de force pour la retenir à la rampe, et elle roula du haut des trois derniers degrés plutôt qu'elle ne les descendit.

Morrel ne fit qu'un bond ; il ouvrit la porte, et trouva Valentine étendue sur le palier. Rapide comme l'éclair, il l'enleva entre ses bras et l'assit dans un fauteuil.

Valentine rouvrit les yeux.

— Oh ! maladroite que je suis ! dit-elle avec une fiévreuse volubilité ; je ne sais donc plus me tenir ; j'oublie qu'il y a trois marches avant le palier !

— Vous vous êtes blessée, peut-être, Valentine ? s'écria Morrel. Oh ! mon Dieu ! mon Dieu !

Le cri de terreur que Dieu enchaînait aux lèvres de Noirtier jaillit de son regard.

Morrel comprit ; il s'agissait d'appeler du secours.

Valentine était si pâle, si froide, si inanimée, que la peur qui veillait sans cesse dans cette maison maudite les prit, et qu'ils s'élancèrent par les corridors en criant au secours.

Mme Danglars et Eugénie sortaient en ce moment ; elles purent encore apprendre la cause de toute cette rumeur.

— Je vous l'avais bien dit, s'écria Mme de Villefort ; pauvre petite !

53

L'aveu

Au même instant on entendit la voix de M. de Villefort, qui de son cabinet criait :

— Qu'y a-t-il ?

Villefort se précipita dans la chambre, courut à Valentine et la prit entre ses bras.

— Un médecin ! un médecin !... M. d'Avrigny ! cria Villefort, ou plutôt j'y vais moi-même.

Et il s'élança hors de l'appartement.

Par l'autre porte s'élançait Morrel.

Il venait d'être frappé au cœur par un épouvantable souvenir ; cette conversation entre Villefort et le docteur, qu'il avait entendue la nuit où mourut Mme de Saint-Méran, lui revint à la mémoire.

Plus rapide que la pensée, il s'élança du faubourg Saint-Honoré dans la rue Matignon et de la rue Matignon dans l'avenue des Champs-Élysées.

Pendant ce temps, M. de Villefort arrivait dans un cabriolet de place à la porte de M. d'Avrigny.

Villefort en poussait déjà ou plutôt en enfonçait la porte.

— Ah ! dit le docteur, c'est vous.

— Oui, docteur, c'est moi. Docteur, ma maison est une maison maudite.

— Quoi ! dit celui-ci froidement en apparence, mais avec une profonde émotion intérieure, avez-vous encore quelque malade ?

Un sanglot douloureux jaillit du cœur de Villefort, il s'approcha du médecin, et, lui saisissant le bras :

— Valentine ! dit-il, c'est le tour de Valentine !

— Chaque fois que vous m'avez prévenu, dit M. d'Avrigny, il était trop tard ; n'importe, j'y vais ; mais hâtons-nous, monsieur, avec les ennemis qui frappent chez vous, il n'y a pas de temps à perdre.

Et le cabriolet qui avait amené Villefort le ramena au grand trot, accompagné de d'Avrigny, au moment même où, de son côté, Morrel frappait à la porte de Monte-Cristo.

En entendant annoncer Morrel, le comte releva la tête. Le jeune homme, qui l'avait quitté le sourire sur les lèvres, revenait le visage bouleversé.

Il se leva et s'élança au-devant de Morrel.

— Qu'y a-t-il donc, Maximilien ? lui demanda-t-il ; vous êtes pâle, et votre front ruisselle de sueur.

Morrel tomba sur un fauteuil plutôt qu'il ne s'assit.

— Oui, j'ai besoin de vous, c'est-à-dire que j'ai cru comme un insensé que vous pouviez me porter secours dans une circonstance où Dieu seul peut me secourir.

— Dites toujours, répondit Monte-Cristo.

— Écoutez, un soir je me trouvais dans un jardin ; j'étais caché par un massif d'arbres, nul ne se doutait que je pouvais être là. Deux personnes passèrent près de moi.

L'une était le maître de ce jardin, et l'autre était le médecin. Or, le premier confiait au second ses craintes et ses douleurs ; car c'était la seconde fois depuis un mois que la mort s'abattait, rapide et imprévue, sur cette maison, qu'on croirait désignée par quelque ange exterminateur à la colère de Dieu.

— Et que répondait le docteur ? demanda Monte-Cristo.

— Il répondait... il répondait que cette mort n'était point naturelle, et qu'il fallait l'attribuer...

— À quoi ?

— Au poison !

— Vraiment ! dit Monte-Cristo.

Il écoutait ou paraissait écouter avec le plus grand calme.

— Mon cher ami, dit Monte-Cristo, vous me paraissez conter là une aventure que chacun de nous sait par cœur. Vous dites qu'un ange exterminateur semble désigner cette maison à la colère du Seigneur ; eh bien ! qui vous dit que votre supposition n'est pas une réalité ? Si c'est la justice et non la colère de Dieu qui se promène dans cette maison, Maximilien, détournez la tête et laissez passer la justice de Dieu.

Morrel frissonna. Il y avait quelque chose à la fois de lugubre, de solennel et de terrible dans l'accent du comte.

— D'ailleurs, qui vous dit que cela recommencera ?

— Cela recommence, comte ! s'écria Morrel, et voilà pourquoi j'accours chez vous.

— Eh bien ! dit le comte, étonné de cette insistance à laquelle il ne comprenait rien, laissez recommencer ; c'est une famille d'Atrides ; Dieu les a condamnés, et ils subiront la sentence. C'était M. de Saint-Méran, il y a trois mois ; c'était Mme de Saint-Méran, il y a deux mois ; aujourd'hui, c'est le vieux Noirtier ou la jeune Valentine.

— Vous le saviez ? s'écria Morrel dans un tel paroxysme de terreur que Monte-Cristo tressaillit, lui que la chute du ciel eût trouvé impassible ; vous le saviez, et vous ne disiez rien ?

— Hé ! que m'importe ! reprit Monte-Cristo en haussant les épaules.

— Mais moi, moi, s'écria Morrel en hurlant de douleur, moi je l'aime !

— Vous aimez qui ? s'écria Monte-Cristo en bondissant sur ses pieds et en saisissant les deux mains que Morrel élevait, en les tordant, vers le ciel.

— J'aime éperdument, j'aime en insensé, j'aime Valentine de Villefort, qu'on assassine en ce monde, entendez-vous bien ! je l'aime, et je demande à Dieu et à vous comment je puis la sauver !

Monte-Cristo poussa un cri.

— Malheureux ! s'écria-t-il en se tordant les mains à son tour, malheureux ! tu aimes Valentine, tu aimes cette fille d'une race maudite.

Morrel poussa un sourd gémissement.

— Allons, allons, continua le comte, assez de plaintes comme cela ; soyez homme, soyez fort, soyez plein d'espoir, car je suis là, car je veille sur vous.

Morrel secoua tristement la tête.

— Je vous dis d'espérer, me comprenez-vous ? s'écria Monte-Cristo. Écoutez donc ce que je vais vous dire, Morrel. Il est midi : si Valentine n'est pas morte à cette heure, elle ne mourra pas.

— Oh ! mon Dieu ! mon Dieu ! s'écria Morrel, moi qui l'ai laissée mourante !

— Maximilien, retournez tranquillement chez vous ; je vous commande de ne pas faire un pas, de ne pas tenter une démarche. Je vous donnerai de mes nouvelles, allez.

Morrel, subjugué par ce prodigieux ascendant qu'exerçait Monte-Cristo sur tout ce qui l'entourait, n'essaya pas même de s'y soustraire ; il serra la main du comte et sortit.

Cependant Villefort et d'Avrigny avaient fait diligence. À leur retour, Valentine était encore évanouie, et le médecin avait examiné la malade avec le soin que commandait la circonstance.

Enfin d'Avrigny laissa échapper lentement :

— Elle vit encore.

— Encore ? s'écria Villefort ; oh ! docteur, quel mot terrible vous avez prononcé là.

— Oui, dit le médecin, je répète ma phrase : elle vit encore, et j'en suis bien surpris.

En ce moment, le regard de d'Avrigny rencontra l'œil de Noirtier ; il étincelait d'une joie si extraordinaire, que le médecin en fut frappé.

Il laissa retomber sur le fauteuil la jeune fille et, regardant Noirtier par qui tout mouvement du docteur était attendu et commenté :

— Monsieur, dit alors d'Avrigny à Villefort, appelez la femme de chambre de Mlle Valentine, s'il vous plaît.

Aussitôt que Villefort eut refermé la porte, d'Avrigny s'approcha de Noirtier.

— Vous avez quelque chose à me dire ? demanda-t-il.

Le vieillard cligna expressivement des yeux ; c'était, on se le rappelle, le seul signe affirmatif qui fût à sa disposition.

— Voyons, dit-il, vous savez quelque chose sur cette maladie de votre fille ?

— Oui, fit le vieillard.

— Elle va donc succomber aussi ? demanda d'Avrigny en fixant son regard profond sur Noirtier.

Et il attendit l'effet de cette phrase sur le vieillard.

— Non ! répondit-il avec un air de triomphe qui eût pu dérouter toutes les conjectures du plus habile devin.

— Comment espérez-vous que Valentine échappera ?

Noirtier tint avec obstination ses yeux fixés du même côté ; d'Avrigny suivit la direction de ses yeux, et vit qu'ils étaient attachés sur une bouteille contenant la potion qu'on lui apportait tous les matins.

— Ah ! dit d'Avrigny frappé d'une idée subite, auriez-vous eu l'idée...

Noirtier ne le laissa point achever.

— Oui, fit-il.

— De la prémunir contre le poison... ?

— Oui.

— En l'habituant peu à peu...

— Oui, oui, oui, fit Noirtier, enchanté d'être compris.

— Et vous y êtes parvenu, en effet, s'écria d'Avrigny.

Une joie surhumaine épanouissait les yeux du vieillard, levés au ciel avec une expression de reconnaissance infinie.

54

Le contrat

Le jour fixé pour la signature du contrat de Mlle Eugénie Danglars et d'Andrea Cavalcanti était arrivé.

À huit heures et demie du soir, le grand salon de Danglars, la galerie attenante à ce salon et les trois autres salons de l'étage étaient pleins d'une foule parfumée qu'attirait fort peu la sympathie, mais beaucoup cet irrésistible besoin d'être là où l'on sait qu'il y a du nouveau.

Au moment où l'aiguille de la pendule massive représentant Endymion endormi marquait neuf heures sur son cadran d'or, le nom du comte de Monte-Cristo retentit à son tour, et comme poussée par la flamme électrique, toute l'assemblée se tourna vers la porte.

Le comte, d'un seul coup d'œil, aperçut Mme Danglars à un bout du salon, M. Danglars à l'autre, et Mlle Eugénie devant lui.

Il s'approcha d'abord de la baronne, qui causait avec Mme de Villefort, laquelle était venue seule, Valentine étant toujours souffrante ; et sans dévier, il passa de la baronne à Eugénie, qu'il complimenta en termes rapides et réservés.

En quittant ces dames, il se retourna et se trouva près de Danglars, qui s'était approché pour lui donner la main.

Les notaires firent leur entrée en ce moment, et vinrent installer leurs pancartes griffonnées sur le velours brodé d'or qui couvrait la table préparée pour la signature, table en bois doré.

Le contrat fut lu au milieu d'un profond silence.

Le notaire prit solennellement la plume, l'éleva au-dessus de sa tête et dit :

— Messieurs, on va signer le contrat.

Le baron prit la plume et signa, puis le chargé de pouvoirs.

La baronne s'approcha au bras de Mme de Villefort.

— Mon ami, dit-elle en prenant la plume, n'est-ce pas une chose désespérante ? Un incident inattendu, arrivé dans cette affaire d'assassinat et de vol dont M. le comte de Monte-Cristo a failli être victime, nous prive d'avoir M. de Villefort.

— Oh ! mon Dieu ! fit Danglars du même ton dont il aurait dit : « Ma foi ! », la chose m'est bien indifférente.

— Mon Dieu ! dit Monte-Cristo en s'approchant, j'ai bien peur d'être la cause involontaire de cette absence.

— Comment ! vous, comte ? dit Mme Danglars en signant. S'il en est ainsi, prenez garde, je ne vous le pardonnerai jamais.

Andrea dressait les oreilles.

— Vous vous rappelez, dit le comte au milieu du plus profond silence, que c'est chez moi qu'est mort ce malheureux qui était venu pour me voler, et qui, en sortant de chez moi, a été tué, à ce que l'on croit, par son complice ?

— Oui, dit Danglars.

— Eh bien ! pour lui porter secours, on l'avait déshabillé et l'on avait jeté ses habits dans un coin où la justice les a ramassés ; mais la justice, en prenant l'habit et le pantalon pour les déposer au greffe, avait oublié le gilet.

Andrea pâlit visiblement et tira tout doucement du côté de la porte ; il voyait paraître un nuage à l'horizon, et ce nuage lui semblait renfermer la tempête dans ses flancs.

— Eh bien ! ce malheureux gilet, on l'a retrouvé aujourd'hui tout couvert de sang et troué à l'endroit du cœur. On me l'a apporté. Personne ne pouvait deviner d'où venait cette guenille ; moi seul songeai que c'était probablement le gilet de la victime. Tout à coup mon valet de chambre, en fouillant avec dégoût et précaution cette funèbre relique, a senti un papier dans la poche et l'en a tiré : c'était une lettre adressée à qui ? à vous, baron.

— À moi ? s'écria Danglars.

— Mais, demanda Mme Danglars regardant son mari avec inquiétude, comment cela empêche-t-il M. de Villefort ?

— C'est tout simple, madame, répondit Monte-Cristo : ce gilet et cette lettre étaient ce qu'on appelle des pièces de conviction ; lettre et gilet, j'ai tout envoyé à M. le procureur du roi. Vous comprenez, mon cher baron, la voie légale est la plus sûre en matière criminelle ; c'était peut-être quelque machination contre vous.

Andrea regarda fixement Monte-Cristo, et disparut dans le deuxième salon.

— C'est possible, dit Danglars ; cet homme assassiné n'était-il point un ancien forçat ?

— Oui, répondit le comte, un ancien forçat nommé Caderousse.

Danglars pâlit légèrement ; Andrea quitta le grand salon et gagna l'antichambre.

— Mais signez donc, signez donc, dit Monte-Cristo ; je m'aperçois que mon récit a mis tout le monde en émoi, et j'en demande bien humblement pardon à vous, madame la baronne, et à mademoiselle Danglars.

La baronne, qui venait de signer, remit la plume au notaire.

— Monsieur le prince Cavalcanti, dit le tabellion, monsieur le prince Cavalcanti, où êtes-vous ?

— Appelez donc le prince, prévenez-le donc que c'est à lui de signer ! cria Danglars à un huissier.

Mais au même instant la foule des assistants reflua, terrifiée, dans le salon principal, comme si quelque monstre effroyable fût entré dans les appartements.

Il y avait en effet de quoi reculer, s'effrayer, crier.

Un officier de gendarmerie plaçait deux gendarmes à la porte de chaque salon, et s'avançait vers Danglars, précédé d'un commissaire de police ceint de son écharpe.

Mme Danglars poussa un cri et s'évanouit.

Danglars, qui se croyait menacé (certaines consciences ne sont jamais calmes), offrit aux yeux de ses conviés un visage décomposé par la terreur.

— Qu'y a-t-il donc, monsieur ? demanda Monte-Cristo s'avançant au-devant du commissaire.

— Lequel de vous, messieurs, demanda le magistrat sans répondre au comte, s'appelle Andrea Cavalcanti ?

Un cri de stupeur partit de tous les coins du salon.

On chercha ; on interrogea.

— Mais quel est donc cet Andrea Cavalcanti ? demanda Danglars presque égaré.

— Un ancien forçat échappé du bagne de Toulon.

— Et quel crime a-t-il commis ?

— Il est prévenu, dit le commissaire de sa voix impassible, d'avoir assassiné le nommé Caderousse, son ancien compagnon de chaîne, au moment où il sortait de chez le comte de Monte-Cristo.

Monte-Cristo jeta un regard rapide autour de lui.

Andrea avait disparu.

55

L'apparition

Brisée par la fatigue, Valentine gardait le lit, et ce fut dans sa chambre et de la bouche de Mme de Villefort qu'elle apprit l'arrestation d'Andrea Cavalcanti, ou plutôt de Benedetto, ainsi que l'accusation d'assassinat portée contre lui.

Le soir qui suivit cette matinée où Valentine avait appris l'arrestation de Benedetto, tandis que onze heures sonnaient à Saint-Philippe-du-Roule, une scène inattendue se passait dans cette chambre soigneusement fermée.

Il y avait déjà dix minutes à peu près que la garde s'était retirée.

De la mèche de la veilleuse s'élançaient mille et mille rayonnements tout empreints de significations étranges, quand tout à coup, à son reflet tremblant, Valentine crut voir sa bibliothèque, placée à côté de la cheminée dans un renfoncement du mur, s'ouvrir lentement, sans que les gonds sur lesquels elle semblait rouler produisissent le moindre bruit.

Derrière la porte parut une figure humaine.

Valentine était, grâce à sa fièvre, trop familiarisée avec ces sortes d'apparitions pour s'épouvanter.

La figure continua de s'avancer vers son lit, puis elle s'arrêta et parut écouter avec une attention profonde.

Valentine regardait ce qui se passait devant ses yeux avec un profond sentiment de stupeur.

Elle ouvrit la bouche pour pousser un cri.

L'homme posa un doigt sur ses lèvres.

— M. le comte de Monte-Cristo ! murmura-t-elle.

À l'effroi qui se peignit dans les yeux de la jeune fille, au tremblement de ses mains, au geste rapide qu'elle fit pour se blottir sous ses draps, on pouvait reconnaître la dernière lutte du doute contre la conviction ; cependant la présence de M. de Monte-Cristo chez elle à une pareille heure, son entrée mystérieuse, fantastique, inexplicable, par un mur, semblaient des impossibilités à la raison ébranlée de Valentine.

— N'appelez pas, ne vous effrayez pas, dit le comte ; n'ayez pas même au fond du cœur l'éclair d'un soupçon ou l'ombre d'une inquiétude ; l'homme que vous voyez devant vous est le plus tendre père et le plus respectueux ami que vous puissiez rêver. Depuis quatre nuits je veille sur vous, je vous protège, je vous conserve à notre ami Maximilien.

Le comte étendit la main dans la direction de la bibliothèque.

— J'étais caché derrière cette porte, dit-il ; cette porte donne dans la maison voisine que j'ai louée.

Valentine, par un mouvement de fierté pudique, détourna les yeux, et, avec une souveraine terreur :

— Monsieur, dit-elle, cette protection que vous m'avez accordée ressemble fort à une insulte.

— Valentine, dit-il, pendant cette longue veille, voici les seules choses que j'ai vues : quelles gens venaient chez vous, quels aliments on vous préparait, quelles boissons on vous a servies. Puis, quand ces boissons me paraissaient dangereuses, j'entrais comme je viens d'entrer, je vidais votre verre et je substituais au poison un breuvage bienfaisant, qui, au lieu de la mort qui vous était préparée, faisait circuler la vie dans vos veines.

— Le poison ! la mort ! s'écria Valentine, se croyant de nouveau sous l'empire de quelque fiévreuse hallucination. Ce que vous me dites est horrible, monsieur, ce que vous voulez me faire croire a quelque chose d'infernal.

— Êtes-vous donc la première que cette main frappe, Valentine ? N'avez-vous pas vu tomber autour de vous M. de Saint-Méran, Mme de Saint-Méran ? N'auriez-vous pas vu tomber M. Noirtier, si le traitement qu'il suit depuis près de trois ans ne l'avait protégé en combattant le poison par l'habitude du poison ?

— Oh ! mon Dieu ! dit Valentine, c'est pour cela que, depuis près d'un mois, bon papa exige que je partage toutes ses boissons ?

— Il vous a prémunie, vous, son enfant bien-aimée, contre la substance mortelle. Voilà comment vous vivez encore – ce que je ne m'expliquais pas —, après avoir été empoisonnée il y a quatre jours avec un poison qui d'ordinaire ne pardonne point.

— Mais quel est donc l'assassin, le meurtrier ? Pourquoi quelqu'un désirerait-il ma mort ?

— Vous allez le connaître, dit Monte-Cristo en prêtant l'oreille.

— Valentine, continua le comte, appelez toutes vos forces à votre secours ; feignez le sommeil, et vous verrez, vous verrez.

Valentine saisit la main du comte.

— Il me semble que j'entends du bruit, dit-elle, retirez-vous !

— Adieu ! ou plutôt au revoir, répondit le comte.

Puis, il regagna sur la pointe du pied la porte de la bibliothèque.

Valentine resta seule. Puis tout retomba dans le silence.

Une seule idée, une idée terrible tenait son esprit tendu : c'est qu'il existait une personne au monde qui avait tenté de l'assassiner, et qui allait le tenter encore.

Vers la chambre d'Édouard, il sembla à Valentine qu'elle entendait crier sur le parquet ; elle prêta l'oreille, retenant sa respiration presque étouffée, le bouton de la serrure grinça, et la porte tourna sur ses gonds.

Quelqu'un s'approcha du lit et effleura les rideaux.

Valentine entendit le bruit presque insensible d'une liqueur tombant dans le verre qu'elle venait de vider.

Alors elle osa, sous le rempart de son bras étendu, entrouvrir sa paupière.

Elle vit alors une femme en peignoir blanc qui vidait dans son verre une liqueur préparée d'avance dans une fiole.

Pendant ce court instant, Valentine retint peut-être sa respiration, ou fit sans doute quelque mouvement, car la femme, inquiète, s'arrêta et se pencha sur son lit pour mieux voir si elle dormait réellement : c'était Mme de Villefort.

Valentine, en reconnaissant sa belle-mère, fut saisie d'un frisson aigu qui imprima un mouvement à son lit.

Cependant, assurée par le bruit égal de la respiration de Valentine, que celle-ci dormait, Mme de Villefort étendit de nouveau le bras et acheva de vider dans le verre de Valentine le contenu de sa fiole.

Puis elle se retira, sans que le moindre bruit avertît Valentine qu'elle était partie.

Il est impossible d'exprimer ce que Valentine avait éprouvé pendant cette minute et demie que Mme de Villefort était restée dans sa chambre.

Un grattement d'ongle sur la bibliothèque tira la jeune fille de cet état de torpeur dans lequel elle était ensevelie, et qui ressemblait à l'engourdissement.

Elle souleva la tête avec effort.

La porte, toujours silencieuse, roula une seconde fois sur ses gonds, et le comte de Monte-Cristo reparut.

— Eh bien ! demanda le comte, doutez-vous encore ?

— Oh ! mon Dieu ! murmura la jeune fille.

— Vous avez vu ?

Valentine poussa un gémissement.

— Mon Dieu ! pourquoi donc me poursuit-elle ainsi ?

— Vous êtes riche, Valentine ; vous avez deux cent mille livres de rente, et ces deux cent mille livres de rente vous les enlevez à son fils. Voilà pourquoi M. et Mme de Saint-Méran sont morts ; voilà pourquoi, du jour où il vous a faite son héritière, M. Noirtier avait été condamné ; voilà pourquoi, à votre tour, vous devez mourir, Valentine ; c'est afin que votre père hérite de vous, et que votre frère, devenu fils unique, hérite de votre père.

— Édouard ? pauvre enfant ! c'est pour lui qu'on commet tous ces crimes !

— Ah ! vous comprenez, enfin.

— Oh ! monsieur, s'écria la douce jeune fille en fondant en larmes, je vois bien, s'il en est ainsi, que je suis condamnée à mourir.

— Non, Valentine, non, car j'ai prévu tous les complots ; non, vous vivrez, Valentine, vous vivrez pour aimer et être aimée ; mais pour vivre, Valentine, il faut avoir toute confiance en moi.

— Ordonnez, monsieur : que faut-il faire ?

— Vous ne vous confierez à personne, pas même à votre père.

— Eh bien ! monsieur, disposez de moi, dit Valentine.

Alors le comte tira de la poche de son gilet le drageoir en émeraude, souleva son couvercle d'or et versa dans la main droite de Valentine une petite pastille ronde de la grosseur d'un pois.

Valentine porta la pastille à sa bouche et l'avala.

— Et maintenant, au revoir, mon enfant, dit-il, je vais essayer de dormir, car vous êtes sauvée.

— Allez, dit Valentine, quelque chose qui m'arrive, je vous promets de n'avoir pas peur.

Monte-Cristo tint longtemps ses yeux fixés sur la jeune fille, qui s'endormait peu à peu, vaincue par la puissance du narcotique que le comte venait de lui donner.

56

Valentine

Peu à peu, un jour blafard envahit l'appartement, filtrant aux lames des persiennes. C'est à ce moment que la toux de la garde-malade retentit sur l'escalier, et que cette femme entra chez Valentine, une tasse à la main.

Elle alla à la cheminée, ralluma le feu, s'installa dans son fauteuil, et quoiqu'elle sortît de son lit, elle profita du sommeil de Valentine pour dormir encore quelques instants.

La pendule l'éveilla en sonnant huit heures.

Alors, étonnée de ce sommeil obstiné dans lequel demeurait la jeune fille, effrayée de ce bras pendant hors du lit, elle s'avança vers le lit, et ce fut alors seulement qu'elle remarqua ces lèvres froides et cette poitrine glacée.

Elle poussa un horrible cri.

Puis, courant à la porte :

— Au secours ! cria-t-elle, au secours !

— Comment ! au secours ? répondit du bas de l'escalier la voix de M. d'Avrigny.

C'était l'heure où le docteur avait l'habitude de venir.

— Comment ! au secours ? s'écria la voix de Villefort, sortant alors précipitamment de son cabinet. Docteur, n'avez-vous pas entendu crier au secours ?

— Oui, oui, montons, répondit d'Avrigny ; montons vite, c'est chez Valentine.

Villefort s'élança dans l'appartement.

— Valentine est morte ! s'écria d'Avrigny d'une voix solennelle et terrible dans sa solennité.

M. de Villefort s'abattit comme si ses jambes étaient brisées, et tomba la tête sur le lit de Valentine.

— Morte ! morte ! soupirait Villefort dans le paroxysme d'une douleur d'autant plus déchirante qu'elle était nouvelle, inconnue, inouïe pour ce cœur de bronze.

— Morte ! dites-vous ? s'écria une troisième voix : qui a dit que Valentine était morte ?

Les deux hommes se retournèrent, et, sur la porte, aperçurent Morrel debout, pâle, bouleversé, terrible.

M. de Villefort se releva presque honteux d'avoir été surpris dans l'excès de cette douleur.

Son regard, un instant égaré, se fixa sur Morrel.

— Qui êtes-vous, monsieur, dit-il, vous qui oubliez qu'on n'entre pas ainsi dans une maison qu'habite la mort ? Sortez, monsieur ! Sortez ! entendez-vous ? cria Villefort, tandis que d'Avrigny s'avançait de son côté pour faire sortir Morrel.

Celui-ci regarda d'un air égaré ce cadavre, ces deux hommes, toute la chambre, sembla hésiter un instant, ouvrit la bouche, puis enfin, il rebroussa chemin en enfonçant ses mains dans ses cheveux, de telle sorte que Villefort et d'Avrigny, un instant distraits de leurs préoccupations, échangèrent, après l'avoir suivi des yeux, un regard qui voulait dire : « Il est fou ! »

Mais avant que cinq minutes se fussent écoulées, on entendit gémir l'escalier sous un poids considérable, et l'on vit Morrel qui, avec une force surhumaine, soulevant le fauteuil de Noirtier entre ses bras, apportait le vieillard au premier étage de la maison.

Arrivé au haut de l'escalier, Morrel posa le fauteuil à terre et le roula rapidement jusque dans la chambre de Valentine.

Toute cette manœuvre s'exécuta avec une force décuplée par l'exaltation frénétique du jeune homme.

Mais une chose était effrayante surtout, c'était la figure de Noirtier, s'avançant vers le lit de Valentine, poussé par Morrel, la figure de Noirtier en qui l'intelligence déployait toutes ses ressources, dont les yeux réunissaient toute leur puissance pour suppléer aux autres facultés.

Aussi ce visage pâle, au regard enflammé, fut-il pour Villefort une effrayante apparition.

— Voyez ce qu'ils en ont fait ! cria Morrel, une main encore appuyée au dossier du fauteuil qu'il venait de pousser jusqu'au lit, et l'autre étendue vers Valentine ; voyez, mon père, voyez !

Villefort recula d'un pas et regarda avec étonnement ce jeune homme qui lui était presque inconnu, et qui appelait Noirtier son père.

— Dites, continua Morrel d'une voix étranglée, dites que j'étais son fiancé !

« Dites qu'elle était ma noble amie, mon seul amour sur la Terre !

« Dites, dites, dites que ce cadavre m'appartient !

Et le jeune homme, donnant le terrible spectacle d'une grande force qui se brise, tomba lourdement à genoux devant ce lit que ses doigts crispés étreignirent avec violence.

Enfin Villefort prit la parole.

— Monsieur, dit-il à Maximilien, vous aimiez Valentine, dites-vous, vous étiez son fiancé ; j'ignorais cet amour, j'ignorais cet engagement ; et cependant, moi, son père, je vous le pardonne ; car je le vois, votre douleur est grande, réelle et vraie. Mais, vous le voyez, Valentine n'a plus besoin maintenant que du prêtre qui doit la bénir.

— Vous vous trompez, monsieur, s'écria Morrel en se relevant sur un genou, vous vous trompez : Valentine, morte comme elle est morte, a non seulement besoin d'un prêtre, mais encore d'un vengeur.

— Que voulez-vous dire, monsieur ? murmura Villefort, tremblant à cette nouvelle inspiration du délire de Morrel.

— Monsieur, continua le jeune homme, je sais ce que je dis, et vous savez tout aussi bien que moi ce que je vais dire : Valentine est morte assassinée ! Allons ! Monsieur le procureur du roi, ajouta Morrel avec une véhémence croissante, pas de pitié ! je vous dénonce le crime, cherchez l'assassin !

Et son œil implacable interrogeait Villefort, qui de son côté sollicitait du regard tantôt Noirtier, tantôt d'Avrigny.

Morrel releva la tête, et, lisant dans les yeux du vieillard, qui lançaient une flamme surnaturelle :

— Tenez, dit-il, tenez, M. Noirtier veut parler.

— Oui, fit Noirtier avec une expression d'autant plus terrible que toutes les facultés de ce pauvre vieillard impuissant étaient concentrées dans son regard.

Puis, ayant rivé pour ainsi dire les yeux de son interlocuteur aux siens, il les détourna vers la porte.

— Vous voulez que je sorte, monsieur ? s'écria douloureusement Morrel.

— Oui, fit Noirtier.

— Vous voulez rester seul avec M. de Villefort ?

— Oui.

D'Avrigny prit le bras de Morrel et entraîna le jeune homme dans la chambre voisine.

Il se fit alors dans toute cette maison un silence plus profond que celui de la mort.

Enfin, au bout d'un quart d'heure, un pas chancelant se fit entendre, et Villefort parut sur le seuil du salon où se tenaient d'Avrigny et Morrel, l'un absorbé, l'autre suffoquant.

— Venez, dit-il.

Et il les ramena près du fauteuil de Noirtier.

Morrel, alors, regarda attentivement Villefort.

— Soyez tranquille, justice sera faite, dit Villefort. Mon père m'a révélé le nom du coupable ; mon père a soif de vengeance comme vous, et cependant mon père vous conjure comme moi de garder le secret du crime. N'est-ce pas, mon père ?

— Oui, fit résolument Noirtier.

— Rassurez-vous donc, messieurs ; trois jours, je vous demande trois jours, c'est moins que ne vous demanderait la justice ; et dans trois jours, la vengeance que j'aurai tirée du meurtre de mon enfant fera frissonner jusqu'au fond de leur cœur les plus indifférents des hommes. N'est-ce pas, mon père ?

Et en disant ces paroles, il grinçait des dents et secouait la main engourdie du vieillard.

— Jurez donc, messieurs, dit Villefort, jurez que vous aurez pitié de l'honneur de ma maison, et que vous me laisserez le soin de le venger ?

D'Avrigny se détourna et murmura un oui bien faible ; mais Morrel se précipita vers le lit, imprima ses lèvres sur les lèvres glacées de Valentine, et s'enfuit avec le long gémissement d'une âme qui s'engloutit dans le désespoir.

M. de Villefort fut forcé de prier d'Avrigny de se charger des démarches si nombreuses et si délicates qu'entraîne la mort dans nos grandes villes. Puis Villefort entra dans son cabinet.

Noirtier ne voulut point quitter sa fille.

Au bout d'une demi-heure, M. d'Avrigny revint avec son confrère.

Le médecin des morts s'approcha avec l'indifférence de l'homme qui passe la moitié de sa vie avec les cadavres, souleva le drap qui recouvrait la jeune fille, et entrouvrit seulement les lèvres.

— Oh ! dit d'Avrigny en soupirant, pauvre jeune fille ! elle est bien morte, allez.

— Oui, répondit laconiquement le médecin en laissant retomber le drap qui couvrait le visage de Valentine.

Le médecin des morts dressa son procès-verbal sur le coin d'une table, et, cette formalité suprême accomplie, sortit, reconduit par le docteur.

Au moment où ils descendaient dans la rue, ils aperçurent un homme vêtu d'une soutane, qui se tenait sur le seuil de la porte voisine.

D'Avrigny aborda l'ecclésiastique.

— Monsieur, lui dit-il, seriez-vous disposé à rendre un grand service à un malheureux père qui vient de perdre sa fille, à M. le procureur du roi Villefort ?

— J'allais m'offrir, monsieur, dit le prêtre ; c'est notre mission d'aller au-devant de nos devoirs.

— Merci, monsieur, dit d'Avrigny. Venez vous asseoir près de la morte, et toute une famille plongée dans le deuil vous sera bien reconnaissante.

— J'y vais, monsieur, répondit l'abbé, et j'ose dire que jamais prières ne seront plus ardentes que les miennes.

D'Avrigny prit l'abbé par la main, et sans rencontrer Villefort, enfermé dans son cabinet, il le conduisit jusqu'à la chambre de Valentine, dont les ensevelisseurs devaient s'emparer seulement la nuit suivante.

En entrant dans la chambre, le regard de Noirtier avait rencontré celui de l'abbé, et sans doute il crut y lire quelque chose de particulier, car il ne le quitta plus.

D'Avrigny recommanda au prêtre non seulement la morte, mais le vivant, et le prêtre promit à d'Avrigny de donner ses prières à Valentine et ses soins à Noirtier.

57

La signature Danglars

Le jour du lendemain se leva triste et nuageux.

Vers huit heures du matin, d'Avrigny était revenu et il avait rencontré Villefort.

— Avez-vous besoin de moi ? demanda le docteur.

— Non, dit Villefort ; seulement, revenez à onze heures, je vous prie ; c'est à midi qu'a lieu... le départ... Mon Dieu ! ma pauvre enfant ! ma pauvre enfant !

Et le procureur du roi leva les yeux au ciel et poussa un soupir.

À onze heures, les voitures funèbres roulèrent sur le pavé de la cour, et la rue du Faubourg-Saint-Honoré s'emplit des murmures de la foule également avide des joies ou du deuil des riches, et qui court à un enterrement pompeux avec la même hâte qu'à un mariage de duchesse.

Ceux qui se connaissaient s'appelaient du regard et se réunissaient en groupes. Un de ces groupes était composé de Debray, de Château-Renaud et de Beauchamp.

— Mais qui cherchez-vous donc, Debray ?

— Je cherche M. de Monte-Cristo, répondit le jeune homme.

— Je l'ai rencontré sur le boulevard en venant ici. Je le crois sur son départ, il allait chez son banquier, dit Beauchamp.

— Chez son banquier ? Son banquier, n'est-ce pas Danglars ? demanda Château-Renaud à Debray.

— Je crois que oui, répondit le secrétaire intime avec un léger trouble. M. de Monte-Cristo n'est pas le seul qui manque ici : je ne vois pas Morrel. Mais chut ! taisons-nous, voici M. le ministre de la Justice et des Cultes.

Beauchamp avait dit vrai : en se rendant à l'invitation mortuaire, il avait rencontré Monte-Cristo qui, de son côté, se dirigeait vers l'hôtel de Danglars, rue de la Chaussée-d'Antin.

Le banquier avait, de sa fenêtre, aperçu la voiture du comte entrant dans la cour, et il était venu au-devant de lui avec un visage attristé, mais affable.

— Eh bien ! comte, dit-il en tendant la main à Monte-Cristo, vous venez me faire vos compliments de condoléances ? En vérité, les gens de notre génération ne sont point heureux cette année : Villefort perdant toute sa famille d'une façon étrange ; Morcerf, déshonoré et tué ; moi, couvert de ridicule par la scélératesse de ce Benedetto ; et puis...

— Puis quoi ? demanda le comte.

— Hélas ! vous l'ignorez donc ?

— Quelque nouveau malheur ?

— Ma fille...

— Mlle Danglars ?

— Eugénie nous quitte.

— Oh ! mon Dieu ! que me dites-vous là !

— Elle n'a pu supporter l'affront que nous a fait ce misérable, et m'a demandé la permission de voyager.

— Que voulez-vous, mon cher baron ? dit Monte-Cristo, chagrins de famille, chagrins qui seraient écrasants pour un pauvre diable dont l'enfant serait toute la fortune, mais supportables pour un millionnaire. L'argent console de bien des choses ; et vous, vous devez être plus vite consolé que qui que ce soit, vous, le roi de la finance, le point d'intersection de tous les pouvoirs.

Danglars lança un coup d'œil oblique au comte, pour voir s'il raillait ou s'il parlait sérieusement.

— Oui, dit-il, le fait est que, si la fortune console, je dois être consolé : je suis riche. Cela me rappelle que, lorsque vous êtes entré, j'étais en train de faire cinq petits bons, j'en avais déjà signé deux. Voulez-vous me permettre de faire les trois autres ?

— Faites, mon cher baron, faites.

Il y eut un instant de silence pendant lequel on entendit crier la plume du banquier, tandis que Monte-Cristo regardait les moulures dorées du plafond.

— Des bons d'Espagne ? dit Monte-Cristo, des bons d'Haïti ? des bons de Naples ?

— Non, dit Danglars en riant de son rire suffisant, des bons au porteur, des bons sur la Banque de France. Tenez, ajouta-t-il, monsieur le comte, avez-vous vu beaucoup de chiffons de papier de cette grandeur-là valoir chacun un million ?

Monte-Cristo prit dans sa main, comme pour les peser, les cinq chiffons de papier que lui présentait orgueilleusement Danglars.

— Un, deux, trois, quatre, cinq, fit Monte-Cristo. Cinq millions ! Peste, comme vous y allez, seigneur Crésus !

— Voilà comme je fais les affaires, moi ! dit Danglars.

— C'est beau d'avoir un pareil crédit ; il faut le voir pour le croire.

— Vous en doutez ?

— Non, dit Monte-Cristo pliant les cinq billets, ma foi, non, la chose est trop curieuse, et j'en ferai l'expérience moi-même. Mon crédit chez vous est de six millions, j'ai pris neuf cent mille francs, c'est cinq millions cent mille francs que vous restez me devoir. Je prends vos cinq chiffons de papier, que je tiens pour bons à la seule vue de votre signature, et voici un reçu général de six millions qui régularise notre compte. Je l'avais préparé d'avance, car il faut vous dire que j'ai fort besoin d'argent aujourd'hui.

La foudre tombant aux pieds de Danglars ne l'eût pas écrasé d'une terreur plus grande.

— Quoi ! balbutia-t-il, quoi ! Monsieur le comte, vous prenez cet argent ? Mais pardon, pardon, c'est de l'argent que je dois aux hospices, un dépôt, et j'avais promis de payer ce matin.

Tout à coup il se ravisa, fit un effort violent et se contint.

Puis on le vit sourire, arrondir peu à peu les traits de son visage bouleversé.

— Au fait, dit-il, votre reçu, c'est de l'argent.

— Je puis donc garder cet argent ?

— Oui, dit Danglars en essuyant la sueur qui perlait à la racine de ses cheveux, gardez, gardez.

Et il plaça les bons dans son portefeuille, juste au moment où le valet de chambre annonçait :

— M. de Boville, receveur général des hospices.

— Ma foi, dit Monte-Cristo, il paraît que je suis arrivé à temps pour jouir de vos signatures ; on se les dispute.

Danglars pâlit une seconde fois, et se hâta de prendre congé du comte.

Le comte de Monte-Cristo échangea un cérémonieux salut avec M. de Boville, qui se tenait debout dans le salon d'attente, et qui, M. de Monte-Cristo passé, fut immédiatement introduit dans le cabinet de M. Danglars.

— Bonjour, dit-il, mon cher créancier, car je gagerais que c'est le créancier qui m'arrive.

— Vous avez deviné juste, monsieur le baron, dit M. de Boville, les hospices se présentent à vous dans ma personne ; les veuves et les orphelins viennent par mes mains vous demander une aumône de cinq millions. Me voici avec mon reçu.

— Mon cher monsieur de Boville, dit Danglars, vos veuves et vos orphelins auront, si vous le voulez bien, la bonté d'attendre vingt-quatre heures, attendu que M. de Monte-Cristo est venu me demander une somme de cinq millions d'un seul coup, je lui ai donné un bon sur la Banque : c'est là que sont déposés mes fonds ; et, vous comprenez, je craindrais, en retirant des mains de M. le régent dix millions le même jour, que cela ne lui parût bien étrange.

— Mais la vérification de nos caisses se fait demain.

— Demain ! mais c'est un siècle, demain ! À quelle heure cette vérification ?

— À deux heures.

— Envoyez à midi, dit Danglars avec son sourire.

M. de Boville ne répondait pas grand-chose ; il faisait oui de la tête, et remuait son portefeuille.

— Alors, à demain, n'est-ce pas, mon cher receveur ?

— Oui, à demain ; mais sans faute ?

— Ah çà ! mais vous riez ? À midi envoyez, et la Banque sera prévenue.

— Je viendrai moi-même.

— Mieux encore, puisque cela me procurera le plaisir de vous voir.

Ils se serrèrent la main et M. de Boville se retira.

Mais il ne fut pas plus tôt dehors, que Danglars s'écria :

— Imbécile !!!

Et, serrant la quittance de Monte-Cristo dans un petit portefeuille :

— Viens à midi, ajouta-t-il ; à midi, je serai loin.

58

Le cimetière du Père-Lachaise

Le temps était sombre et nuageux ; un vent tiède encore, mais déjà mortel pour les feuilles jaunies, les arrachait aux branches peu à peu dépouillées et les faisait tourbillonner sur la foule immense qui encombrait les boulevards.

C'était vers le Père-Lachaise que s'acheminait le pompeux cortège parti du faubourg Saint-Honoré.

À la sortie de Paris, on vit arriver un rapide attelage de quatre chevaux qui s'arrêtèrent soudain en raidissant leurs jarrets nerveux comme des ressorts d'acier : c'était M. de Monte-Cristo.

Le comte descendit de sa calèche et vint se mêler à la foule qui suivait à pied le char funéraire.

Enfin on arriva au cimetière.

L'œil perçant de Monte-Cristo sonda tout d'un coup les bosquets d'ifs et de pins, et bientôt il perdit toute inquiétude : une ombre avait glissé sous les noires charmilles. Cette ombre, quand le cortège s'arrêta, fut reconnue pour être Morrel, qui s'était adossé à un arbre situé sur un tertre dominant le mausolée, de manière à ne perdre aucun des détails de la funèbre cérémonie qui allait s'accomplir.

Tout se passa selon l'usage. La fête mortuaire terminée, les assistants reprirent le chemin de Paris.

Monte-Cristo s'était jeté dans un taillis, et, caché derrière une large tombe, il guettait jusqu'au moindre mouvement de Morrel, qui peu à peu s'était approché du mausolée abandonné des curieux, puis des ouvriers.

Le jeune homme s'agenouilla, courba son front jusque sur la pierre, embrassa la grille de ses deux mains, et murmura :

— Oh ! Valentine !

Le cœur du comte fut brisé par l'explosion de ces deux mots ; il fit un pas encore, et frappant sur l'épaule de Morrel :

— C'est vous, cher ami ! dit-il ; je vous cherchais.

— Laissez-moi prier.

Le comte s'éloigna sans faire une seule objection, mais ce fut pour prendre un nouveau poste, d'où il ne perdait pas un seul geste de Morrel, qui enfin se releva, essuya ses genoux blanchis par la pierre, et reprit le chemin de Paris sans tourner une seule fois la tête.

Le comte, renvoyant sa voiture qui stationnait à la porte du Père-Lachaise, le suivit à cent pas.

Maximilien traversa le canal, et rentra rue Meslay par les boulevards.

Cinq minutes après que la porte se fut refermée pour Morrel, elle se rouvrit pour Monte-Cristo.

Le comte eut bientôt franchi les deux étages qui séparaient le rez-de-chaussée de l'appartement de Maximilien.

Maximilien s'était enfermé en dedans.

— Que faire ?

Monte-Cristo frappa un coup de coude dans un des carreaux de la porte vitrée qui vola en éclats ; puis il souleva le rideau et vit Morrel qui, devant son bureau, une plume à la main, venait de bondir sur sa chaise au fracas de la vitre brisée.

— Ce n'est rien, dit le comte, mille pardons, mon cher ami, j'ai glissé, et en glissant, j'ai donné du coude dans votre carreau ; puisqu'il est cassé, je vais en profiter pour entrer chez vous ; ne vous dérangez pas, ne vous dérangez pas.

Et, passant le bras par la vitre brisée, le comte ouvrit la porte.

Morrel se leva évidemment contrarié et vint au-devant de Monte-Cristo, moins pour le recevoir que pour lui barrer le passage.

— Ma foi, c'est la faute de vos domestiques, dit Monte-Cristo en se frottant le coude, vos parquets sont reluisants comme des miroirs.

— Vous êtes-vous blessé, monsieur ? demanda froidement Morrel.

— Je ne sais. Mais que faisiez-vous donc là ? Vous écriviez ?

Le comte jeta un regard autour de lui.

— Vos pistolets à côté de l'écritoire ! dit-il en montrant du doigt à Morrel les armes posées sur son bureau.

— Je pars pour un voyage, répondit Maximilien.

— Maximilien, dit Monte-Cristo, posons chacun de notre côté le masque que nous portons. Je suis le seul homme au monde qui ait le droit de vous dire : Morrel, je ne veux pas que le fils de ton père meure aujourd'hui !

— Pourquoi parlez-vous de mon père ?

— Parce que je suis Edmond Dantès qui te fit jouer, enfant, sur ses genoux !

Morrel fit encore un pas en arrière, chancelant, suffoqué, haletant, écrasé.

— Ayez pitié de moi, comte.

363

— J'ai tellement pitié de toi, Maximilien, que, si je ne te guéris pas dans un mois, jour pour jour, heure pour heure, retiens bien mes paroles, Morrel, je te placerai moi-même en face de ces pistolets tout chargés.

— Dans un mois, sur votre honneur, si je ne suis pas consolé, vous me laissez libre de ma vie, et quelque chose que j'en fasse, vous ne m'appellerez pas ingrat ?

— Dans un mois, jour pour jour, Maximilien.

Morrel saisit les mains du comte et les baisa.

— Dans un mois, continua Monte-Cristo, tu auras, sur la table où nous serons assis l'un et l'autre, de bonnes armes et une douce mort ; mais en revanche, tu me promets d'attendre jusque-là et de vivre ?

— Oh ! je vous le jure !

Monte-Cristo attira le jeune homme sur son cœur, et l'y retint longtemps.

— Et maintenant, lui dit-il, à partir d'aujourd'hui, tu vas venir demeurer chez moi ; tu prendras l'appartement d'Haydée, et ma fille au moins sera remplacée par mon fils.

— Haydée ! dit Morrel ; qu'est devenue Haydée ?

— Elle est partie cette nuit.

— Pour te quitter ?

— Pour m'attendre... Tiens-toi donc prêt à venir me rejoindre rue des Champs-Élysées, et fais-moi sortir d'ici sans qu'on me voie.

Maximilien baissa la tête, et obéit comme un enfant.

59

Le partage

Dans cet hôtel de la rue Saint-Germain-des-Prés, qu'avait choisi pour sa mère et pour lui Albert de Morcerf, Mercédès semblait une reine descendue de son palais dans une chaumière. De son côté, Albert était préoccupé, mal à l'aise, gêné par un reste de luxe qui l'empêchait d'être de sa condition actuelle ; il voulait sortir sans gants et trouvait ses mains trop blanches ; il voulait courir la ville à pied et trouvait ses bottes trop bien vernies.

Cependant ces deux créatures si nobles et si intelligentes, réunies indissolublement par le lien de l'amour maternel et filial, avaient réussi à se comprendre sans parler de rien, et à économiser toutes les préparations que l'on se doit entre amis pour établir cette vérité matérielle d'où dépend la vie.

Albert, enfin, avait pu dire à sa mère sans la faire pâlir :

— Vous n'avez pas idée, ma mère, comme je vous trouve belle ! dit le jeune homme avec un profond sentiment d'amour filial. En vérité, il ne vous manquait que d'être malheureuse pour changer mon amour en adoration.

— Je ne suis pas malheureuse tant que j'ai mon fils, dit Mercédès ; je ne serai point malheureuse tant que je l'aurai.

— Ah ! justement, dit Albert ; mais voilà où commence l'épreuve, ma mère ! Vous savez ce qui est convenu ?

— Sommes-nous donc convenus de quelque chose ? demanda Mercédès.

— Oui, il est convenu que vous habiterez Marseille, et que moi je partirai pour l'Afrique, où, en place du nom que j'ai quitté, je me ferai le nom que j'ai pris.

Mercédès poussa un soupir.

— Eh bien ! ma mère, depuis hier je suis engagé dans les spahis, ajouta le jeune homme en baissant les yeux avec une certaine honte ; ou plutôt, j'ai cru que mon corps était bien à moi et que je pouvais le vendre : depuis hier je remplace quelqu'un.

Mercédès leva les yeux au ciel avec une expression que rien ne saurait rendre, et les deux larmes arrêtées au coin de sa paupière, débordant sous l'émotion intérieure, coulèrent silencieusement le long de ses joues.

— Eh bien ! donc, reprit Albert, vous comprenez, ma mère, voilà déjà plus de quatre mille francs assurés pour vous ; avec ces quatre mille francs vous vivrez deux bonnes années.

— Crois-tu ? dit Mercédès.

Ces mots étaient échappés à la comtesse, et avec une douleur si vraie, que leur véritable sens n'échappa point à Albert ; il sentit son cœur se serrer, et prenant la main de sa mère qu'il pressa tendrement dans les siennes :

— Oui, vous vivrez ! dit-il.

— Je vivrai, s'écria Mercédès, mais tu ne partiras point, n'est-ce pas, mon fils ?

— Ma mère, je partirai, dit Albert d'une voix calme et ferme ; vous m'aimez trop pour me laisser près de vous oisif et inutile ; d'ailleurs j'ai signé.

— Tu feras selon ta volonté, mon fils, moi, je ferai selon celle de Dieu.

— Ainsi, ma mère, voilà notre partage fait, ajouta le jeune homme affectant une grande aisance. Nous pouvons aujourd'hui même partir. Allons, je retiens votre place.

— Mais la tienne, mon fils ?

— Moi, je dois rester deux ou trois jours encore, ma mère ; c'est un commencement de séparation et nous avons besoin de nous y habituer. J'ai besoin de quelques recommandations, de quelques renseignements sur l'Afrique ; je vous rejoindrai à Marseille.

— Eh bien ! soit, partons ! dit Mercédès en s'enveloppant dans le seul châle qu'elle eût emporté, et qui se trouvait par hasard un cachemire noir d'un grand prix : partons !

Le lendemain, sur les cinq heures du soir, Mme de Morcerf, après avoir tendrement embrassé son fils, montait dans le coupé de la diligence, qui se refermait sur elle.

Un homme était caché dans la cour des messageries Laffitte, derrière une de ces fenêtres cintrées d'entre-sol qui surmontent chaque bureau ; il vit Mercédès monter en voiture ; il vit partir la diligence ; il vit s'éloigner Albert.

Alors il passa la main sur son front chargé de doute, en disant :

— Hélas ! par quel moyen rendrai-je à ces deux innocents le bonheur que je leur ai ôté ? Dieu m'aidera !

60

La Fosse-aux-Lions

L'un des quartiers de la Force, celui qui renferme les détenus les plus compromis et les plus dangereux, s'appelle la cour Saint-Bernard.

Les prisonniers, dans leur langage énergique, l'ont surnommé la Fosse-aux-Lions, probablement parce que les captifs ont des dents qui mordent souvent les barreaux et parfois les gardiens.

Dans cette cour qui suait d'une froide humidité, se promenait, les mains dans les poches de son habit, un jeune homme considéré avec beaucoup de curiosité par les habitants de la Fosse.

Tout à coup une voix retentit au guichet.

— Benedetto ! criait un inspecteur. Au parloir !

Le jeune homme, glissant dans la cour comme une ombre noire, se précipita par le guichet entrebâillé. Derrière la grille du parloir où il fut introduit, il aperçut, avec ses yeux dilatés par une curiosité avide, la figure sombre et intelligente de M. Bertuccio.

— Ah ! fit Andrea touché au cœur.

— Bonjour, Benedetto, dit Bertuccio de sa voix creuse et sonore. Tu voudrais causer avec moi, n'est-ce pas, dit Bertuccio, seul à seul ?

— Oh ! oui, dit Andrea.

— C'est bien.

Et Bertuccio, fouillant dans sa poche, fit signe à un gardien qu'on apercevait derrière la vitre du guichet.

— Lisez, dit-il.

— Qu'est-ce là ? dit Andrea.

— L'ordre de te conduire dans une chambre, de t'y installer et de me laisser communiquer avec toi.

— Oh ! fit Andrea bondissant de joie.

Le gardien conféra un moment avec un supérieur, puis ouvrit les deux portes grillées et conduisit à une chambre du premier étage Andrea qui ne se sentait plus de joie. Le gardien se retira.

Bertuccio s'assit sur la chaise, Andrea se jeta sur le lit.

— Voyons, dit l'intendant, qu'as-tu à me dire ?

— Et vous ? dit Andrea.

— Mais parle d'abord...

— Oh ! non ; c'est vous qui avez beaucoup à m'apprendre, puisque vous êtes venu me trouver.

— Eh bien, soit. Tu as continué le cours de tes scélératesses ; tu as volé, tu as assassiné.

— Bon. Si c'est pour me dire cela que vous me faites passer dans une chambre particulière, autant valait ne pas vous déranger. Je sais toutes ces choses. Il en est d'autres que je ne sais pas au contraire. Parlons de celles-là, s'il vous plaît. Qui vous a envoyé ?

— Benedetto, vous êtes dans une main terrible ; cette main veut bien s'ouvrir pour vous : profitez-en. Ne jouez pas avec la foudre qu'elle dépose pour un instant, mais qu'elle peut reprendre si vous essayez de la déranger dans son libre mouvement.

— Mon père ?... je veux savoir qui est mon père !

— Je suis venu pour te le dire...

— Ah ! s'écria Benedetto les yeux étincelants de joie.

À ce moment la porte s'ouvrit, et le guichetier, s'adressant à Bertuccio :

— Pardon, monsieur, dit-il, mais le juge d'instruction attend le prisonnier.

— C'est la clôture de mon interrogatoire, dit Andrea au digne intendant... Au diable l'importun !

— Je reviendrai demain, dit Bertuccio.

61

Le juge

Villefort, enfermé dans son cabinet, poursuivait la procédure entamée contre l'assassin de Caderousse. Le procureur du roi avait fini par se donner à lui-même cette terrible conviction que Benedetto était coupable, et il devait tirer de cette victoire difficile une de ces jouissances d'amour-propre qui seules réveillaient un peu les fibres de son cœur glacé.

L'heure du déjeuner arrivée, M. de Villefort ne parut point à table.

Le valet de chambre rentra dans le cabinet.

— Madame fait prévenir monsieur, dit-il, qu'onze heures viennent de sonner, et que l'audience est pour midi.

Villefort resta un instant muet.

— Dites à madame, répondit-il enfin, que je désire lui parler, et que je la prie de m'attendre chez elle.

— Oui, monsieur.

Et Villefort, les dossiers sous le bras, son chapeau à la main, se dirigea vers l'appartement de sa femme.

Mme de Villefort était assise sur une ottomane, feuilletant des journaux et des brochures. Elle était complètement habillée pour sortir.

— Ah ! vous voici, monsieur, dit-elle de sa voix naturelle et calme. Pourquoi n'êtes-vous pas venu déjeuner avec nous ? Eh bien ! m'emmenez-vous, ou irai-je seule avec Édouard ?

Mme de Villefort avait multiplié les demandes pour obtenir une réponse ; mais à toutes ces demandes M. de Villefort était resté froid et muet comme une statue.

— Madame, où mettez-vous le poison dont vous vous servez d'habitude ? articula nettement et sans préambule le magistrat placé entre sa femme et la porte.

Mme de Villefort éprouva ce que doit éprouver l'alouette lorsqu'elle voit le milan resserrer au-dessus de sa tête ses cercles meurtriers.

Un son rauque, brisé, qui n'était ni un cri ni un soupir, s'échappa de la poitrine de Mme de Villefort, qui pâlit jusqu'à la lividité.

— Monsieur, dit-elle, je... je ne comprends pas.

Et comme elle s'était soulevée dans un paroxysme de terreur, dans un second paroxysme plus fort sans doute que le premier, elle se laissa retomber sur les coussins du sofa.

— Je vous demandais, continua Villefort d'une voix parfaitement calme, en quel endroit vous cachiez le poison à l'aide duquel vous avez tué mon beau-père M. de Saint-Méran, ma belle-mère et ma fille Valentine.

— Ah ! monsieur, s'écria Mme de Villefort en joignant les mains, que dites-vous ?

— Ce n'est point à vous de m'interroger, mais de répondre.

— Est-ce au juge ou au mari ? balbutia Mme de Ville-fort.

— Au juge, madame, au juge !

C'était un spectacle effrayant que la pâleur de cette femme, l'angoisse de son regard, le tremblement de tout son corps.

— Ah ! monsieur ! murmura-t-elle, ah ! monsieur !...

Et ce fut tout.

— Vous ne répondez pas, madame ! s'écria le terrible interrogateur. Puis il ajouta avec un sourire plus effrayant encore que sa colère : « Il est vrai que vous ne niez pas ? »

La jeune femme cacha son visage dans ses deux mains.

— Oh ! monsieur, balbutia-t-elle, je vous en supplie, ne croyez pas les apparences !

— Ce que je veux, c'est que justice soit faite. Je suis sur Terre pour punir, madame, ajouta-t-il avec un regard flamboyant ; à toute autre femme, fût-ce à une reine, j'enverrais le bourreau ; mais à vous je serai miséricordieux. À vous je dis : « N'est-ce pas, madame, que vous avez conservé quelques gouttes de votre poison le plus doux, le plus prompt et le plus sûr ? »

— Oh ! pardonnez-moi, monsieur, laissez-moi vivre !

Mme de Villefort était tombée aux pieds de son mari.

Villefort s'approcha d'elle.

— Songez-y, madame, dit-il, si à mon retour justice n'est pas faite, je vous dénonce de ma propre bouche et je vous arrête de mes propres mains.

Elle écoutait pantelante, abattue, écrasée ; son œil seul vivait en elle et couvrait un feu terrible.

— Vous m'entendez ! dit Villefort ; je vais là-bas requé-rir la peine de mort contre un assassin... Si je vous retrouve vivante, vous coucherez ce soir à la Conciergerie.

Mme de Villefort poussa un soupir, ses nerfs se détendi-rent, elle s'affaissa brisée sur le tapis.

— Adieu, madame, dit-il lentement, adieu !

Cet adieu tomba comme le couteau mortel sur Mme de Villefort. Elle s'évanouit.

Le procureur du roi sortit et, en sortant, ferma la porte à double tour.

62

Les assises

L'affaire Benedetto, comme on disait alors au Palais et dans le monde, avait produit une énorme sensation. Chacun accourut donc à la séance de la cour d'assises, les uns pour savourer le spectacle, les autres pour le commenter.

Les juges prirent séance au milieu du plus profond silence ; les jurés s'assirent à leur place. M. de Villefort se plaça couvert dans son fauteuil, promenant un regard tranquille autour de lui.

— Gendarmes, dit le président, amenez l'accusé.

Bientôt cette porte s'ouvrit et l'accusé parut.

Auprès d'Andrea se plaça son avocat, avocat nommé d'office, jeune homme aux cheveux d'un blond fade.

Le président demanda la lecture de l'acte d'accusation, rédigé par la plume si habile et si implacable de Villefort.

Jamais Villefort peut-être n'avait été si concis ni si éloquent : le crime était présenté sous les couleurs les plus vives.

Enfin la lecture fut terminée.

— Accusé, dit le président, vos nom et prénoms ?

Andrea se leva.

— Pardonnez-moi, monsieur le président, dit-il d'une voix dont le timbre vibrait parfaitement pur, mais je vois que vous allez prendre un ordre de questions dans lequel je ne puis vous suivre. J'ai la prétention, que c'est à moi de justifier plus tard, d'être une exception aux accusés ordinaires. Veuillez donc, je vous prie, me permettre de répondre en suivant un ordre différent ; je n'en répondrai pas moins à tout.

Le président, surpris, regarda les jurés, qui regardèrent le procureur du roi.

— Votre âge ? dit le président ; répondrez-vous à cette question ?

— J'ai vingt et un ans, ou plutôt je les aurai seulement dans quelques jours, étant né dans la nuit du 27 au 28 septembre 1817.

M. de Villefort, qui était occupé à prendre une note, leva la tête à cette date.

— Où êtes-vous né ? continua le président.

— À Auteuil, près de Paris, répondit Benedetto.

M. de Villefort leva une seconde fois la tête, regarda Benedetto comme il eût regardé la tête de Méduse, et devint livide.

Quant à Benedetto, il passa gracieusement sur ses lèvres le coin brodé d'un mouchoir de fine batiste.

— Votre profession ? demanda le président.

— D'abord j'étais faussaire, dit Andrea le plus tranquillement du monde ; ensuite je suis passé voleur ; et tout récemment je me suis fait assassin.

Un murmure, ou plutôt une tempête d'indignation et de surprise éclata dans toutes les parties de la salle.

M. de Villefort appuya une main sur son front qui, d'abord pâle, était devenu rouge et bouillant.

— Est-ce maintenant, prévenu, que vous consentez à dire votre nom ? demanda le président.

— Je ne puis vous dire mon nom, car je ne le sais pas ; mais je sais celui de mon père, et je peux vous le dire.

Un éblouissement douloureux aveugla Villefort ; on vit tomber de ses joues des gouttes de sueur âcres et pressées sur les papiers qu'il remuait d'une main convulsive et éperdue.

— Mon père est procureur du roi, répondit tranquillement Andrea.

— Procureur du roi !

— Oui, et puisque vous voulez savoir son nom, je vais vous le dire : il se nomme de Villefort !

L'explosion, si longtemps contenue par le respect qu'en séance on porte à la justice, se fit jour, comme un tonnerre, du fond de toutes les poitrines. Au milieu de tout ce bruit, on entendit la voix du président qui s'écriait :

— Mais, s'écria le président irrité, vous avez déclaré dans l'instruction vous nommer Benedetto ; vous avez dit être orphelin, et vous vous êtes donné la Corse pour patrie.

— J'ai dit à l'instruction ce qu'il m'a convenu de dire à l'instruction, car je ne voulais pas que l'on affaiblît ou que l'on arrêtât – ce qui n'eût point manqué d'arriver – le retentissement solennel que je voulais donner à mes paroles.

« Maintenant, je vous répète que je suis né à Auteuil dans la nuit du 27 au 28 septembre 1817, et que je suis fils de M. le procureur du roi Villefort. Maintenant, voulez-vous des détails ? je vais vous en donner.

« Je naquis au premier de la maison n° 28, rue de la Fontaine, dans une chambre tendue de damas rouge. Mon père me prit dans ses bras en disant à ma mère que j'étais mort, m'enveloppa dans une serviette marquée d'un H et d'un N, et m'emporta dans le jardin où il m'enterra vivant.

Un frisson parcourut tous les assistants quand ils virent que grandissait l'assurance du prévenu avec l'épouvante de M. de Villefort.

— Mais comment savez-vous tous ces détails ? demanda le président.

— Je vais vous le dire, monsieur le président. Dans le jardin où mon père venait de m'ensevelir, s'était, cette nuit-là même, introduit un homme qui lui en voulait mortellement, et qui le guettait depuis longtemps pour accomplir sur lui une vengeance corse. L'homme était caché dans un massif : il vit mon père enfermer un dépôt dans la terre, et le frappa d'un coup de couteau au milieu même de cette opération ; puis, croyant que ce dépôt était quelque trésor, il ouvrit la fosse et me trouva vivant encore. Cet homme me porta à l'hospice des Enfants-Trouvés, où je fus inscrit sous le n° 37. Trois mois après, sa sœur fit le voyage de Rogliano à Paris pour me venir chercher, me réclama comme son fils et m'emmena.

« Voilà comment, quoique né à Auteuil, je fus élevé en Corse.

Il y eut un instant de silence, mais d'un silence si profond, que, sans l'anxiété que semblaient respirer mille poitrines, on eût cru la salle vide.

— Continuez, dit la voix du président.

— Certes, continua Benedetto, je pouvais être heureux chez ces braves gens qui m'adoraient ; mais mon naturel pervers l'emporta sur toutes les vertus qu'essayait de verser dans mon cœur ma mère adoptive. Je grandis dans le mal, et je suis arrivé au crime.

— Mais votre mère ? demanda le président.

— Ma mère me croyait mort ; ma mère n'est point coupable ; je n'ai pas voulu savoir le nom de ma mère ; je ne le connais pas.

En ce moment un cri aigu, qui se termina par un sanglot, retentit au milieu du groupe qui entourait une femme.

Cette femme tomba dans une violente attaque de nerfs et fut enlevée du prétoire. Tandis qu'on l'enlevait, le voile épais qui cachait son visage s'écarta, et l'on reconnut Mme Danglars.

Malgré l'accablement de ses sens énervés, malgré le bourdonnement qui frémissait à son oreille, malgré l'espèce de folie qui bouleversait son cerveau, Villefort la reconnut et se leva.

— Les preuves ? les preuves ? dit le président. Prévenu, souvenez-vous que ce tissu d'horreurs a besoin d'être soutenu par les preuves les plus éclatantes.

— On me demande les preuves, mon père, dit Benedetto ; voulez-vous que je les donne ?

— Non, non, balbutia M. de Villefort d'une voix étranglée, non, c'est inutile.

— Comment, inutile, s'écria le président ; mais que voulez-vous dire ?

— Je veux dire, s'écria le procureur du roi, que je me débattrais en vain sous l'étreinte mortelle qui m'écrase. Messieurs, je suis, je le reconnais, dans la main du Dieu vengeur. Pas de preuves ! il n'en est pas besoin : tout ce que vient de dire ce jeune homme est vrai.

Un silence sombre et pesant comme celui qui précède les catastrophes de la nature enveloppa dans son manteau de plomb tous les assistants, dont les cheveux se dressaient sur la tête.

— Eh quoi ! monsieur de Villefort, s'écria le président, vous jouissez de la plénitude de vos facultés ? On concevrait qu'une accusation si étrange, si imprévue, si terrible, eût troublé vos esprits. Voyons, remettez-vous.

Le procureur du roi secoua la tête. Ses dents s'entrechoquaient avec violence comme celles d'un homme dévoré par la fièvre, et cependant il était d'une pâleur mortelle.

— Je jouis de toutes mes facultés, monsieur, dit-il ; le corps seulement souffre, et cela se conçoit. Je me reconnais coupable de tout ce que ce jeune homme vient d'articuler contre moi, et je me tiens dès à présent chez moi à la disposition de M. le procureur du roi mon successeur.

Et, en prononçant ces mots d'une voix sourde et presque étouffée, M. de Villefort se dirigea en vacillant vers la porte, que lui ouvrit d'un mouvement machinal l'huissier de service.

L'assemblée tout entière demeura muette et consternée par cette révélation et par cet aveu qui faisaient un dénouement si terrible aux différentes péripéties qui depuis quinze jours avaient agité la haute société parisienne.

Quant à Andrea, toujours aussi tranquille et beaucoup plus intéressant, il quitta la salle escorté par les gendarmes, qui involontairement lui témoignaient des égards.

63

Expiation

Villefort traversa la haie des spectateurs, des gardes, des gens du Palais, et s'éloigna, reconnu coupable de son propre aveu, mais protégé par sa douleur.

Villefort arriva chancelant jusqu'à la cour Dauphine, aperçut sa voiture, réveilla le cocher en l'ouvrant lui-même, et se laissa tomber sur les coussins en montrant du doigt la direction du faubourg Saint-Honoré.

La voiture s'arrêta dans la cour de l'hôtel.

Villefort s'élança du marchepied sur le perron ; il vit les domestiques surpris de le voir revenir si vite. Il passa devant la chambre de Noirtier, et, par la porte entrouverte, il aperçut comme deux ombres, mais il ne s'inquiéta point de la personne qui était avec son père, c'était ailleurs que son inquiétude le tirait.

Il entra dans le petit salon qu'il embrassa d'un coup d'œil.

— Personne ; elle est dans sa chambre à coucher sans doute.

Il s'élança vers la porte.

Là, le verrou était mis.

Il s'arrêta frissonnant.

— Héloïse ! cria-t-il.

— Qui est là ? demanda la voix de celle qu'il appelait.

Il lui sembla que cette voix était plus faible que de coutume.

— Ouvrez, ouvrez ! s'écria Villefort, c'est moi !

Mais malgré cet ordre, malgré le ton d'angoisse avec lequel il était donné, on n'ouvrit pas.

Villefort enfonça la porte d'un coup de pied.

À l'entrée de la chambre qui donnait dans son boudoir, Mme de Villefort était debout, pâle, les traits contractés, et le regardant avec des yeux d'une fixité effrayante.

— Héloïse ! Héloïse ! dit-il, qu'avez-vous ? parlez !

La jeune femme étendit vers lui sa main raide et livide.

— C'est fait, monsieur, dit-elle avec un râlement qui sembla déchirer son gosier ; que voulez-vous donc encore de plus ?

Et elle tomba de sa hauteur sur le tapis.

Villefort courut à elle, lui saisit la main. Cette main serrait convulsivement un flacon de cristal à bouchon d'or.

Mme de Villefort était morte.

Villefort, ivre d'horreur, recula jusqu'au seuil de la chambre et regarda le cadavre.

— Mon fils ! s'écria-t-il tout à coup ; où est mon fils ? Édouard ! Édouard !

Villefort fit trois ou quatre pas en avant, et, sur le canapé, il aperçut son enfant couché.

Il prit son élan et bondit par-dessus le cadavre comme s'il se fût agi de franchir un brasier dévorant.

Il enleva l'enfant dans ses bras, le serrant, le secouant, l'appelant : l'enfant ne répondit point. Il colla ses lèvres avides à ses joues, ses joues étaient livides et glacées ; il palpa ses membres raidis, il appuya sa main sur son cœur, son cœur ne battait plus. L'enfant était mort.

Un papier plié en quatre tomba de la poitrine d'Édouard.

Villefort, foudroyé, se laissa aller sur ses genoux ; l'enfant s'échappa de ses bras inertes et roula du côté de sa mère.

Villefort ramassa le papier, reconnut l'écriture de sa femme et le parcourut avidement.

Voici ce qu'il contenait :

Vous savez si j'étais bonne mère, puisque c'est pour mon fils que je me suis faite criminelle !
Une bonne mère ne part pas sans son fils !

Villefort ne pouvait en croire ses yeux ; Villefort ne pouvait en croire sa raison. Il se traîna vers le corps d'Édouard, qu'il examina encore une fois avec cette attention d'une minute que met la lionne à regarder son lionceau mort.

Puis un cri déchirant s'échappa de sa poitrine.

— Dieu ! murmura-t-il ; toujours Dieu !

Ces deux victimes l'épouvantaient ; il sentait monter en lui l'horreur de cette solitude peuplée de deux cadavres.

Il descendit l'escalier et entra chez Noirtier.

Quand Villefort entra, Noirtier paraissait attentif à écouter, aussi affectueusement que le permettait son immobilité, l'abbé Busoni, toujours aussi calme et aussi froid que de coutume.

Il se souvint de la visite que lui avait faite l'abbé le jour de la mort de Valentine.

— Vous ici, monsieur ! dit-il ; mais vous n'apparaissez donc que pour escorter la mort ?

Busoni se redressa : en voyant l'altération du visage du magistrat, l'éclat farouche de ses yeux, il comprit ou crut comprendre que la scène des assises était accompli ; il ignorait le reste.

— J'y suis venu pour prier sur le corps de votre fille, répondit Busoni.

— Et aujourd'hui, qu'y venez-vous faire ?

— Je viens vous dire que vous m'avez payé votre dette, et qu'à partir de ce moment, je vais prier Dieu qu'Il se contente comme moi.

— Mon Dieu ! fit Villefort en reculant, l'épouvante sur le front, cette voix, ce n'est pas celle de l'abbé Busoni !

— Non.

L'abbé arracha sa fausse tonsure, secoua la tête, et ses longs cheveux noirs, cessant d'être comprimés, retombèrent sur ses épaules et encadrèrent son mâle visage.

— C'est le visage de M. de Monte-Cristo ! s'écria Villefort, les yeux hagards.

— Ce n'est pas encore cela, monsieur le procureur du roi, cherchez mieux et plus loin.

— Cette voix ! cette voix ! où l'ai-je entendue pour la première fois ?

— Vous l'avez entendue pour la première fois à Marseille, il y a vingt-trois ans. Cherchez dans vos dossiers.

— Ah ! je te reconnais, je te reconnais ! dit le procureur du roi : tu es...

— Je suis Edmond Dantès !

— Tu es Edmond Dantès ! s'écria le procureur du roi en saisissant le comte par le poignet ; alors, viens !

Et il l'entraîna par l'escalier, dans lequel Monte-Cristo étonné le suivit, ignorant lui-même où le procureur du roi le conduisait, et pressentant quelque nouvelle catastrophe.

— Tiens ! Edmond Dantès, dit-il en montrant au comte le cadavre de sa femme et le corps de son fils ; tiens ! regarde, es-tu bien vengé ?...

Monte-Cristo pâlit à cet effroyable spectacle ; il comprit qu'il venait d'outrepasser les droits de la vengeance ; il comprit qu'il ne pouvait plus dire : « Dieu est pour moi et avec moi. »

Il se jeta avec un sentiment d'angoisse inexprimable sur le corps de l'enfant, rouvrit ses yeux, tâta son pouls et s'élança avec lui dans la chambre de Valentine, qu'il referma à double tour.

— Mon enfant ! s'écria Villefort ; il emporte le cadavre de mon enfant ! Oh ! malédiction ! malheur ! mort sur toi !

Alors il jeta un cri suivi d'un long éclat de rire, et se précipita par les escaliers.

Un quart d'heure après, la chambre de Valentine se rouvrit, et le comte de Monte-Cristo reparut.

Pâle, l'œil morne, la poitrine oppressée, tous les traits de cette figure ordinairement si calme et si noble étaient bouleversés par la douleur.

Il tenait dans ses bras l'enfant, auquel aucun secours n'avait pu rendre la vie.

Il mit un genou en terre et le déposa religieusement près de sa mère, la tête posée sur sa poitrine.

Puis, se relevant, il sortit, et, rencontrant un domestique sur l'escalier :

— Où est M. de Villefort ? demanda-t-il.

Le domestique, sans répondre, étendit la main du côté du jardin.

Monte-Cristo descendit le perron, s'avança vers l'endroit désigné, et vit, au milieu de ses serviteurs, faisant cercle autour de lui, Villefort, une bêche à la main, et fouillant la terre avec une espèce de rage.

— Ce n'est pas encore ici, disait-il ; ce n'est pas encore ici !

Et il fouillait plus loin.

Monte-Cristo s'approcha de lui, et, tout bas :

— Monsieur, lui dit-il d'un ton presque humble, vous avez perdu un fils ; mais...

Villefort l'interrompit ; il n'avait ni écouté ni entendu.

— Oh ! je le retrouverai, dit-il ; vous avez beau prétendre qu'il n'y est pas, je le retrouverai, dussé-je chercher jusqu'au jour du dernier jugement.

Monte-Cristo recula avec terreur.

— Oh ! dit-il, il est fou !

Et, comme s'il eût craint que les murs de la maison maudite ne s'écroulassent sur lui, il s'élança dans la rue, doutant pour la première fois qu'il eût le droit de faire ce qu'il avait fait.

— Oh ! assez, assez comme cela, dit-il, sauvons le dernier.

En rentrant chez lui, Monte-Cristo rencontra Morrel qui errait dans l'hôtel des Champs-Élysées, silencieux comme une ombre qui attend le moment fixé par Dieu pour rentrer dans son tombeau.

— Apprêtez-vous, Maximilien, lui dit-il avec un sourire, nous quittons Paris demain.

— N'avez-vous plus rien à y faire ? demanda Morrel.

— Non, répondit Monte-Cristo, et Dieu veuille que je n'y aie pas trop fait.

64

La maison des Allées de Meilhan

Le voyage se fit avec cette merveilleuse rapidité qui était une des puissances de Monte-Cristo. Bientôt Marseille, blanche, tiède, vivante, apparut à leurs yeux.

— Cher ami, dit le comte à Maximilien, n'avez-vous point quelque chose à faire dans ce pays ?

— J'ai à pleurer sur la tombe de mon père, répondit sourdement Morrel.

— C'est bien, allez et attendez-moi là-bas, je vous y rejoindrai.

— Vous me quittez ?

— Oui... moi aussi j'ai une pieuse visite à faire.

Morrel laissa tomber sa main dans la main que lui tendait le comte, puis il quitta le comte et se dirigea vers l'est de la ville.

Monte-Cristo laissa s'éloigner Maximilien, puis il s'achemina vers les Allées de Meilhan, afin de retrouver la petite maison que les commencements de cette histoire ont dû rendre familière à nos lecteurs.

Cette maison, toute charmante malgré sa vétusté, toute joyeuse malgré son apparente misère, était bien la même qu'habitait autrefois le père Dantès. Seulement le comte avait mis la maison tout entière à la disposition de Mercédès.

Arrivé sur le seuil, Monte-Cristo entendit un soupir qui ressemblait à un sanglot ; ce soupir guida son regard, et, sous un berceau de jasmin de Virginie au feuillage épais et aux longues fleurs de pourpre, il aperçut Mercédès assise, inclinée et pleurant.

— Madame, dit le comte, il n'est plus en mon pouvoir de vous apporter le bonheur, mais je vous offre la consolation : daignerez-vous l'accepter comme vous venant d'un ami ?

— Je suis en effet bien malheureuse, répondit Mercédès ; seule au monde... Je n'avais que mon fils, et il m'a quittée.

— Il a bien fait, madame, répliqua le comte, et c'est un noble cœur. Il a compris que tout homme doit un tribut à la patrie. En restant avec vous, il eût usé près de vous sa vie devenue inutile ; il deviendra grand et fort en luttant contre son adversité, qu'il changera en fortune. Laissez-le reconstituer votre avenir à vous deux, madame ; j'ose vous promettre qu'il est entre de sûres mains.

— Oh ! dit la pauvre femme en secouant tristement la tête, cette fortune dont vous parlez, et que du fond de mon âme je prie Dieu de lui accorder, je n'en jouirai pas, moi. Tant de choses se sont brisées en moi et autour de moi, que je me sens près de ma tombe. Vous avez bien fait, monsieur le comte, de me rapprocher de l'endroit où j'ai été si heureuse. C'est là où l'on a été heureux que l'on doit mourir.

Mercédès fondit en larmes ; le cœur de la femme se brisait au choc des souvenirs.

Monte-Cristo prit sa main et la baisa respectueusement ; mais elle sentit elle-même que ce baiser était sans ardeur, comme celui que le comte eût déposé sur la main de marbre de la statue d'une sainte.

— Avant que je vous quitte, que désirez-vous, Mercédès ? demanda Monte-Cristo.

— Je ne désire qu'une chose, Edmond, que mon fils soit heureux.

— Priez le Seigneur, qui seul tient l'existence des hommes entre Ses mains, d'écarter la mort de lui, moi je me charge du reste.

— Merci, Edmond.

— Mais vous, Mercédès ?

— Moi, je n'ai besoin de rien, je vis entre deux tombes : l'une est celle d'Edmond Dantès, mort il y a bien longtemps ; je l'aimais ! Ce mot ne sied plus à ma lèvre flétrie, mais mon cœur se souvient encore, et pour rien au monde je ne voudrais perdre cette mémoire du cœur. L'autre est celle d'un homme qu'Edmond Dantès a tué ; j'approuve le meurtre, mais je dois prier pour le mort.

— Votre fils sera heureux, madame, répéta le comte.

— Alors je serai aussi heureuse que je puis l'être.

— Ne voulez-vous pas me dire au revoir ? fit-il en lui tendant la main.

— Au contraire, je vous dis au revoir, répliqua Mercédès, en lui montrant le ciel avec solennité ; c'est vous prouver que j'espère encore.

Et après avoir touché la main du comte de sa main frissonnante, Mercédès s'élança dans l'escalier et disparut. Monte-Cristo alors sortit lentement de la maison. Mais Mercédès ne le vit point s'éloigner, quoiqu'elle fût à la fenêtre de la petite chambre du père de Dantès. Ses yeux cherchaient au loin le bâtiment qui emportait son fils vers la vaste mer.

Le comte sortit l'âme navrée de cette maison où il laissait Mercédès pour ne plus la revoir jamais, selon toute probabilité.

Depuis la mort du petit Édouard, un grand changement s'était fait dans Monte-Cristo. Arrivé au sommet de sa vengeance par la pente lente et tortueuse qu'il avait suivie, il avait vu, de l'autre côté de la montagne, l'abîme du doute.

Il y avait plus : cette conversation qu'il venait d'avoir avec Mercédès avait éveillé tant de souvenirs dans son cœur, que ces souvenirs eux-mêmes avaient besoin d'être combattus.

Le comte se dit que, pour en être presque arrivé à se blâmer lui-même, il fallait qu'une erreur se fût glissée dans ses calculs.

Monte-Cristo s'achemina vers le cimetière, où il savait retrouver Morrel.

Maximilien était appuyé à l'un des marbres, et fixait sur deux tombes des yeux sans regard. Sa douleur était profonde, presque égarée.

— Maximilien, dit le comte, vous m'avez demandé pendant le voyage à vous arrêter quelques jours à Marseille ; est-ce toujours votre désir ?

— Je n'ai plus de désir, comte ; seulement il me semble que j'attendrai moins péniblement à Marseille qu'ailleurs.

— Tant mieux, Maximilien, car je vous quitte ; et j'emporte votre parole, n'est-ce pas ?

Le jeune homme laissa tomber sa tête sur sa poitrine.

— Vous avez ma promesse, dit-il après un instant de silence ; et, en tendant la main à Monte-Cristo : Seulement, rappelez-vous...

— Le 5 octobre, Morrel, je vous attends à l'île de Monte-Cristo. Le 4, un yacht vous attendra dans le port de Bastia ; ce yacht s'appellera l'*Eurus* : vous vous nommerez au patron, qui vous conduira près de moi. C'est dit, n'est-ce pas, Maximilien !

— C'est dit, comte, et je ferai ce qui est dit. Quand partez-vous ?

— À l'instant même ; le bateau à vapeur m'attend ; dans une heure, je serai déjà loin de vous. M'accompagnerez-vous jusqu'au port, Morrel ?

— Je suis tout à vous, comte.

Morrel escorta le comte jusqu'au port. Déjà la fumée sortait comme un panache immense du tube noir qui la lançait aux cieux. Bientôt le navire partit, et une heure après, comme l'avait dit Monte-Cristo, cette même aigrette de fumée blanchâtre rayait, à peine visible, l'horizon oriental, assombri par les premiers brouillards de la nuit.

65

Peppino

Au moment même où le bateau à vapeur du comte disparaissait derrière le cap Morgiou, un homme courant la poste sur la route de Florence à Rome venait de dépasser la petite ville d'Aquapendente. Il marchait assez vite pour faire beaucoup de chemin sans toutefois devenir suspect.

La voiture franchit la porte del Popolo, prit à gauche, et s'arrêta à l'hôtel d'Espagne.

Le voyageur descendit, commanda un bon dîner, et s'informa de l'adresse de la maison Thomson & French, qui lui fut indiquée à l'instant même, cette maison étant une des plus connues de Rome.

Il était si pressé de faire sa visite à la maison Thomson & French, qu'il ne prit pas le temps d'attendre que les chevaux fussent attelés ; la voiture devait le rejoindre en route ou l'attendre à la porte du banquier.

— Messieurs Thomson & French ? demanda l'étranger.

Une espèce de laquais se leva, sur le signe d'un commis de confiance, gardien solennel du premier bureau.

— Qui annoncerai-je ?

— M. le baron Danglars, répondit le voyageur.

— Venez, dit le laquais.

Une porte s'ouvrit ; le laquais et le baron disparurent par cette porte.

Un homme qui était entré derrière Danglars s'assit sur un banc d'attente... Le commis leva la tête, regarda attentivement autour de lui, et, s'étant assuré du tête-à-tête :

— Ah ! ah ! dit-il, te voilà, Peppino ?

— Oui, répondit laconiquement celui-ci.

— Tu as flairé quelque chose de bon chez ce gros homme ?

— Il n'y a pas grand mérite pour celui-ci, nous sommes prévenus.

— Chut ! Voici notre homme.

Danglars apparut, radieux, accompagné par le banquier, qui le reconduisit jusqu'à la porte.

Derrière Danglars descendit Peppino.

Selon les conventions, la voiture attendait devant la maison Thomson & French. Danglars sauta dans la voiture, léger comme un jeune homme de vingt ans.

Le lendemain, Danglars s'éveilla tard, quoiqu'il se fût couché de bonne heure ; il y avait cinq ou six nuits qu'il dormait fort mal, quand toutefois il dormait.

Il déjeuna copieusement, et peu soucieux de voir les beautés de la Ville éternelle, il demanda ses chevaux de poste.

— Quelle route ? demanda le postillon en italien.

— Route d'Ancône, répondit le baron.

À peine eut-il fait trois lieues dans la campagne de Rome, que la nuit commença de tomber ; Danglars n'avait pas cru partir si tard, sinon il serait resté.

« À la première poste, se dit Danglars, j'arrêterai. »

Danglars éprouvait encore un reste du bien-être qu'il avait ressenti la veille, et qui lui avait procuré une si bonne nuit. Il ferma les yeux et s'endormit en se disant qu'il serait toujours temps de se réveiller au relais.

La voiture s'arrêta ; Danglars pensa qu'il touchait enfin au but tant désiré. Il rouvrit les yeux, regarda à travers la vitre, s'attendant à se trouver au milieu de quelque ville, ou tout au moins de quelque village ; mais il ne vit rien qu'une espèce de masure isolée et trois ou quatre hommes qui allaient et venaient comme des ombres.

— *Scindi !* commanda une voix.

Danglars descendit à l'instant même ; il ne parlait pas encore en italien, mais il l'entendait déjà... Plus mort que vif, le baron regarda autour de lui... Quatre hommes l'entouraient, sans compter le postillon.

— *Di quà*, dit un des quatre hommes en descendant un petit sentier qui conduisait à la voie Appienne au milieu de ces inégales hachures de la campagne de Rome.

Danglars suivit son guide sans discussion, et n'eut pas besoin de se retourner pour savoir qu'il était suivi de trois autres hommes.

Ce guide était notre ami Peppino, qui s'enfonça dans les hautes herbes, puis s'arrêta devant une roche surmontée d'un épais buisson ; cette roche, entrouverte comme une paupière, livra passage au jeune homme, qui y disparut comme disparaissent dans leurs trappes les diables de nos féeries.

La voix et le geste de celui qui suivait Danglars engagèrent le banquier à en faire autant. Il n'y avait plus à en douter, le banqueroutier français avait affaire à des bandits romains.

Peppino, peu soucieux de se cacher, maintenant qu'il était chez lui, battit le briquet et alluma une torche.

Et, prenant Danglars par le collet de sa redingote, il le conduisit vers une ouverture ressemblant à une porte, et par laquelle on pénétrait dans la salle dont le capitaine paraissait avoir fait son logement.

— Est-ce l'homme ? demanda celui-ci, qui lisait fort attentivement la *Vie d'Alexandre* dans Plutarque.

— Lui-même, capitaine, lui-même.

— Très bien ; montrez-le-moi.

Sur cet ordre assez impertinent, Peppino approcha si brusquement sa torche du visage de Danglars, que celui-ci se recula vivement pour ne point avoir les sourcils brûlés...

— Cet homme est fatigué, dit le capitaine ; qu'on le conduise à son lit.

Le banquier poussa un sourd gémissement et suivit son guide ; il n'essaya ni de prier, ni de crier. Il se trouva dans une cellule taillée en plein roc. Un lit fait d'herbes sèches, recouvert de peaux de chèvres, était non pas dressé, mais étendu dans un coin de cette cellule.

— *Ecco*, dit le guide.

Et, poussant Danglars dans la cellule, il referma la porte sur lui. Danglars était prisonnier.

D'ailleurs, n'y eût-il pas eu de verrou, il eût fallu être saint Pierre et avoir pour guide un ange du ciel, pour passer au milieu de la garnison qui tenait les catacombes de Saint-Sébastien, et qui campait autour de son chef, le fameux Luigi Vampa.

Quatre heures s'écoulèrent. Danglars, qui éprouvait d'affreux tiraillements d'estomac, se leva doucement, appliqua son oreille aux fentes de la porte, et reconnut la figure intelligente de son guide.

C'était en effet Peppino qui se préparait à monter la garde en s'asseyant en face de la porte, et en posant entre ses deux jambes une casserole de terre, laquelle contenait chauds et parfumés des pois chiches fricassés au lard.

En voyant ces préparatifs gastronomiques, l'eau vint à la bouche de Danglars.

Il frappa gentiment à sa porte.

— On y va, dit le bandit, qui avait fini par apprendre le français jusque dans ses idiotismes. Et il vint ouvrir.

Danglars prit sa figure la plus agréable, et, avec un sourire gracieux :

— Pardon, monsieur, dit-il, mais est-ce qu'on ne me donnera pas à dîner, à moi aussi ?

— À l'instant même, Excellence ; que désirez-vous ?

— Eh bien ! un poulet, n'importe quoi, pourvu que je mange.

— Comme il plaira à Votre Excellence.

Peppino, se redressant, cria de tous ses poumons :

— Un poulet pour Son Excellence.

La voix de Peppino vibrait encore sous les voûtes, que déjà paraissait un jeune homme, beau, svelte, et à moitié nu comme les porteurs de poissons antiques ; il apportait le poulet sur un plat d'argent.

Danglars demanda un couteau et une fourchette.

— Voilà ! Excellence, dit Peppino en offrant un petit couteau à la pointe émoussée et une fourchette de bois.

Danglars prit le couteau d'une main, la fourchette de l'autre, et se mit en devoir de découper la volaille.

— Pardon, Excellence, dit Peppino en posant une main sur l'épaule du banquier ; ici on paye avant de manger : on pourrait n'être pas content en sortant...

— Voilà, dit Danglars, et il jeta un louis à Peppino.

Peppino ramassa le louis. Danglars approcha le couteau du poulet.

— Un moment, Excellence, dit Peppino en se relevant ; Votre Excellence me redoit encore quelque chose.

— Voyons, combien vous redoit-on pour cette volaille étique ?

— Ce n'est plus que quatre mille neuf cent quatre-vingt-dix-neuf louis que Votre Excellence me redoit.

Danglars ouvrit des yeux énormes à l'énoncé de cette gigantesque plaisanterie.

— Comment ! cent mille francs ce poulet !

— Excellence, c'est incroyable comme on a de la peine à élever la volaille dans ces maudites grottes.

— Allons ! allons ! dit Danglars, je trouve cela très bouffon, en vérité ; mais comme j'ai faim, laissez-moi manger. Tenez, voilà un autre louis pour vous, mon ami.

— Alors, cela ne fera plus que quatre mille neuf cent quatre-vingt-dix-huit louis.

— Dites-moi tout de suite que vous voulez que je meure de faim, ce sera plus tôt fait.

— Mais non, Excellence, c'est vous qui voulez vous suicider. Payez et mangez.

— Avec quoi payer, triple animal ? dit Danglars exaspéré. Est-ce que tu crois qu'on a cent mille francs dans sa poche ?

— Vous avez cinq millions cinquante mille francs dans la vôtre, Excellence, dit Peppino ; cela fait cinquante poulets à cent mille francs et un demi-poulet à cinquante mille.

Danglars frissonna ; le bandeau lui tomba des yeux ; c'était bien toujours une plaisanterie, mais il la comprenait enfin.

— Voyons, dit-il, voyons : en donnant ces cent mille francs, me tiendrez-vous quitte au moins, et pourrai-je manger tout à mon aise ?

— Sans doute, dit Peppino.

— Mais comment les donner ? fit Danglars en respirant plus librement.

— Rien de plus facile : vous avez un crédit ouvert chez MM. Thomson & French, via del Banchi, à Rome. Donnez-moi un bon de quatre mille neuf cent quatre-vingt-dix-huit louis sur ces messieurs, notre banquier nous le prendra.

Danglars voulut au moins se donner le mérite de la bonne volonté ; il prit la plume et le papier que lui présentait Peppino, écrivit la cédule et signa.

— Tenez, dit-il, voilà votre bon au porteur.

— Et vous, voici votre poulet.

66

Le pardon

Le lendemain Danglars eut encore faim ; le prisonnier crut que, pour ce jour-là, il n'aurait aucune dépense à faire ; en homme économe, il avait caché la moitié de son poulet et un morceau de son pain dans le coin de sa cellule.

Mais il n'eut pas plus tôt mangé qu'il eut soif : il n'avait pas compté là-dessus. Il lutta contre la soif jusqu'au moment où il sentit sa langue s'attacher à son palais. Alors, ne pouvant plus résister au feu qui le dévorait, il appela. La sentinelle ouvrit la porte ; c'était un nouveau visage.

Il pensa que mieux valait pour lui avoir affaire à une ancienne connaissance. Il appela Peppino.

— Me voici, Excellence, dit le bandit en se présentant avec un empressement qui parut de bon augure à Danglars ; que désirez-vous ?

— À boire, dit le prisonnier.

— Excellence, dit Peppino, vous savez que le vin est hors de prix dans les environs de Rome.

— Quel prix ?

— Vingt-cinq mille francs la bouteille.

— Dites, s'écria Danglars, dites que vous voulez me dépouiller, ce sera plutôt fait que de me dévorer ainsi lambeau par lambeau.

— Il est possible, dit Peppino, que ce soit là le projet du maître.

— Faites que je le voie.

— C'est facile.

L'instant d'après, Luigi Vampa était devant Danglars.

— Vous m'appelez ? demanda-t-il au prisonnier.

— C'est vous, monsieur, qui êtes le chef des personnes qui m'ont amené ici ?

— Oui, Excellence ; après ?

— Que désirez-vous de moi pour rançon ? parlez.

— Mais tout simplement les cinq millions que vous portez sur vous.

Danglars sentit un effroyable spasme lui broyer le cœur.

— Je n'ai que cela au monde, monsieur, et c'est le reste d'une immense fortune ; si vous me l'ôtez, ôtez-moi la vie.

— Il nous est défendu de verser votre sang, Excellence.

— Eh bien ! misérables ! s'écria Danglars, je déjouerai vos infâmes calculs ; mourir pour mourir, j'aime autant en finir tout de suite ; faites-moi souffrir, torturez-moi, tuez-moi, mais vous n'aurez plus ma signature.

— Comme il vous plaira, Excellence, dit Vampa.

Et il sortit de la cellule.

Danglars se jeta en rugissant sur ses peaux de bouc.

Sa résolution de ne pas signer dura deux jours, après quoi il demanda des aliments et offrit un million.

On lui servit un magnifique souper, et on prit son million.

Dès lors la vie du malheureux prisonnier fut une divagation perpétuelle ; au bout de douze jours, un après-midi qu'il avait dîné comme en ses beaux temps de fortune, il fit ses comptes et s'aperçut qu'il avait tant donné de traites au porteur, qu'il ne lui restait plus que cinquante mille francs.

Alors il se fit en lui une réaction étrange : lui qui venait d'abandonner cinq millions, il essaya de sauver les cinquante mille francs qui lui restaient ; plutôt que de donner ces cinquante mille francs, il se résolut de reprendre une vie de privations, il eut des lueurs d'espoir qui touchaient à la folie ; lui qui depuis si longtemps avait oublié Dieu, il y songea pour se dire que Dieu parfois avait fait des miracles.

Trois jours se passèrent ainsi, pendant lesquels le nom de Dieu fut constamment, sinon dans son cœur, du moins sur ses lèvres. Le quatrième jour, ce n'était plus un homme, c'était un cadavre vivant ; il avait ramassé à terre jusqu'aux dernières miettes de ses anciens repas et commencé à dévorer la natte dont le sol était couvert... Le cinquième jour, il se traîna à l'entrée de la cellule. Puis, se relevant avec une espèce de désespoir :

— Le chef ! cria-t-il, le chef !

— Me voilà ! dit Vampa, paraissant tout à coup ; que désirez-vous encore ?

— Prenez mon dernier or, balbutia Danglars en tendant son portefeuille, et laissez-moi vivre ici, dans cette caverne ; je ne demande plus la liberté, je ne demande qu'à vivre.

— Vous souffrez donc bien ? demanda Vampa.

— Oh ! oui, je souffre, et cruellement !

— Vous repentez-vous, au moins ? dit une voix sombre et solennelle, qui fit dresser les cheveux sur la tête de Danglars.

Son regard affaibli essaya de distinguer les objets, et il vit derrière le bandit un homme enveloppé d'un manteau et perdu dans l'ombre d'un pilastre de pierre.

— De quoi faut-il que je me repente ? balbutia Danglars.

— Du mal que vous avez fait, dit la même voix.

— Oh ! oui, je me repens ! je me repens ! s'écria Danglars.

Et il frappa sa poitrine de son poing amaigri.

— Alors je vous pardonne, dit l'homme en jetant son manteau et en faisant un pas pour se placer dans la lumière.

— Le comte de Monte-Cristo ! dit Danglars, plus pâle de terreur qu'il ne l'était, un instant auparavant, de faim et de misère.

— Vous vous trompez ; je ne suis pas le comte de Monte-Cristo.

— Et qui êtes-vous donc ?

— Je suis Edmond Dantès !

Danglars ne poussa qu'un cri et tomba prosterné.

— Relevez-vous, dit le comte, vous avez la vie sauve, pareille fortune n'est pas arrivée à vos deux autres complices : l'un est fou, l'autre est mort ! Et maintenant, mangez et buvez ; ce soir je vous fais mon hôte... Vampa, quand cet homme sera rassasié, il sera libre.

Danglars demeura prosterné tandis que le comte s'éloignait.

Comme l'avait ordonné le comte, Danglars fut servi par Vampa, qui, l'ayant fait monter dans sa chaise de poste, l'abandonna sur la route, adossé à un arbre.

Il y resta jusqu'au jour, ignorant où il était.

Au jour il s'aperçut qu'il était près d'un ruisseau ; il avait soif, il se traîna jusque-là.

En se baissant pour y boire, il s'aperçut que ses cheveux étaient devenus blancs.

67

Le 5 octobre

C'était sur les six heures du soir ; un jour couleur d'opale, dans lequel un beau soleil d'automne infiltrait ses rayons d'or, tombait du ciel sur la mer bleuâtre. Un léger yacht, pur et élégant de forme, glissait dans les premières vapeurs du soir. Debout sur la proue, un homme de haute taille, au teint de bronze, à l'œil dilaté, voyait venir à lui la terre sous la forme d'une masse sombre disposée en cône, et sortant du milieu des flots comme un immense chapeau de Catalan.

— Est-ce là Monte-Cristo ? demanda le voyageur aux ordres duquel le petit yacht semblait être momentanément soumis.

— Oui, Excellence, répondit le patron, nous arrivons.

Dix minutes après, on carguait les voiles, et l'on jetait l'ancre à cinq cents pas d'un petit port.

Le canot était déjà à la mer avec quatre rameurs et le pilote ; le voyageur descendit, et, au lieu de s'asseoir à la poupe, garnie pour lui d'un tapis bleu, se tint debout et les bras croisés.

En un instant on fut dans une petite anse formée par une échancrure naturelle ; la barque toucha sur un fond de sable fin.

Le jeune homme dégagea ses jambes de la barque, et se laissa glisser dans l'eau, qui lui monta jusqu'à la ceinture.

Au bout d'une trentaine de pas, on avait abordé ; le jeune homme secouait ses pieds sur un terrain sec, cherchait des yeux autour de lui le chemin probable qu'on allait lui indiquer, car il faisait tout à fait nuit.

Au moment où il tournait la tête, une main reposait sur son épaule, et une voix le fit tressaillir.

— Bonjour, Maximilien, disait cette voix ; vous êtes exact, merci !

— C'est vous, comte ! s'écria le jeune homme avec un mouvement qui ressemblait à de la joie, et en serrant de ses deux mains la main de Monte-Cristo.

— Oui, vous le voyez, aussi exact que vous ; mais vous êtes ruisselant, mon cher ami : il faut vous changer. Venez donc, il y a par ici une habitation toute préparée pour vous, et dans laquelle vous oublierez fatigue et froid.

Morrel suivit machinalement le comte, et ils étaient déjà dans la grotte que Maximilien ne s'en était pas encore aperçu.

Il trouva des tapis sous ses pieds ; une porte s'ouvrit, des parfums l'enveloppèrent, une vive lumière frappa ses yeux.

Morrel s'arrêta, hésitant à avancer. Monte-Cristo l'attira doucement.

— Ne convient-il pas, dit-il, que nous employions les trois heures qui nous restent comme ces anciens Romains qui, condamnés par Néron, leur empereur et leur héritier, se mettaient à table couronnés de fleurs, et aspiraient la mort avec le parfum des héliotropes et des roses ?

Morrel sourit.

— Comme vous voudrez, dit-il ; la mort est toujours la mort, c'est-à-dire l'oubli, c'est-à-dire le repos, c'est-à-dire l'absence de la vie, et par conséquent de la douleur.

Il s'assit, Monte-Cristo prit place en face de lui.

On était dans une merveilleuse salle à manger, où des statues de marbre portaient sur leurs têtes des corbeilles toujours pleines de fleurs et de fruits.

Morrel avait tout regardé vaguement, et il était probable qu'il n'avait rien vu.

— Ne regrettez-vous rien ? demanda Monte-Cristo.

— Non ! répondit Morrel.

Monte-Cristo se leva et alla chercher dans une armoire un petit coffret d'argent merveilleusement sculpté et ciselé. L'ouvrant, il en tira une petite boîte d'or dont le couvercle se levait par la pression d'un ressort secret.

Cette boîte contenait une substance onctueuse à demi solide, dont la couleur était indéfinissable. Le comte puisa une petite quantité de cette substance avec une cuiller de vermeil, et l'offrit à Morrel en attachant sur lui un long regard.

— Voilà ce que vous m'avez demandé, dit-il. Voilà ce que je vous ai promis.

— Vivant encore, dit le jeune homme prenant la cuiller des mains de Monte-Cristo, je vous remercie du fond de mon cœur.

Et lentement, Morrel avala ou plutôt savoura la mystérieuse substance offerte par Monte-Cristo.

Alors tous deux se turent. Ali, silencieux et attentif, apporta le tabac, et les narguilés, servit le café et disparut.

Peu à peu les lampes pâlirent dans les mains des statues de marbre qui les soutenaient, et le parfum des cassolettes sembla moins pénétrant à Morrel.

Assis vis-à-vis de lui, Monte-Cristo le regardait du fond de l'ombre, et Morrel ne voyait briller que les yeux du comte.

Une immense douleur s'empara du jeune homme ; il sentait le narguilé s'échapper de ses mains ; les objets perdaient insensiblement leur forme et leur couleur ; ses yeux troublés voyaient s'ouvrir comme des portes et des rideaux dans la muraille.

— Ami, dit-il, je sens que je meurs ; merci.

Morrel, abattu, dompté, se renversa sur son fauteuil : une torpeur veloutée s'insinua dans chacune de ses veines. Un changement d'idées meubla pour ainsi dire son front, comme une nouvelle disposition de dessins meuble le kaléi-doscope. Ses yeux chargés de langueur se fermèrent malgré lui ; cependant derrière ses paupières s'agitait une image qu'il reconnut malgré cette obscurité dont il se croyait enveloppé.

C'était le comte qui venait d'ouvrir une porte.

Aussitôt une immense clarté rayonnant dans une cham-bre voisine, ou plutôt dans un palais merveilleux, inonda la salle où Morrel se laissait aller à sa douce agonie.

Alors il vit venir au seuil de cette salle et sur la limite des deux chambres une femme d'une merveilleuse beauté. Pâle et doucement souriante, elle semblait l'ange de miséricorde conjurant l'ange des vengeances.

« Est-ce déjà le Ciel qui s'ouvre pour moi ? pensa le mourant ; cet ange ressemble à celui que j'ai perdu. »

Monte-Cristo montra du doigt à la femme le sofa où reposait Morrel.

Elle s'avança vers lui les mains jointes et le sourire sur les lèvres.

— Valentine ! Valentine ! cria Morrel du fond de l'âme.

Mais sa bouche ne proféra point un son ; et, comme si toutes ses forces étaient unies dans cette émotion intérieure, il poussa un soupir et ferma les yeux.

Valentine se précipita vers lui.

Les lèvres de Morrel firent encore un mouvement.

— Il vous appelle, dit le comte ; il vous appelle du fond de son sommeil, celui à qui vous aviez confié votre destinée, et la mort a voulu vous séparer ! mais j'étais là par bonheur, et j'ai vaincu la mort ! Valentine, désormais vous ne devez plus vous séparer sur la Terre ; car, pour vous retrouver, il se précipitait dans la tombe. Sans moi, vous mouriez tous deux ; je vous rends l'un à l'autre, puisse Dieu me tenir compte de ces deux existences que je sauve !

Valentine saisit la main de Monte-Cristo, et dans un élan de joie irrésistible elle la porta à ses lèvres.

— Oh ! remerciez-moi bien, dit le comte ; oh ! redites-moi, sans vous lasser de me le redire, redites-moi que je vous ai rendue heureuse ; vous ne savez pas combien j'ai besoin de cette certitude.

— Oh ! oui, oui, je vous remercie de toute mon âme, dit Valentine ; et si vous doutez que mes remerciements soient sincères, eh bien ! demandez à Haydée, interrogez ma sœur chérie Haydée, qui depuis notre départ de France m'a fait attendre patiemment, en me parlant de vous, l'heureux jour qui luit aujourd'hui pour moi.

— Vous aimez donc Haydée ? demanda Monte-Cristo avec une émotion qu'il s'efforçait vainement de dissimuler.

— Oh ! de toute mon âme !

— Eh bien ! écoutez, Valentine, dit le comte, j'ai une grâce à vous demander.

— À moi, grand Dieu ! suis-je assez heureuse pour cela ?...

— Oui ; vous avez appelé Haydée votre sœur : qu'elle soit votre sœur en effet, Valentine ; rendez-lui à elle tout ce que vous croyez me devoir à moi ; protégez-la, Morrel et vous, car (la voix du comte fut prête à s'éteindre dans sa gorge)... car désormais elle sera seule au monde...

— Seule au monde ! répéta une voix derrière le comte, et pourquoi ?

Monte-Cristo se retourna.

Haydée était là debout, pâle et glacée, regardant le comte avec un geste de mortelle stupeur.

— Parce que demain, ma fille, tu seras libre, répondit le comte ; parce que tu reprendras dans le monde la place qui t'est due, parce que je ne veux pas que ma destinée obscurcisse la tienne. Fille de prince ! je te rends les richesses et le nom de ton père.

— Oh ! mon Dieu ! s'écria Valentine, tout en soutenant la tête engourdie de Morrel sur son épaule, ne voyez-vous donc pas comme elle est pâle ? ne comprenez-vous donc pas ce qu'elle souffre ?

Haydée lui dit avec une expression déchirante :

— Pourquoi veux-tu donc qu'il me comprenne, ma sœur ? il est mon maître et je suis son esclave : il a le droit de ne rien voir.

Le comte frissonna aux accents de cette voix qui alla éveiller jusqu'aux fibres les plus secrètes de son cœur ; ses yeux rencontrèrent ceux de la jeune fille et ne purent en supporter l'éclat.

— Mais tu m'aimes donc ?

— Oh ! Valentine, il demande si je l'aime ! Valentine, dis-lui donc si tu aimes Maximilien !

Le comte sentit sa poitrine s'élargir et son cœur se dilater ; il ouvrit ses bras, Haydée s'y élança en jetant un cri.

— Oh ! oui, je t'aime ! dit-elle, je t'aime comme on aime son père, son frère, son mari ! je t'aime comme on aime sa vie, comme on aime son Dieu, car tu es pour moi le plus beau, le meilleur et le plus grand des êtres créés !

Le comte se recueillit un instant.

— Ai-je entrevu la vérité ? dit-il. Oh ! mon Dieu ! n'importe, récompense ou châtiment, j'accepte cette destinée. Viens, Haydée, viens...

Et jetant son bras autour de la taille de la jeune fille, il serra la main de Valentine et disparut.

Une heure à peu près s'écoula pendant laquelle, haletante, sans voix, les yeux fixes, Valentine demeura près de Morrel. Enfin elle sentit son cœur battre, un souffle imperceptible ouvrit ses lèvres, et ce léger frissonnement qui annonce le retour de la vie courut par tout le corps du jeune homme.

Enfin ses yeux se rouvrirent, mais fixes et comme insensés d'abord, puis la vie lui revint, précise, réelle ; avec la vue le sentiment, avec le sentiment la douleur.

— Oh ! s'écria-t-il avec l'accent du désespoir, je vis encore, le comte m'a trompé !

Et sa main s'étendit vers la table, et saisit un couteau.

— Ami, dit Valentine avec son adorable sourire, réveille-toi donc et regarde de mon côté.

Morrel poussa un grand cri, et, délirant, plein de doute, ébloui comme par une vision céleste, il tomba sur ses deux genoux...

Le lendemain, aux premiers rayons du jour, Morrel et Valentine se promenaient au bras l'un de l'autre sur le rivage, Valentine racontant à Morrel comment Monte-Cristo était apparu dans sa chambre, comment il lui avait tout dévoilé, comment il lui avait fait toucher le crime du doigt, et enfin comment il l'avait miraculeusement sauvée de la mort, tout en laissant croire qu'elle était morte.

Ils avaient trouvé ouverte la porte de la grotte, et ils étaient sortis ; le ciel laissait luire dans son azur matinal les dernières étoiles de la nuit.

Alors Morrel aperçut dans la pénombre d'un groupe de rochers un homme qui attendait un signe pour avancer ; il montra cet homme à Valentine.

— Ah ! c'est Jacopo ! dit-elle, le capitaine du yacht.

Et d'un geste elle l'appela vers elle et vers Maximilien.

— Vous avez quelque chose à nous dire ? demanda Morrel.

— J'avais à vous remettre cette lettre de la part du comte.

Morrel ouvrit la lettre et lut :

« *Mon cher Maximilien,*

« *Il y a une felouque pour vous à l'ancre. Jacopo vous conduira à Livourne, où M. Noirtier attend sa petite-fille, qu'il veut bénir avant qu'elle vous suive à l'autel. Tout ce qui est dans cette grotte, mon ami, ma maison des Champs-Élysées et mon petit château du Tréport sont le présent de noces que fait Edmond Dantès au fils de son patron Morrel. Mlle de Villefort voudra bien en prendre la moitié, car je la supplie de donner aux pauvres de Paris toute la fortune qui lui revient du côté de son père devenu fou, et du côté de son frère, décédé en septembre dernier avec sa belle-mère.*

« *Dites à l'ange qui va veiller sur votre vie, Morrel, de prier quelquefois pour un homme qui, pareil à Satan, s'est cru un instant l'égal de Dieu, et qui a reconnu, avec toute l'humilité d'un chrétien, qu'aux mains de Dieu seul est la suprême puissance et la sagesse infinie. Ces prières adouciront peut-être le remords qu'il emporte au fond de son cœur.*

« *Vivez donc et soyez heureux, enfants chéris de mon cœur, et n'oubliez jamais que, jusqu'au jour où Dieu daignera dévoiler l'avenir à l'homme, toute la sagesse humaine sera dans ces deux mots :*

« Attendre et espérer !

« *Votre ami,*

EDMOND DANTÈS,

comte de Monte-Cristo.

TABLE

PAPIER À BASE DE FIBRES CERTIFIÉES

Le Livre de Poche s'engage pour l'environnement en réduisant l'empreinte carbone de ses livres. Celle de cet exemplaire est de : 300 g éq. CO Rendez-vous sur www.livredepoche-durable.fr

« Pour l'éditeur, le principe est d'utiliser des papiers composés de fibres naturelles, renouvelables, recyclables et fabriquées à partir de bois issus de forêts qui adoptent un système d'aménagement durable. En outre, l'éditeur attend de ses fournisseurs de papier qu'ils s'inscrivent dans une démarche de certification environnementale reconnue. »

Édité par la Librairie Générale Française - LPJ
(58 rue Jean Bleuzen, 92170 Vanves)

Composition Jouve
Achevé d'imprimer en Espagne par Liberdúplex
Dépôt légal 1re publication mars 2015
89.1118.9/05 - ISBN : 978-2-01-203170-8
Loi n° 49-956 du 16 juillet 1949 sur les publications destinées à la jeunesse
Dépôt légal : juillet 2019